COME IMPARARE IL GRECO MODERNO IN 30 GIORNI

Ippokratis Kalogeropoulos

INDICE

PREMESSA

Per le tue ragioni, che non conosco, hai deciso di imparare il greco moderno. Ma è troppo difficile! E che alfabeto bizzarro! E che grammatica complicata! Non serve a niente! È una lingua che si parla in un solo paese in tutto il mondo! Impararlo in soli 30 giorni?

Ma è davvero difficile il greco moderno? Se vuoi veramente una cosa, non la fai comunque, nonostante la difficoltà? Sai preparare la pastiera napoletana, vero? Eppure su Internet tutti i siti presentano la ricetta con una difficoltà alta perché ci vogliono più ore per realizzarla. La fai però perché ti piace. Sai nuotare, vero? Non dico come un delfino, ma entrare nell'acqua e fare un paio di andate e ritorni senza affogare lo fai. La prima volta non ti sembrava difficile, impensabile, infattibile? Hai bevuto tanta acqua all'inizio, ma che soddisfazione dopo! E perché non parliamo dell'italiano? Hai cominciato ad esprimerti senza sapere neanche cosa fossero le lettere e le parole. Io ti darò l'alfabeto, le regole grammaticali e molto altro. Perché dovrebbe essere difficile? Devi solo credere al percorso che stai per intraprendere.

Un nuovo alfabeto, è vero. Cosa possiamo fare? Volevano il loro alfabeto gli Etruschi e più tardi i Romani. Ma capirono che non potevano fare a meno di quello greco siccome gli mancavano suoni utili, perciò hanno aggiunto per esempio la lettera z alla fine mentre la ζ (che non si pronuncia come pensi) è la sesta in greco. "Soprattutto alla tua età, sarà impossibile memorizzarlo..." Forse ci metterai un po' più di tempo rispetto a un giovane scolaro ma impossibile non è. Conosci già tante lettere: la prima, l'ultima, la π, cioè il famoso 3,14, la υ che non è altra cosa che la y. E poi ti piace la matematica. Una lettera come un triangolo isoscele non ti incuriosisce? Ti piace il bricolage. Un'altra che ricorda la testa di una vite? Ti piace la mitologia. Una lettera che assomiglia al tridente di Poseidone? E sei un romanticone. Quell'altra lettera che sembra come il riflesso della luna nel mare? (Le somiglianze sono tratte dal romanzo *La Langue maternelle* di Vassilis Alexakis, Parigi, Fayard, 1995) Perché considerare l'alfabeto greco come una tortura mentre è un gioco? Non ti preoccupare! Ti darò il tempo ma anche i mezzi opportuni per impararlo.

La grammatica del greco è complicata, vero. Ma non lo è quella dell'italiano? È solo che non te ne accorgi perché è la tua lingua. Il verbo "uscire", per esempio, fa "io esco" alla prima persona singolare del Presente invece di "io usco", e non ti ribelli. Va bene, hai ragione, una spiegazione esiste: la prima sillaba è accentata, perciò ci sono due radici. E capisco benissimo che il plurale di un "uovo" è "uova" e non "uovi" per rispettare l'etimologia latina della parola. Ma dimmi qual è la logica secondo cui un neutro latino diventa maschile al singolare e femminile al plurale! E diciamo che io sono strano perché la mia lingua madre non fa parte della famiglia delle lingue romanze. Perché il verbo "pensare" regge il congiuntivo mentre in francese "penser" regge l'indicativo? Se non riuscite a mettervi d'accordo fra di voi... Insomma, ogni lingua è bella e unica con le sue particolarità e eccezioni.

Il greco moderno non serve a niente, vero. In Grecia tutti parlano inglese e trovi abbastanza facilmente anche molta gente che parla francese, italiano e tedesco, quindi non ti perderai, potrai mangiare e dormire anche solo gesticolando, non hai nemmeno bisogno di parlare. Te lo dice il tuo vicino di casa che non è mai uscito dall'Italia, a cui non piace né viaggiare né incontrare nuova gente e nuove culture. Allora vai in Grecia, e parla in inglese con una persona e in greco con un'altra. Ti assicuro che per il primo sarai un turista indifferente: ti aiuterà e basta così; con il secondo si creerà una chimica particolare. Hai fatto uno sforzo per imparare la sua lingua, fai errori (normalissimo), hai il tuo accento italiano (davvero adorabile, peraltro) e, se come me si commuove per la situazione, avrà un atteggiamento molto differente nei tuoi confronti e il suo sorriso non sarà di semplice simpatia ma di vera ammirazione.

Il greco si parla solo in Grecia, falso, falsissimo. Eh sì, non dimentichiamo la bellissima Cipro e non lo dico perché ci dà ogni anno *twelve points / douze points* all'Eurofestival. La lingua greca di Cipro è più pura di quella della Grecia perché si capisce meglio il legame con il greco antico: è il luogo della nascita di Afrodite (ricordi quel meraviglioso dipinto del Botticelli?), quindi non potrebbe non avere un rapporto strettissimo con la Grecia. Non ti convinco, ho l'impressione. E i 20.000 locutori del dialetto grico nell'Italia meridionale? E i circa 250.000 greci in Australia che parlano greco a casa? E i più di 350.000 negli Stati Uniti che parlano greco anche fuori di casa? Non ti bastano neanche queste prove, mi sa, passiamo allora a qualcosa di ancora più universale. Quando ero piccolo, mio padre mi diceva che l'acronimo *OK* viene da όλα καλά (tutto bene): quando i paesi dovevano decidere quale sarebbe stata la lingua universale, c'è stato un voto di differenza fra l'inglese e il greco. Come ogni padre greco che si rispetti (vedi anche Kostas Portokalos del film *Il mio grosso grasso matrimonio greco*), dice che tutto è greco e tu parli già greco ma non te ne accorgi. Forse quel fatto di *OK* è un pochino esagerato ma che il greco esista dappertutto nelle nostre lingue moderne è una certezza.

Imparare a gestire la lingua greca nella sua globalità con tutte le specificità e particolarità in soli 30 giorni è impossibile, non oserei dire il contrario. Ma io non avevo l'intenzione di insegnartela perché tu leggessi un saggio sociolinguistico sul dialetto parlato da tre persone in un villaggio sperduto al confine con la Bulgaria né un articolo scientifico sul cambiamento climatico di oggi e le conseguenze sulla vita umana e animale di domani. Nello spazio di un mese, io posso solo darti la possibilità di scoprire la bellezza della lingua e della cultura greca, facendo spesso il parallelo con l'italiano per aiutarti a capire meglio, e offrirti le solide basi lessico-grammaticali per comunicare in una situazione semplice del quotidiano.

Ti assicuro che i prossimi 30 giorni ti daranno buone basi. Per ideare il programma del nostro viaggio, mi sono basato sulle situazioni di comunicazione e i fenomeni grammaticali proposti dal Centro della lingua greca, ente ufficiale del Ministero dell'Educazione e degli Affari Religiosi, con sede a Salonicco. Non cercare di capire però perché nel primo capitolo non ti faccio imparare quello che insegnano tutti gli altri manuali né perché ti faccio vedere prima una cosa invece di un'altra come fanno tutti gli altri manuali. È un metodo abbastanza rivoluzionario ma un metodo c'è e te lo spiegherò (forse) man mano. Ti chiedo solo due cose: di dedicare al presente libro un'oretta ogni giorno per un mese e di fidarti di me.

Detto tutto ciò, ti presento a grandi linee il libro che hai tra le mani. Ogni capitolo ha un titolo in greco antico; le espressioni sono scritte in maiuscole, così non ti impauriranno spiriti e accenti. Ad ogni modo, le parole antiche sono sempre in uso ma con l'unico accento della lingua moderna; ne riparleremo presto. Se ho scelto queste espressioni, è prima di tutto perché il greco antico e il greco moderno sono la stessa lingua e poi le puoi usare anche tu e tutti ti capiranno.

Siamo pronti per cominciare?

1° GIORNO / ΠΡΩΤΗ ΗΜΕΡΑ
A KAI Ω
ALFA E OMEGA

1.1. Come capire il titolo ermetico del capitolo

Eccoci al primo giorno del tuo apprendimento. Le lezioni ti sembreranno forse un po' lunghe all'inizio con il nuovo alfabeto ma ti prometto che avrai il tempo di digerirlo bene e tranquillamente. I primi giorni non saranno troppo pesanti però perché ho preparato per te tante belle attività, così **imparerai unendo l'utile al dilettevole** o, come si dice in greco, το τερπνόν μετά του ωφελίμου. Non sai ancora leggere questa espressione greca, ma non demordo: dopo l'alfabeto e **per i primi cinque giorni ti darò la trascrizione fonetica di tutte, proprio tutte le parole greche che incontreremo** e le potrai sempre consultare in caso di dubbi; **da lì in poi vedrai che non ti servirà più.** Te la dovrai cavare affidandoti solo alle tue forze e capacità, altrimenti, se non ti reggerai subito sulle tue proprie gambe, l'avanzamento non risulterà né veloce né efficace e l'apprendimento non sarà naturalmente e totalmente immerso nella realtà, ecco perché non ti vorrei dare μασημένη τροφή (cibo già masticato).

Torniamo all'espressione iniziale. Άλφα και ωμέγα sono la prima e l'ultima lettera dell'alfabeto greco, qualcosa che sapevi già anche prima di aprire questo libro. L'espressione composta dalle due lettere è tratta dall'*Apocalisse* di Giovani e caratterizza Gesù che è, secondo la tradizione cristiana, il principio e la fine di tutto. Nella lingua comune di tutti i giorni, in greco e in italiano, significa non solo l'inizio e la fine di un'azione (raccontare tutto dall'alfa all'omega, realizzare una cosa dall'alfa all'omega, ecc.) ma è anche l'elemento più importante di un insieme: l'alfa e l'omega della vita, del successo, dell'educazione, dell'economia, della cucina e così via.

1.2. Come partire da quasi zero

È giunto il momento tanto atteso, desiderato o temuto. Sento che non puoi più aspettare. Eccoti allora **l'alfabeto greco**.

Maiuscola	Minuscola	Consonante	Vocale	Nome	Pronuncia
A	α		x	álfa	a
B	β	x		víta	v
Γ	γ	x		gámma	j latina
Δ	δ	x		délta	th inglese
E	ε		x	épsilon	e
Z	ζ	x		zíta	s sonora
H	η		x	íta	i
Θ	θ	x		thíta	s moscia
I	ι		x	ióta	i
K	κ	x		káppa	k
Λ	λ	x		lámbda	l
M	μ	x		mi	m
N	ν	x		ni	n
Ξ	ξ	x		xi	x
O	o		x	ómicron	o
Π	π	x		pi	p
P	ρ	x		ro	r
Σ	σ/ς	x		sígma	s sorda
T	τ	x		taf	t
Y	υ		x	ípsilon	i
Φ	φ	x		fi	f
X	χ	x		hi	c toscana
Ψ	ψ	x		psi	ps
Ω	ω		x	oméga	o

1.3. Come mancare di rispetto ad Erasmo

Come hai visto, ci sono **24 lettere** nell'alfabeto greco. Le conoscevi già perché hai studiato il greco antico al liceo? Benissimo, non bisogna impararle. È la prima volta che le vedi nella tua vita? Ottimo! Avrai meno difficoltà di qualcuno che ha fatto il liceo classico perché lo hanno fregato, perciò non riesce a farsi capire da un greco quando parla.

Infatti, **il greco antico e il greco moderno si pronunciano in un modo diverso,** almeno è quello che succede fuori dalla Grecia mentre io ho imparato benissimo il greco antico con la pronuncia del greco moderno e non si è offeso né Pericle né Sofocle. Dimmi tu com'è possibile che Erasmo da Rotterdam, a 2.663,4 chilometri di distanza da Atene, sapesse come si pronunciava il greco venti secoli prima di lui! Voi leggete il latino con la pronuncia ecclesiastica e, anche se non potesse essere esattamente così, è una lingua che nacque qui, l'italiano è un'evoluzione naturale del latino nel suo/vostro territorio, quindi sapete sicuramente meglio come pronunciarlo, senza il suono [u] francese che è impronunciabile per un italiano e un greco. Tutti gli studiosi sono d'accordo che il greco dall'epoca di Pausania e Luciano di Samosata (2° secolo d.C.) in poi si pronunciava più o meno come oggi. Cioè prima il greco aveva una pronuncia più europea e a un certo punto ha fatto qualcosa tipo Grexit?

Basta così, mi sono sfogato, ma era da tempo che tenevo questa cosa repressa dentro di me. Passiamo adesso a capire meglio la tabella perché hai sicuramente delle domande. Hai individuato senza dubbio una lettera minuscola con due grafie: **σ si mette all'inizio e all'interno di una parola, e ς sempre e solo alla fine di una parola.**

Per chiedere di fare silenzio, il suono emesso è Σος!, graficamente molto meno monotono con tre lettere diverse dal vostro Sss!.

Questa foto era appesa per anni nei corridoi di un residence a Varkiza, un sobborgo costiero di Atene, dove lavorava in estate mia madre. Ma la mia carriera di modello si è interrotta prematuramente.

Per quanto riguarda la pronuncia adesso. Prima di tutto, nella sesta colonna vedi **sei lettere che hanno una pronuncia un po' particolare**: imparale subito perché le ho usate nella trascrizione fonetica (in maiuscole, così fai la differenza) nei primi cinque capitoli, quindi quando ti do gli esempi oppure nelle soluzioni quando vorrai verificare la pronuncia di ciò che avrai imparato e praticato. Per la Γ/γ ho messo che è una [j] latina come nel nome *Juventus* (nessuna preferenza per la squadra; fino a qualche anno fa non sapevo neanche che fosse italiana...) oppure come la [ÿ] della parola inglese *year*; alcuni metodi di apprendimento del greco moderno dicono che sia uguale alla [r] parigina ma non è affatto così. Poi, per la Δ/δ ho scritto che si pronuncia come la [th] inglese ma attenzione, quella di *the*, *this*, *that*, ecc.; la [th] di *theatre* è la Θ/θ del greco, la [s] moscia della tabella, come la [z] del *corazón* spagnolo. La Z/ζ (eccola, aspettavi sin dalla premessa di saper come pronunciarla) è una [s] sonora come nella parola *cosa* dell'italiano standard oppure la [z] della parola inglese *zebra*, mentre la Σ/σ/ς è una [s] sorda come in *rosso*. Per finire, la X/χ, [c] toscana della tabella, si avvicina piuttosto della [ch] tedesca di *Achtung* o della [j] spagnola di *jamón*. Fino a qui tutto sembra più o meno normale.

19

1.4. Come sapere tutto senza sapere nulla (con esercizio)

Cominciamo con cose facili, le **parole trasparenti fra il greco e l'italiano**.

Fai nel tuo quaderno di greco (Eh, ne hai già comprato uno, vero? Come vuoi imparare una nuova lingua senza prendere appunti?) una tabella con cinque colonne. Nella prima scriverai tutti i sostantivi sotto elencati che finiscono con una consonante: vedrai qual è la consonante identica e la metterai come titolo della colonna. Nelle altre quattro scriverai come titoli le vocali greche in ordine alfabetico senza la ε e le ultime due. Senza leggere, copia ogni parola (con l'accento; devi abituarti ad aggiungerlo, ne parleremo prossimamente) mettendola nella colonna corrispondente basandoti sull'ultima lettera.

Ακρόπολη • βιβλιοθήκη • γαλαξίας • δημοκρατία
Ευρώπη • ζωόφιλος • ηθική • θέατρο
Ιταλία • κινηματογράφος • λεμόνι • μανταρίνι
νάνος • ξυλόφωνο • οικονομία • παντελόνι
ρινόκερος • σκάκι • τριλογία • υδρογόνο
φαρμακείο • χρονομετρητής • ψυχίατρος • ωκεανός

Ti lascio un po' di tempo perché è la prima volta che scrivi in greco. Continua a leggere solo dopo aver finito l'esercizio e non sperare di trovare le risposte qua: una volta che la tabella sarà pronta, io ti farò domande su quello che avrai scritto.

Finito? Andiamo avanti. Immagino che tu abbia messo otto sostantivi nella prima colonna e quattro in ognuna delle altre, giusto? Adesso prova a riconoscere le lettere di ogni parola e a fare il legame con l'italiano. Sappi che certe vocali sono un po' cambiate nel tempo e alcune consonanti si sono semplificate (Θ/θ diventata t, Ξ/ξ diventata s, X/χ diventata c), ma non è colpa mia: è l'italiano che non ha rispettato l'etimologia greca, e approfitto di questo momento per esprimere la mia profonda incomprensione, anzi la mia incommensurabile rabbia per quanto riguarda l'assenza della lettera y nelle parole italiane di origine greca. Chiudo la parentesi e non ti chiedo se capisci il significato delle 24 parole perché sono sicuro che le conosci tutte (tranne una sola forse che ha un senso un po' più preciso di quello che immaginavi). Adesso puoi recarti alla fine del capitolo per eventualmente correggere le tue risposte.

In greco ci sono **tre generi: il maschile, il femminile e il neutro**, esattamente come in latino. I neutri latini hanno dovuto diventare maschili o femminili entrando nella lingua italiana, quindi non ti dico che macello accadrà adesso che imparerai una lingua in cui esiste sempre il genere neutro: un piccolo esempio, il mare era neutro in latino, è maschile in italiano e femminile in greco, antico e moderno. Per il momento non ci interessano i generi, non è quello lo scopo dell'esercizio. Ma riesci a capire quali sono i sostantivi maschili, quali i femminili e quali i neutri? Se sì, tante congratulazioni! Altrimenti, non ti preoccupare: era solo una piccola introduzione e torneremo sulla tua tabella fra qualche giorno.

Hai cominciato la prima lezione di greco poco fa e hai già imparato 24 parole. Complimenti! Come vedi, **la tua lingua madre ti può aiutare a capire tante parole greche.**

1.5. Come essere nostalgici del passato

È l'inizio ancora ma dovresti abituarti anche ad **altri tipi di carattere di scrittura**. Per ciò ti faccio vedere una parte della mia collezione di monete greche. Ne ho tante, alcune abbastanza particolari, come per esempio, una da 30 dracme del 1963 con i cinque re di Grecia per il loro 100° anniversario, due da 20 e da 10 centesimi (λεπτά) [leptá] con il buco al centro, una cipriota ettagonale da 50 centesimi, e le sei monete commemorative per le Olimpiadi di Atene del 2004.

Ah, la dracma (δραχμή) [ΔraXmí]! Quanto era bella! Come le vostre 100 lire con Minerva oppure le 500 lire con le caravelle. È stata l'unità monetaria greca per secoli e ce l'hanno tolta quando è arrivato l'euro (ευρώ) [evró] con porte, finestre e ponti che hanno sostituito la fierezza e l'orgoglio non materiale della Grecia. Che collezione fare mo'? Vabbe', torniamo alle nostre pecore, come dicono i francesi.

1.6. Come accorgersi della bellezza extratemporale (con esercizio)

Qui sotto vedi sei monete. Ma quanto sono belle! I nomi delle personalità sono scritti con maiuscole. Nel tuo quaderno scrivili prima con maiuscole e dopo con minuscole.

Ti aiuto perché forse non si vedono bene tutte le lettere. Ti do la prima e dopo le altre in disordine.

23

1) A _ _ _ _ _ _ _ _ _ (ΣΟΣΕΤΙΛΗΡΤ)
2) Δ _ _ _ _ _ _ _ _ _ (ΟΤΡΟΣΜΗΚΙ)
3) Σ _ _ _ _ (ΝΟΩΛ)
4) Π _ _ _ _ _ _ _ (ΣΚΕΛΙΡΗ)
5) Μ _ _ _ _ (ΣΓΑΕ) Α _ _ _ _ _ _ _ _ _ (ΞΟΔΕΡΛΑΝΣ)
6) Ό _ _ _ _ _ (ΡΗΣΜΟ)

Όλα καλά; [óla kalá] (Tutto bene?) Ecco cosa intendevo con το τερπνόν μετά του ωφελίμου [to terpnón metá tu ofelímu] (unire l'utile al dilettevole). E così hai la trascrizione anche delle due espressioni che ti dovevo prima che apparisse la tabella dell'alfabeto. Ma quanto erano belle le dracme!

Qui sopra puoi vedere le 6.000 dracme che ho ricevuto per le prime due ore di lezione della mia carriera: 17,61 € ormai ma all'epoca mi era costato tanto tenerle da parte. Ma quanto sono belle le dracme!

I segreti svelati in questo capitolo

. Hai scoperto (o forse riscoperto) l'alfabeto greco.

. Hai verificato con i tuoi propri occhi che, nonostante l'italiano appartenga ad un'altra famiglia di lingue, può aiutarti a capire molte parole greche.

Soluzioni degli esercizi del 1° capitolo

1.4

-ς
γαλαξίας [Γalaxías] = galassia
ζωόφιλος [Zoófilos] = zoofilo
κινηματογράφος [kinimatoΓráfos] = cinematografo
νάνος [nános] = nano
ρινόκερος [rinókeros] = rinoceronte
χρονομετρητής [Xronometritís] = timer da cucina
ψυχίατρος [psiXíatros] = psichiatra
ωκεανός [okeanós] = oceano

-α
δημοκρατία [Δimokratía] = democrazia
Ιταλία [italía] = Italia
οικονομία [ikonomía] = economia
τριλογία [triloΓía] = trilogia

-η
Ακρόπολη [akrópoli] = Acropoli
βιβλιοθήκη [vivlioΘíki] = biblioteca
Ευρώπη [evrópi] = Europa
ηθική [iΘikí] = etica

-ι
λεμόνι [lemóni] = limone
μανταρίνι [madaríni] = mandarino
παντελόνι [padelóni] = pantaloni
σκάκι [skáki] = scacchi

-ο
θέατρο [Θéatro] = teatro
ξυλόφωνο [xilófono] = xilofono
υδρογόνο [iΔroΓóno] = idrogeno
φαρμακείο [farmakío] = farmacia

1.6

1) ΑΡΙΣΤΟΤΕΛΗΣ / Αριστοτέλης [aristotélis] è Aristotele.

2) ΔΗΜΟΚΡΙΤΟΣ / Δημόκριτος [Δimókritos] è Democrito.

3) ΣΟΛΩΝ / Σόλων [sólon] (e Σόλωνας [sólonas] con la desi-nenza moderna) è Solone.

4) ΠΕΡΙΚΛΗΣ / Περικλής [periklís] è Pericle.

5) ΜΕΓΑΣ ΑΛΕΞΑΝΔΡΟΣ / Μέγας Αλέξανδρος [méΓas aléxanΔros] (oppure Αλέξανδρος ο Μέγας [aléxanΔros o mé-Γas] e, nel linguaggio popolare, Μεγαλέξανδρος [meΓalé-xanΔros]), βασιλεύς Μακεδόνων [vaΣiléfs makeΔónon] (re dei Macedoni) è Alessandro Magno.

6) ΟΜΗΡΟΣ / Όμηρος [ómiros] è Omero.

Raffaello, *Scuola di Atene*, affresco, ca. 1509-1511, Musei Vaticani
Αριστοτέλης e forse Μέγας Αλέξανδρος ci sono rappresentati.

2° GIORNO / ΔΕΥΤΕΡΗ ΗΜΕΡΑ
ΕΚ ΤΩΝ ΩΝ ΟΥΚ ΑΝΕΥ
SINE QUA NON

2.1. Come capire il titolo ermetico del capitolo

Un essere umano non può vivere senza acqua, senza amore e senza belle difficoltà stimolanti, in assenza dei quali la vita non avrebbe nessun senso. Sono cose necessarie e fondamentali di cui non si può fare a meno, cioè εκ των ων ουκ άνευ [ek ton on uk ánef], oppure, perché ti sia meno fastidioso da pronunciare (o perché appunto non puoi pronunciare correttamente questa espressione), *sine qua non*.

Hai visto l'alfabeto, hai cominciato a familiarizzare con le nuove lettere ma non puoi ancora pronunciare tutte le parole, perciò ieri ti ho chiesto di scrivere solo e non di leggere.

Oggi dobbiamo interessarci a **suoni che non si pronunciano sempre come si scrivono** e ne hai assolutamente bisogno per poter continuare.

Approfitto di questo momento (e anche dello spazio libero perché non sopporto le mezze pagine bianche; bisogna rispettare l'ambiente evitando gli sprechi) per parlarti della preposizione άνευ [ánef] che è del greco antico (nella lingua moderna abbiamo χωρίς [Xorís], livello standard, e δίχως [ΔíXos], leggermente più erudito) ma si usa in alcune espressioni della vita quotidiana: άνευ προηγουμένου (senza precedenti), άνευ λόγου και αιτίας (senza ragione e motivo), άνευ όρων (incondizionatamente), η άδεια άνευ αποδοχών (ferie non retribuite), ο υπουργός άνευ χαρτοφυλακίου (ministro senza portafoglio), η τιμή άνευ φόρων (prezzo al netto delle tasse), Καφέ με ζάχαρη ή άνευ; (Caffè con o senza zucchero?). E adesso non c'è spazio per le trascrizioni: te le ho messe nelle soluzioni del capitolo.

2.2. Come vocalizzare correttamente

Hai notato che ci sono **più vocali che si pronunciano allo stesso modo**? Infatti, in greco moderno O/o e Ω/ω si pronunciano [o] (suoni aperti e chiusi non esistono in greco), per esempio επώνυμο [epónimo] (cognome), κρεοπώλης [kreopólis] (macellaio) e H/η, I/ι, Y/υ si pronunciano [i], per esempio μήνυμα [mínima] (messaggio), διαφήμιση [ΔiafímiΣi] (pubblicità). Nell'orale non si sente la differenza ma nello scritto non sono intercambiabili siccome ogni vocale ha etimologicamente la propria ragione di essere. E non è finita qui! Esistono altri tre suoni [i].

Le **combinazioni vocaliche** sono quelle a cui devi fare più attenzione.

- **EI/ει**, **OI/οι** e **YI/υι** (molto rara quest'ultima), composte da due lettere che si pronunciano come se fossero una sola lettera con un unico suono (chiamiamole così e capirai il nome lungo più tardi), si pronunciano tutte [i], il che significa alla fin fine che ci sono sei suoni [i] in greco: εισιτήριο [i-Σitírio] (biglietto di trasporto o di ingresso), προειδοποίηση [proiΔopíiΣi] (avvertimento), ηθοποιός [iΘopiós] (attore), ποιητής [piitís] (poeta), υιός [iós] (figlio, forma antichizzante di γιος), υιοθετημένος [ioΘetiménos] (adottato);

- **AI/αι**, composta da due lettere che si pronunciano come se fossero una sola lettera con un unico suono, è uguale ad una E/ε [e]: ναι [ne] (sì), καιρός [kerós] (tempo), παιδί [peΔí] (bambino, ragazzo);

- **OY/ου**, composta da due lettere che si pronunciano come se fossero una sola lettera con un unico suono, qualcosa di facile per te, non è altro che la [u] dell'italiano: μουσική [muΣikí] (musica), γουρούνι [Γurúni] (porco, maiale, in tutti i sensi), σουβλάκι [suvláki] (souvlaki, un piatto di prelibatezza e non semplicemente una ristorazione rapida, che non si fa né con un panino né con una tortilla ma con una vera pita greca: foto in arrivo, pazienza!);

- **ΑΥ/αυ** e **ΕΥ/ευ**, composte da due lettere ma che non formano un unico suono, si pronunciano rispettivamente [av] e [ev] davanti ad una vocale o le consonanti Β/β, Γ/γ, Δ/δ, Ζ/ζ, Λ/λ, Μ/μ, Ν/ν, Ρ/ρ, come in αυγό [avΓó] (uovo), αυλή [avlí] (cortile), κεραυνός [keravnós] (fulmine), αυριανός [avrianós] (di domani), Ευαγγέλιο [evaghélio] (Vangelo), ψευδώνυμο [psevΔónimo] (pseudonimo), Παρασκευή [paraskeví] (il giorno venerdì, la santa Parasceva, un nome femminile, ecc.), ευρώ [evró] (euro); ΑΥ/αυ e ΕΥ/ευ si pronunciano [af] e [ef] davanti alle consonanti Θ/θ, Κ/κ, Ξ/ξ, Π/π, Σ/σ, Τ/τ, Φ/φ, Χ/χ, Ψ/ψ, come in αυθεντικός [afΘedikós] (autentico), αυξάνω [afxáno] (aumento, il verbo: non stupirti, ma per il momento non vedrai i verbi all'infinito, ti spiegherò perché), Αυστραλία [Afstralía] (Australia), αυτοκίνητο [aftokínito] (automobile), διευθυντής [ΔiefΘidís] (direttore), συνέλευση [sinélefΣi] (riunione), ευτυχία [eftiΧía] (felicità), ευχή [efΧí] (augurio).

2.3. Come identificare quel barbaro barbiere che barbasse quella barba così barbaramente a piazza Barberini

Forza, la parte più dura è passata: le **combinazioni consonantiche** sono meno capricciose.

- **ΜΠ/μπ** è la [b] italiana; eh sì, non ho sbagliato prima: la Β/β si pronuncia [v]: μπορώ [boró] (posso), μπουκάλι [bukáli] (bottiglia), μπαμπάς [babás] (babbo, babà);

- **ΝΤ/ντ** è la [d] italiana, da non confondere con la Δ/δ; ντομάτα [domáta] (pomodoro), απέναντι [apénadi] (dall'altra parte), ντουντούκα [dudúka] (megafono, familiarmente);

- **ΓΓ/γγ** (mai all'inizio di una parola) e **ΓΚ/γκ** si pronunciano [gh]: αγγούρι [agúri] (cetriolo), φεγγάρι [fegári] (luna), συγγραφέας [sigraféas] (autore), γκαρσόνι [garsóni] (cameriere), μυρμήγκι [mirmíghi] (formica), γκάνγκστερ [gangster] (gangster).

- **ΤΣ/τς** è la [c] alla Mastroianni, cioè la [z] sorda della parola "stanza": τσάντα [zzáda] (borsa), κατσαρόλα [kazzaróla] (pentola), τσατσάρα [zzazzára] (pettine);

- **ΤΖ/τζ** è la [g] alla Mastroianni, cioè la [z] sonora della parola "zanzara": τζάμι [zámi] (vetro), τζιτζίκι [zizíki] (cicala), τζατζίκι [zazíki] (tzatziki, l'antipasto greco a base di yogurt, cetriolo e aglio, definizione troppo restrittiva per descrivere questa meraviglia, siccome lo yogurt dev'essere di una certa qualità, senza aneto, sale, pepe, succo di limone, aceto e olio di oliva non ha nessun gusto, e soprattutto non è una salsa).

32

2.4. Come dare a Cesare quel che è di Cesare (con esercizio)

Continuiamo con cose che ti possono essere facilmente riconoscibili: personalità italiane o del territorio italico. Qui sotto ci sono due liste: la prima (da 1 a 24) contiene nomi o *praenomina* e *nomina* per gli antichi Romani, la seconda (da A a Ω) cognomi o *cognomina* per i Romani. Associali e scrivi nelle caselle fornite la lettera greca che corrisponde ad ogni numero. Attenzione! In maggioranza sono semplicemente la traslitterazione con lettere greche (**con la pronuncia più vicina se non esiste in greco un suono dell'italiano**) ma alcuni nomi dei secoli precedenti sono stati totalmente alterati. In ogni caso, soprattutto le consonanti ti possono aiutare molto.

1) Αλεσάντρο	9) Μάικ	17) Ραφαέλα
2) Άννα	10) Μάρκος Τύλλιος	18) Σαλβατόρε
3) Γάιος Ιούλιος	11) Μαρτσέλο	19) Τζιλιόλα
4) Δάντης	12) Μικελάντζελο	20) Τζούκερο
5) Ένιο	13) Μόνικα	21) Τζουζέπε
6) Κέκο	14) Ντάριο	22) Φαμπρίτσιο
7) Λεονάρντο	15) Ντονατέλα	23) Φραγκίσκος
8) Λίνα	16) Ραούλ	24) Χριστόφορος

Α) Αλιγκέρι	Ι) Κικέρωνας	Ρ) Μπόβα
Β) Αντονιόνι	Κ) Κολόμβος	Σ) Μποντζιόρνο
Γ) Αρτζέντο	Λ) Κουασίμοντο	Τ) Ντε Αντρέ
Δ) Βερσάτσε	Μ) Μανιάνι	Υ) Πετράρχης
Ε) Βερτμίλερ	Ν) Μαστρογιάνι	Φ) Σάσα
Ζ) Γκαριμπάλντι	Ξ) Μαχμούντ	Χ) Τζαλόνε
Η) Καίσαρας	Ο) Μορικόνε	Ψ) Τσινκουέτι
Θ) Καρά	Π) Μπελούτσι	Ω) Φορνατσιάρι

1 -	2 -	3 -	4 -	5 -	6 -
7 -	8 -	9 -	10 -	11 -	12 -
13 -	14 -	15 -	16 -	17 -	18 -
19 -	20 -	21 -	22 -	23 -	24 -

2.5. Come riassumere due secoli (con esercizio)

Adesso un cruciverba ma alleggerito, adatto al tuo livello. Qui sotto troverai 24 personalità greche; non le conosci tutte, lo so, perciò ho scritto nelle soluzioni cose interessanti a riguardo. Eh sì, **imparare una lingua non è solo il lessico e la grammatica ma anche la civiltà del paese**. Quello che devi fare è scrivere nel cruciverba i cognomi in maiuscole. Ma non poteva essere tanto facile!

Nelle definizioni che sono in greco ho messo prima il mestiere di ogni personalità e dopo una parola chiave che ti aiuterà (spero) a capire meglio di chi si tratti. Prima di cominciare, ti consiglio di leggere tutti i nomi; secondo me, una quindicina più o meno non ti sono estranei. Dopo, leggi tutte le definizioni: incontrerai certo parole che non conosci ma siccome ci sono più rappresentanti di ogni mestiere, ce la caverai per deduzione. Ieri ti ho parlato delle consonanti che si sono semplificate in italiano (Θ/θ ➲ t, Ξ/ξ ➲ s, Χ/χ ➲ c), aggiungiamo adesso anche ΜΝ/μν diventate "nn" e ΣΚ/σκ diventate "sc", senza che il suono [k] si senta in italiano, e ο νωόν νοείτω [o noón noíto] (chi vuol capire, capisca).

Ελευθέριος Βενιζέλος • Μίκης Θεοδωράκης
Σπύρος Θεοδωρίδης • Δομήνικος Θεοτοκόπουλος
Νίκος Καζαντζάκης • Μιχάλης Κακογιάννης
Μαρία Κάλλας • Γιώργος Λάνθιμος
Βίκυ Λέανδρος • Σπυρίδων Λούης
Ζωρζ Μουστακί • Νάνα Μούσχουρη
Σταύρος Νιάρχος • Κατίνα Παξινού
Ειρήνη Παπά • Γεώργιος Παπανικολάου
Άκης Πετρετζίκης • Ντέμης Ρούσσος
Τέλλης Σαβάλας • Γιώργος Σεφέρης
Γεράσιμος Σκιαδαρέσης • Διονύσιος Σολωμός
Μάνος Χατζιδάκις • Αριστοτέλης Ωνάσης

Οριζόντια

1. Ηθοποιός, Κότζακ.
2. Σκηνοθέτης, Όσκαρ.
3. Τραγουδίστρια, Γιουροβίζιον.
4. Μάγειρας, Μάστερσεφ.
5. Σοπράνο, Σκάλα.
6. Αθλητής, μαραθώνιος.
7. Μουσικοσυνθέτης, συρτάκι.
8. Ποιητής, Νόμπελ.
9. Ζωγράφος, Γκρέκο.
10. Ηθοποιός, Σουμπούρα.
11. Εφοπλιστής, Κάλλας.
12. Τραγουδιστής, Αφροδίτη.
13. Σκηνοθέτης, Ζορμπάς.

Κάθετα

14. Μουσικοσυνθέτης, Πειραιάς.
15. Εφοπλιστής, γιοτ.
16. Ποιητής, ύμνος.
17. Ηθοποιός, Βολοντέ.
18. Μάγειρας, Γκίνες.
19. Ηθοποιός, Ρόκο.
20. Γιατρός, τεστ.
21. Τραγουδιστής, Παρίσι.
22. Τραγουδίστρια, Χαμπανέρα.
23. Πολιτικός, αεροδρόμιο.
24. Συγγραφέας, Ζορμπάς.

2.6. Come non aver paura di dire quello che pensi (con esercizio)

Se l'alfabeto non ti è ancora molto familiare, puoi continuare con quest'ultimo esercizio, un cruci-puzzle seguito da una lista di cognomi di personalità straniere scritti con caratteri greci. Segna tutti i cognomi (ci vuole un po' di pazienza e **molta fantasia per decifrarli**) e con le lettere che rimarranno da sinistra a destra, saprai come si dice la lingua che stai imparando.

ν	λ	μ	ε	ρ	κ	ι	ο	υ	ρ	ι
τ	σ	α	ι	ξ	π	η	ρ	φ	ο	ξ
ε	β	ν	ι	τ	σ	ε	γ	π	ι	τ
λ	α	τ	μ	ν	ν	χ	ο	β	ν	α
ο	ρ	ε	π	τ	α	ι	υ	ο	τ	θ
ν	τ	λ	α	ε	ι	ο	α	ν	ο	ε
ζ	σ	α	ρ	μ	ν	υ	ι	α	σ	ρ
α	ε	κ	ν	π	τ	σ	ν	π	τ	β
κ	ν	α	τ	ο	ε	τ	χ	α	ο	α
ε	ε	λ	ο	β	ρ	ο	α	ρ	γ	ν
ρ	γ	ο	ρ	ο	ν	ν	ο	τ	ι	τ
μ	κ	ι	ο	υ	ρ	ι	υ	η	ε	ε
π	ε	ν	ν	α	ι	π	ζ	σ	φ	σ
ε	ρ	δ	α	ρ	β	ι	ν	ο	σ	τ
ρ	γ	λ	λ	ι	κ	α	τ	π	κ	ζ
γ	κ	α	ν	τ	ι	φ	ε	ι	ι	α
κ	α	ν	τ	ι	ο	ν	ν	κ	γ	κ
ε	γ	κ	ο	τ	ι	ε	ε	α	κ	σ
λ	κ	ρ	ι	σ	τ	ι	β	σ	ι	ο
ο	α	η	χ	ε	π	μ	π	ο	ρ	ν

Αγκάθα ΚΡΙΣΤΙ • Αλέν ΝΤΕΛΟΝ
Άρνολντ ΣΒΑΡΤΣΕΝΕΓΚΕΡ • Γουίτνεϊ ΧΙΟΥΣΤΟΝ
Έιμι ΓΟΥΑΪΝΧΑΟΥΖ • Εντίθ ΠΙΑΦ
Ζαν-Πολ ΓΚΟΤΙΕ • Ίντιρα ΓΚΑΝΤΙ
Κάρολος ΔΑΡΒΙΝΟΣ • Κατρίν ΝΤΕΝΕΒ
Κριστιάνο ΡΟΝΑΛΝΤΟ • Λέιντι ΓΚΑΓΚΑ
Μάικλ ΤΖΑΚΣΟΝ • Μαρία ΚΙΟΥΡΙ
Μαρκ ΖΑΚΕΡΜΠΕΡΓΚ • Μιγκέλ ντε ΘΕΡΒΑΝΤΕΣ
Μπραντ ΠΙΤ • Μπριζίτ ΜΠΑΡΝΤΟ
Μπρους ΛΙ • Ναπολέων ΒΟΝΑΠΑΡΤΗΣ
Νέλσον ΜΑΝΤΕΛΑ • Όντρεϊ ΧΕΠΜΠΟΡΝ
Ουίλιαμ ΣΑΙΞΠΗΡ • Πάμπλο ΠΙΚΑΣΟ
Ρίτσαρντ ΓΚΙΡ • Ρόμι ΣΝΑΪΝΤΕΡ
Σαμάνθα ΦΟΞ • Σελίν ΝΤΙΟΝ
Σιμόν ΝΤΕ ΜΠΟΒΟΥΑΡ • Σον ΠΕΝ
Τζουντ ΛΟ • Φίοντορ ΝΤΟΣΤΟΓΙΕΦΣΚΙ
Φρέντι ΜΕΡΚΙΟΥΡΙ • Φρίντα ΚΑΛΟ
Φρίντριχ ΝΙΤΣΕ

La parola nascosta è: _ _ _ _ _ _ _ _

I segreti svelati in questo capitolo

. Hai sicuramente imparato l'alfabeto, sai come pronunciare tutte le lettere e le combinazioni, e puoi pronunciare correttamente qualsiasi parola greca.

. Hai capito che non tutti i suoni italiani esistono in greco, il che dà risultati abbastanza divertenti quando si leggono parole straniere scritte con caratteri greci.

2.1

- άνευ προηγουμένου [ánef proiΓuménu]
- άνευ λόγου και αιτίας [ánef lóΓu ke etías]
- άνευ όρων [ánef óron]
- η άδεια άνευ αποδοχών [i áΔia ánef apoΔoΧón]
- ο υπουργός άνευ χαρτοφυλακίου [o ipurΓós ánef Xartofilakíu]
- η τιμή άνευ φόρων [i timí ánef fóron]
- Καφέ με ζάχαρη ή άνευ; [kafé me ZáXari i ánef]

2.4

1Ξ ◆ 2M ◆ 3H ◆ 4A ◆ 5O ◆ 6X ◆ 7Φ ◆ 8E ◆ 9Σ ◆ 10I ◆ 11N ◆ 12B ◆ 13Π ◆ 14Γ ◆ 15Δ ◆ 16P ◆ 17Θ ◆ 18Λ ◆ 19Ψ ◆ 20Ω ◆ 21Z ◆ 22T ◆ 23Y ◆ 24K

Alcuni chiarimenti perché tu capisca meglio questo esercizio:
- Le doppie lettere esistono in greco ma non si pronunciano doppie. Quando un nome proprio (o un sostantivo) italiano si trascrive con caratteri greci, le doppie lettere non si scrivono e non si pronunciano doppie; è quello che hai visto in Alessandro, Bellucci, Carrà, Cinquetti, Donatella, Ennio, Giuseppe, Marcello, Mastroianni, Morricone, Raffaella e Wertmüller. Il nome "Anna" però esiste anche in greco (Άννα).
- La B/b, seconda lettera dell'alfabeto italiano, non corrisponde alla Β/β, seconda lettera dell'alfabeto greco, ma a ΜΠ/μπ (Bellucci, Bongiorno, Fabrizio) mentre la Β/β greca corrisponde a V/v e W/w (Salvatore, Versace, Wertmüller); "Bova" ha tutti e due suoni.
- D/d, ND/nd e NT/nt hanno un'unica grafia in greco, perciò Alessandro, Antonioni, Argento, Dario, De André, Donatella, Garibaldi e Mahmoud si scrivono indifferentemente con ΝΤ/ντ.

- Una S/s intervocalica è sonora in italiano, perciò corrisponde a una Z/ζ (Giuseppe, Quasimodo) ma una Σ/σ fra due vocali non si pronuncia mai sonora in greco.
- Le lettere U/u e OU/ou si scrivono ΟΥ/ου (Bellucci, Cinquetti, Giuseppe, Mahmoud, Quasimodo, Raoul, Zucchero).
- Suoni italiani che non esistono in greco (CC/cc, CE/ce, CI/ci, GI/gi, GE/ge, GL/gl, GN/gn, SCI/sci, SCE/sce, Z/z) vanno semplificati assimilandoli al suono greco più vicino, come in Argento, Bellucci, Bongiorno, Cinquetti, Fabrizio, Fornaciari, Gigliola, Giuseppe, Magnani, Marcello, Michelangelo, Sciascia, Versace, Zalone, Zucchero.
- La C/c (seguita da A/a, O/o, U/u), la CC/cc, la CH/ch, la K/k e la Q/q si trascrivono tutte K/κ (Carrà, Checco, Cinquetti, Marco, Michelangelo, Mike, Monica, Morricone, Quasimodo, Zucchero).
- Nei secoli passati c'era la tendenza di grecizzare i nomi stranieri: è quello che è successo con Cristoforo Colombo, Dante Alighieri, Francesco Petrarca, Gaio Giulio Cesare, Marco Tullio Cicerone. Nel passato, anche Giuseppe Garibaldi soffrì della stessa sorte: si diceva Ιωσήφ Γαριβάλδης.
- Povero Mahmood! I greci hanno visto una H/h e l'hanno fatta Χ/χ, quindi pronunciata…

2.5

Οριζόντια [oriZódia]: **Orizzontali**

1) ΣΑΒΑΛΑΣ [saválas]: Ηθοποιός [iΘopiós] (attore o attrice), Κότζακ [kózak] (Kojak) • Telly Savalas era il protagonista della famosa serie televisiva degli anni settanta *Kojak*.

2) ΛΑΝΘΙΜΟΣ [lánΘimos]: Σκηνοθέτης [skinoΘétis] (regista uomo o donna), Όσκαρ [óskar] (Oscar) • Giorgos Lanthi-mos è il regista del film *La favorita* con 10 candidature agli Oscar del 2019.

3) ΛΕΑΝΔΡΟΣ [léanΔros]: Τραγουδίστρια [traΓuΔístria] (cantante donna), Γιουροβίζιον [ΓiurovíZion] (Eurofestival) • Vicky Leandros vinse il festival musicale nel 1972 rappresentando il Lussemburgo con la canzone "Après toi", un trionfo mondiale, registrata in sette lingue (francese, inglese, italiano, tedesco, spagnolo, greco e giapponese), poi ripresa in altre cinque lingue (ceco, slovacco, finlandese, serbo e svedese). Nel 1972 era la cantante che vendette più dischi al mondo.

4) ΘΕΟΔΩΡΙΔΗΣ [ΘεοΔορίΔis]: Μάγειρας [máΓiras] (cuoco), Μάστερσεφ [mástersef] (MasterChef) ◆ Spyros Theodoridis è il vincitore della 1a edizione della versione italiana del talent show culinario nel 2011.

5) ΚΑΛΛΑΣ [kálas]: Σοπράνο [sopráno] (soprano), Σκάλα [skála] (Scala) ◆ Sarebbe inutile presentare Maria Callas, esibitasi per la prima volta alla Scala di Milano nel 1951. Ma sai che il suo vero cognome era Καλογεροπούλου [kaloΓeropúlu]? È il femminile del mio, Καλογερόπουλος [kaloΓerópulos]: un cognome maschile che finisce con -πουλος diventa -πούλου al femminile.

6) ΛΟΥΗΣ [lúis]: Αθλητής [aΘlitís] (atleta), μαραθώνιος [maraΘónios] (maratona) ◆ Spyridon Louis era il vincitore della maratona della 1a Olimpiade moderna nel 1896; all'inizio, la distanza era di quaranta chilometri, cioè quella tra la città che si chiama Μαραθώνας [maraΘónas] (Maratona) e lo stadio Παναθηναϊκό [panaΘinaikó] (letteralmente: di tutti gli Ateniesi) o Καλλιμάρμαρο [kalimármaro] (dai bei marmi) di Atene, in omaggio alla corsa che fece Φειδιππίδης [fiΔipíΔis] (Fidippide) per annunciare la vittoria contro i Persiani, dicendo "Νενικήκαμεν" [nenikíkamen] ("Abbiamo vinto") prima di morire sul colpo per lo sforzo.

7) ΘΕΟΔΩΡΑΚΗΣ [ΘεοΔorákis]: Μουσικοσυνθέτης [muΣikoΣinΘétis] (compositore di musica), συρτάκι [sirtáki] (sirtaki) ◆ Mikis Theodorakis è conosciuto per la colonna sonora del film *Αλέξης Ζορμπάς* [aléxis Zorbás] (*Zorba il greco*) ma anche per le poesie di Γιώργος Σεφέρης [ΓiórΓos seféris] (Giorgos Seferis), Πάμπλο Νερούδα [páblo nerúΔa] (Pablo

42

Neruda), Γιάννης Ρίτσος [Γiánis rítsos] (Giannis Ritsos) e Οδυσσέας Ελύτης [oΔiΣéas elítis] (Odysseas Elytis) messe in musica.

8) ΣΕΦΕΡΗΣ [seféris]: Ποιητής [piitís] (poeta), Νόμπελ [nó-bel] (Nobel) • Giorgos Seferis era il vincitore del premio Nobel per la letteratura nel 1963; il secondo e ultimo finora poeta greco con un Nobel è Odysseas Elytis [oΔiΣéas elítis] (Οδυσσέας Ελύτης), vinto nel 1979.

9) ΘΕΟΤΟΚΟΠΟΥΛΟΣ [Θeotokópulos]: Ζωγράφος [Ζo-Γráfos] (pittore o pittrice), Γκρέκο [gréko] (Greco) • Dominikos Theotokopoulos è famoso in tutto il mondo con lo pseudonimo El Greco.

10) ΣΚΙΑΔΑΡΕΣΗΣ [skiaΔaréΣis]: Ηθοποιός [iΘopiós] (attore o attrice), Σουμπούρα [subúra] (Suburra) • Gerasimos Skiadaressis era il Monsignor Theodosiou della 1a stagione della serie televisiva *Suburra*.

11) ΩΝΑΣΗΣ [onáΣis]: Εφοπλιστής [efoplistís] (armatore), Κάλλας [kálas] • Aristotele Onassis, il fondatore dell'Ολυμπιακή Αεροπορία [olibiakí aeroporía] (Olympic Airways), era in relazione con la Callas prima di sposare Jackie Kennedy.

12) ΡΟΥΣΣΟΣ [rúΣos]: Τραγουδιστής [traΓuΔistís] (cantante uomo), Αφροδίτη [afroΔíti] (Afrodite) • Demis Roussos era un membro del gruppo musicale "Aphrodite's Child" con Vangelis Papathanassiou [vaghélis papaΘanaΣíu] (Βαγγέλης Παπαθανασίου), più conosciuto con lo pseudonimo Vangelis.

13) ΚΑΚΟΓΙΑΝΝΗΣ [kakoΓiánis]: Σκηνοθέτης [skinoΘétis] (regista), Ζορμπάς [Zorbás] (Zorba) • Michael Cacoyannis è il regista del film *Αλέξης Ζορμπάς* [aléxis Zorbás] (*Zorba il greco*), tre premi Oscar nel 1965, ma anche di *Στέλλα* [stéla] (*Stella, cortigiana del Pireo*) con Μελίνα Μερκούρη [melína merkúri] (Melina Merkouri).

Κάθετα [káΘeta]: **Verticali**

14) ΧΑΤΖΙΔΑΚΙΣ [XaziΔákis]: Μουσικοσυνθέτης [muΣι-κοΣinΘétis] (compositore di musica), Πειραιάς [pireás] (il Pireo) • Manos Hadjidakis è conosciuto per il brano "Τα παιδιά του Πειραιά" [ta peΔiá tu pireá] ("I ragazzi del Pireo"), Oscar per la migliore canzone nel 1960, del film *Στέλλα* [stéla] (*Stella, cortigiana del Pireo*).

15) ΝΙΑΡΧΟΣ [niárXos]: Εφοπλιστής [efoplistís] (armatore), γιοτ [Γiot] (yacht) • Stavros Niarchos era l'ex proprietario dello yacht "Créole" che appartiene adesso alla famiglia Gucci; appassionato di arte, aveva nel suo possesso il diamante che porta il suo nome e molti celebri dipinti (*Autoritratto con orecchio fasciato e pipa* di Van Gogh, *La Pietà* di El Greco, ecc.). Dal 2006 l'Ίδρυμα Σταύρος Νιάρχος [íΔrima stávros niárXos] (Stavros Niarchos Foundation) sito a Καλλιθέα [kaliΘéa] (Kallithea, comune gemellato con Ferrara) e ideato dall'architetto Renzo Piato, è l'edificio che ospita l'Εθνική Βιβλιοθήκη της Ελλάδος [eΘnikí vivlioΘíki tis eláΔos] (Biblioteca nazionale della Grecia) e l'Εθνική Λυρική Σκηνή [eΘnikí lirikí skiní] (il teatro dell'Opera nazionale greca).

16) ΣΟΛΩΜΟΣ [solomós]: Ποιητής [piitís] (poeta), ύμνος [ímnos] (inno) • Dionysios Solomos scrisse "Ύμνος εις την Ελευθερίαν" [ímnos is tin elefΘerían] ("Inno alla Libertà"), le cui prime due strofi divennero l'inno nazionale greco nel 1865 e cipriota nel 1966.

17) ΠΑΠΑ [papá]: Ηθοποιός [iΘopiós] (attore o attrice), Βολοντέ [volonté] (Volonté) • Irene Papas collaborò più volte con Gian Maria Volonté, per esempio in *A ciascuno il suo*, *Cristo si è fermato a Eboli*, *Cronaca di una morte annunciata*, ma partecipò anche a molti altri film famosi (*I cannoni di Navarone*, *Zorba il greco*, *Z - L'orgia del potere*, *Il mandolino del capitano Corelli*, ecc.).

44

18) ΠΕΤΡΕΤΖΙΚΗΣ [petrezíkis]: Μάγειρας [máΓiras] (cuoco), Γκίνες [ghínes] (Guinness) • Akis Petretzikis è il vincitore della 1a edizione di *MasterChef* Grecia nel 2010, con una carriera che va sempre più in salita: finora, ha pubblicato tre libri e due riviste di ricette, è presente in televisione con almeno due trasmissioni ogni anno, ha un canale molto popolare su YouTube con ricette anche in inglese, ha vinto il Guinness dei primati nel 2019 per il record di 3.378 burgers preparati in un'ora e nel 2020 ha partecipato nel programma *Ready Steady Cook* (in italiano, *La prova del cuoco*) del canale televisivo britannico "BBC One".

19) ΠΑΞΙΝΟΥ [paxinú]: Ηθοποιός [iΘopiós] (attore o attrice), Ρόκο [róko] (Rocco) • Katina Paxinou era la madre Rosaria nel film *Rocco e i suoi fratelli* di Luchino Visconti; vinse l'Oscar alla miglior attrice non protagonista per la sua interpretazione nel film *Per chi suona la campana* (1944).

20) ΠΑΠΑΝΙΚΟΛΑΟΥ [papanikoláu]: Γιατρός [Γiatrós] (medico uomo o donna), τεστ [test] (test) • Georgios Papanicolaou è conosciuto per il suo "Pap-test", l'esame citologico di screening del tumore della cervice uterina.

21) ΜΟΥΣΤΑΚΙ [mustakí]: Τραγουδιστής [traΓuΔistís] (cantante uomo), Παρίσι [paríΣi] (Parigi) • Georges Moustaki, stabilito a Parigi, cantò in sette lingue (francese, italiano, greco, inglese, spagnolo, portoghese e arabo) ed è conosciuto tra l'altro per il brano "Ο μέτοικος" [o métikos] ("Il meteco") tradotto in italiano come "Lo straniero"; scrisse anche "Milord" per Édith Piaf.

22) ΜΟΥΣΧΟΥΡΗ [músXuri]: Τραγουδίστρια [traΓuΔístria] (cantante donna), Χαμπανέρα [Xabanéra] (Habanera) • Nana Mouskouri è una cantante con oltre 200.000.000 di dischi venduti in tutto il mondo con canzoni in diciassette lingue (greco, francese, inglese, tedesco, italiano, spagnolo, portoghese, olandese, cinese, giapponese, coreano, arabo, ebraico, còrso, gallese, hawaiano e latino). Uno dei suoi successi è l'aria "Habanera" della *Carmen* di Georges Bizet.

23) ΒΕΝΙΖΕΛΟΣ [veniZélos]: Πολιτικός [politikós] (politico uomo o donna), αεροδρόμιο [aeroΔrómio] (aeroporto) • Eleutherios Venizelos fu eletto sette volte Primo ministro della Grecia; l'aeroporto internazionale di Atene porta il suo nome.

24) ΚΑΖΑΝΤΖΑΚΗΣ [kaZanzákis]: Συγγραφέας [sighraféas] (autore uomo o donna), Ζορμπάς [Zorbás] (Zorba) • Nikos Kazantzakis è l'autore del romanzo *Βίος και πολιτεία του Αλέξη Ζορμπά* [víos ke politía tu aléxi Zorbá] (*Vita e opere di Alexis Zorba*), su cui è basato il film *Αλέξης Ζορμπάς* [aléxis Zorbás] (*Zorba il greco*), ma anche del romanzo *O τελευταίος πειρασμός* [o teleftéos piraZmós] (*L'ultima tentazione*), libro condannato per blasfemia dalla chiesa ortodossa e quella cattolica.

Tre di queste personalità hanno dato luogo a espressioni per antonomasia usate nella lingua di tutti i giorni: Κότζακ è una persona che, come il personaggio della serie, è calvo, e Ωνάσης è una persona molto ricca (si dice anche Κροίσος [kríΣos] come il re Creso) oppure in una frase negativa qualcuno che non è abbastanza ricco per fare un acquisto. Infine, soprattutto con un verbo al passato, έγινε Λούης significa che qualcuno è sparito correndo molto velocemente come fatto dal maratoneta.

2.6
I nomi dell'esercizio con caratteri latini sono come segue.
1a colonna: Alain Delon, Mark Zuckerberg, Jude Law;
2a colonna: Arnold Schwarzenegger, Lady Gaga;
3a colonna: Nelson Mandela, Frida Kahlo;
4a colonna: Brigitte Bardot, Cristiano Ronaldo;
5a colonna: Simone de Beauvoir;
6a colonna: Romy Schneider;
7a colonna: Whitney Houston, Édith Piaf;
8a colonna: Amy Winehouse, Catherine Deneuve;

9a colonna: Napoleone Bonaparte, Pablo Picasso;
10a colonna: Fëdor Dostoevskij, Richard Gere;
11a colonna: Miguel de Cervantes, Michael Jackson;
1a riga: Freddie Mercury;
2a riga: William Shakespeare, Samantha Fox;
3a riga: Friedrich Nietzsche, Brad Pitt;
12a riga: Marie Curie;
13a riga: Sean Penn;
14a riga: Charles Darwin
15a riga: Bruce Lee;
16a riga: Indira Gandhi;
17a riga: Céline Dion;
18a riga: Jean-Paul Gaultier;
19a riga: Agatha Christie;
20a riga: Audrey Hepburn.

La parola nascosta è ελληνικά [eliniká], dell'aggettivo ελληνικός [elinikós], che dà la nazionalità ellenica, la repubblica ellenica, ecc.

La bandiera greca

Conosci il significato della presenza della croce, di questi due colori e del numero preciso delle strisce? La croce simboleggia la religione predominante della Grecia, il rispetto e la devozione alla Chiesa ortodossa orientale. L'azzurro è il colore del mare greco e il bianco quello delle onde. Per quanto riguarda le strisce, sono nove perché altrettante sono le sillabe dell'espressione "Ελευθερία ή θάνατος" [elefΘería i Θánatos], cioè "Libertà o morte", parola d'ordine della Rivoluzione greca del 1821 contro il dominio ottomano: le sillabe della prima parola completano le cinque strisce azzurre mentre quelle delle altre due parole completano le quattro strisce bianche.

3° GIORNO / ΤΡΙΤΗ ΗΜΕΡΑ
ΚΤΗΜΑ ΕΣ ΑΕΙ
POSSESSO PER SEMPRE

3.1. Come capire il titolo ermetico del capitolo

Avendo finito i primi due giorni con le singole lettere dell'alfabeto ma anche le combinazioni vocaliche e consonantiche, **puoi adesso pronunciare qualsiasi parola** proprio come la vedi e non devi indovinare nulla, contrariamente ad altre lingue. La pronuncia del greco non ha più quasi nessun segreto per te; quasi, perché ci sono alcune particolarità quando certe lettere incontrano altre, ma lasciamo perdere: puoi tranquillamente farti capire anche senza conoscere queste regole.

Così l'alfabeto greco ti è ormai un κτῆμα ες αεί [ktíma es aí], un possesso per l'eternità, una ricchezza perenne, come lo è l'opera di Tucidide arrivata a noi. La stessa cosa succederà con l'accentazione che studieremo oggi e per ancora due giorni, e dopo non ti resterà che mettere in pratica ogni giorno tutto quello che avrai visto nei primi cinque capitoli introduttivi, lasciare da parte le singole parole, e cominciare a creare frasi e a leggere testi.

3.2. Come capire che tutto ciò non è arabo per te

L'accentazione greca non è complicata perché assomiglia a quella dell'italiano: sai già che **un accento cade solo su una vocale**, il che significa che quella sillaba è più enfatizzata rispetto alle altre, il tono della voce si alza lì e non altrove. Non è come in francese in cui io mettevo gli accenti nello scritto ma non sapevo che questa cosa indicasse l'apertura o la chiusura della vocale, i miei alunni francesi non mi capivano quando dettavo un testo e ho dovuto prendere lezioni di ortofonia per farmi comprendere. Non è neanche come in cinese in cui la stessa parola può significare "mamma", "cavallo" o essere una particella interrogativa (e non mi ricordo cos'altro perché è passato un quarto di secolo da quando lo studiavo), il tutto dipendendo dall'altezza del tono: i primi due seguono le previsioni astrologiche e sono ascendente o discendente, il terzo con prestazioni sportive fa zig-zag, il quarto più pigro non cambia ma rimane sempre all'altezza della situazione e il quinto è come se ti venisse un ictus al momento di aprire la bocca per parlare. Le cose sono molto più facili in greco.

Il greco antico era caratterizzato da un sistema politonico, con tre accenti (acuto, grave e circonflesso) e due spiriti (dolce e aspro). L'anno 1976 è importante nella storia dell'umanità per due ragioni: la prima è che nacqui io; la seconda è che fu abolita la καθαρεύουσα [kaΘarévuΣa], la lingua puristica che manteneva legami più stretti con il greco antico. La lingua si chiama ormai δημοτική [Δimotikí], cioè popolare, e tranne qualche espressione antica ripresa tale quale, la grammatica si è semplificata molto e con essa gli accenti, quindi il **sistema** è diventato **monotonico: in ogni parola esiste un solo accento**, quello acuto. C'è un solo caso in cui appaiono due accenti nella stessa parola ma te lo tengo come sorpresa.

3.3. Come ballare un valzer in tre tempi

In primis, il greco agevola il tuo fiato siccome **l'accento non può salire al di là della terzultima sillaba.** Così le parole sono o ossitone (con l'accento sulla vocale dell'ultima sillaba, cioè tronche) o parossitone (con l'accento sulla penultima, cioè piane) o proparossitone (con l'accento sulla terzultima, cioè sdrucciole): φοιτητής [fititís] (studente), φοιτήτρια [fitítria] (studentessa), φοίτηση [fítiΣi] (frequenza di un corso di studi). Le bisdrucciole, trisdrucciole e quadrisdrucciole per fortuna non esistono perché, come vedrai fra poco, molte parole anche di uso comunissimo hanno più di tre sillabe, e un neogreco che è pigro e sfaticato non ce l'avrebbe fatta.

Le parole monosillabiche non sono accentate (per esempio, gli articoli definiti del singolare ο [o], η [i], το [to]) tranne le tre parole che seguono per fare la differenza tra:
- ή [i] (la congiunzione disgiuntiva "oppure") e η [i] (l'articolo femminile al nominativo singolare)
- πού [pu] (l'avverbio interrogativo "dove?") e που [pu] (il pronome relativo "che")
- πώς [pos] (l'avverbio interrogativo "come?") e πως [pos] (la congiunzione subordinante "che").

Quando le due lettere delle combinazioni vocaliche ΕΙ/ει, ΟΙ/οι, ΥΙ/υι, ΑΙ/αι e ΟΥ/ου formano un unico suono, ma anche per ΑΥ/αυ e ΕΥ/ευ, **l'accento va posto sulla seconda vocale:** είμαι [íme] (sono), θείος [Θíos] (zio), νοίκι [níki] (l'af-fitto), τοίχος [tíXos] (il muro), αίμα [éma] (sangue), καλο-καίρι [kalokéri] (estate), παπαρούνα [paparúna] (papavero), ρούχο [rúXo] (l'abito), θαύμα [Θávma] (miracolo), Ναύπλιο [náfplio] (Nauplia, la prima capitale della Grecia), εύχομαι [éfXome] (auguro), χορεύω [Xorévo] (ballo, il verbo). Un accento sulla seconda lettera di

ΑΥ/αυ o di ΕΥ/ευ, che si pronunciano rispettivamente [av]/[af] e [ev]/[ef], è in fin dei conti un accento su una consonante, ma non sono pazzi solo i Romani.

Le parole in stampatello non ricevono mai accenti, per esempio Ελλάδα/ΕΛΛΑΔΑ [eláΔa] (Grecia), Πανεπιστήμιο/ΠΑΝΕΠΙΣΤΗΜΙΟ [panepistímio] (università) e Πρόεδρος/ΠΡΟΕΔΡΟΣ [próeΔros] (presidente), ma **quando un nome proprio inizia con una vocale accentata maiuscola, l'accento va messo sempre prima, a sinistra**, per esempio Άννα/ANNA [ána] (Anna), Όμηρος/ΟΜΗΡΟΣ [ómiros] (Omero) e Ίντερνετ/ΙΝΤΕΡΝΕΤ [ínternet] (Internet).

Quattro semplici regole sugli accenti, tutto qui.

Cartello che hai forse visto alla frontiera greca o in aeroporto

3.4. Come affrontare precipitevolissimevolmente e sovramagnificentissimamente l'ippopotomonstrosesquipedaliofobia (con esercizio)

Pronuncia le parole che seguono rispettando l'accento. Cominciano da due lettere e arrivano fino a ventidue.

1) η γη
2) η ζωή
3) ο θεός
4) η λάμπα
5) ο δίσκος
6) η μέλισσα
7) το παράθυρο
8) το ξυπνητήρι
9) το εργοστάσιο
10) η ραπτομηχανή
11) η αριθμομηχανή
12) η σφουγγαρίστρα
13) ο εφημεριδοπώλης
14) το γραμματοκιβώτιο
15) η χαρτοπετσετοθήκη
16) ο Δεκαπενταύγουστος
17) ο παλαιοημερολογίτης
18) ο ωτορινολαρυγγολόγος
19) η αυτοκινητοβιομηχανία
20) η σκουληκομυρμηγκότρυπα
21) το ηλεκτροεγκεφαλογράφημα

Facile, no? Perciò ti volevo complicare un po' le cose con le λέξεις-σιδηρόδρομοι [léxis siΔiróΔromi], come si chiamano in greco, cioè **"parole-ferrovie"**.

Δέσποινα Μοιραράκη [Δéspina miraráki], conosciuta come la regina dei tappeti, con premi per l'imprenditorialità in Grecia e all'estero, e trasmissioni in televisione da più di trent'anni, ha inventato un colore per descrivere i suoi tappeti, un rosso dai toni della tegola, della cannella e del corallo, con ventotto lettere: κεραμιδοκανελοκοραλλοκόκκινο [keramiΔokanelokoralokókino]. E poi, nel film *Ένα ασύλληπτο κορόιδο* [éna aΣílipto koróiΔo] (*Un babbeo inconcepibile*) di e con Θανά-σης Βέγγος [ΘanáΣis végos], un attore conosciuto come "ο καλός μας άνθρωπος" [o kalós mas ánΘropos] (il nostro buon uomo), il protagonista ha un cognome fittizio di ben quarantacinque lettere e quando si presenta, si sente sullo sfondo appunto il fischio e il rumore di un treno che parte:
Χατζηπαπαγεωργακοπουλοκωνσταντινογιαννόπουλος
[XazipapaΓeorΓakopulokonstadinoΓianópulos].

Tante sillabe ma l'accento in entrambe le parole si trova sulla terzultima sillaba. Comunque la parola più lunga della letteratura greca è composta da 172 lettere, l'ha inventata Aristofane per la sua commedia *Εκκλησιάζουσες* [ekliΣiáZuΣes] (*Le Donne al parlamento*) e si tratta di un piatto fittizio, una fricassea composta da diciassette ingredienti, ma te la risparmio, altrimenti perderesti il treno.

I segreti svelati in questo capitolo

. Hai imparato che il greco moderno possiede un solo accento e ogni parola ne ha uno (tranne le parole monosillabiche).

. Hai visto dove può cadere l'accento e hai messo in pratica le regole pronunciando anche parole molto lunghe.

3.4

1) [i Γi] = terra
2) [i Zoí] = vita
3) [o Θeós] = dio
4) [i lába] = lampadina
5) [o Δískos] = disco, vassoio
6) [i méliΣa] = ape
7) [to paráΘiro] = finestra
8) [to xipnitíri] = sveglia
9) [to erΓostáΣio] = fabbrica
10) [i raptomiXaní] = macchina per cucire
11) [i ariΘmomiXaní] = calcolatrice
12) [i sfugarístra] = mocio
13) [o efimeriΔopólis] = giornalaio
14) [to Γramatokivótio] = cassetta postale
15) [i XartopezzetoΘíki] = portatovagliolo
16) [o AekapedávΓustos] = Ferragosto
17) [o paleoimeroloΓítis] = vetero-calendarista
18) [o otorinolarigolóΓos] o più semplicemente ΩPΛ [orilá]
= otorinolaringoiatra
19) [i aftokinitoviomiXanía] = industria automobilistica
20) [i skulikomirmigótripa] = buco di vermi e formiche
21) [to ilektroeghefaloΓráfima] = elettroencefalogramma

56

4° GIORNO / ΤΕΤΑΡΤΗ ΗΜΕΡΑ
ΩΣ ΑΠΟ ΜΗΧΑΝΗΣ ΘΕΟΣ
COME UN DEUS EX MACHINA

4.1. Come capire il titolo ermetico del capitolo

Come già accennato, oggi vediamo **gli accenti**, che **ti permetteranno di tirarti fuori da situazioni imbarazzanti** ως από μηχανής θεός [os apó miXanís Θeós] oppure, secondo i Romani, come *un deus ex machina.*

Questa espressione era inizialmente un termine teatrale: nella tragedia antica, in un momento cruciale, quando gli esseri umani non riuscivano a trovare la soluzione al loro problema, appariva un dio per fornirgliela scendendo sulla scena per mezzo di una specie di gru. Oggi la stessa espressione caratterizza un salvatore inaspettato che interviene per indicare la via di uscita da una situazione difficile, ossia esattamente il ruolo assegnato agli accenti in greco, perciò **li devi rispettare, curare e amare.**

Un accento la vita ti salverà:
se spostato altrove apparirà,
cioè s'erroneamente salirà
oppur' inesattamente scenderà,
il senso di una frase soffrirà,
l'interlocutore non ti capirà,
tutto quello che dici gli sfuggirà
e davvero in giro ti prenderà.

Endecasillabi purtroppo non sono ma hai capito l'importanza dell'argomento.

4.2. Come non essere omofobi

Diciamo che hai molta fortuna quando fai confusione oralmente con gli **omofoni non omografi**, cioè più parole che hanno la stessa sillaba accentata ma non si scrivono allo stesso modo. Ricordi le sei [i] e le due [o]? Eccole in pratica.

Un vedovo (ο χήρος, dai, mettiamo anche gli articoli, così non saranno lemmi di un vocabolario) [o Xíros] non si offenderà se lo tratterai da maiale (ο χοίρος) [o Xíros] soprattutto se lo era davvero con la defunta moglie. Se preferisci pagare con una lira (η λύρα) [i líra] cretese (quella con le tre corde) invece che con monete della lira (η λίρα) [i líra] italiana, perché no? Farai felice un commerciante. Se anche tu credi fermamente che gli alberi abbiano un'anima, puoi rivolgerti a un fico (το σύκο) [to síko] o a un paio di mele (τα μήλα) [ta míla] di-cendogli all'imperativo "alzati!" (σήκω!) [síko] e "parla!" (μίλα!) [míla]: potrebbero ascoltarti già che abbiamo tutti visto che funzionò benissimo con il paralitico di Cafarnao e con Lazzaro. E poi, se i muri (οι τοίχοι) [i tíXi] o le mura (τα τείχη) [ta tíXi] hanno la stessa fortuna (η τύχη) [i tíXi] che hai tu, chi se ne frega se non sai come si scrivano?

Ci sono invece parole che pur avendo accento e significato diversi, hanno la medesima grafia. Confondere la città di Atene (η Αθήνα, sì, sì, non meravigliarti: si mettono gli articoli anche ai nomi propri di città e di persone in greco, così non si creano malintesi di genere come succede con Andrea e Domi-nique) [i aΘína] e la dea Atena (η Αθηνά) [i aΘiná] non è poi tanto grave. Vuoi parlare di un colore (πορτοκαλί [portokalí], arancione, o μελί [melí], giallo miele) ma ti riferisci a un cibo dallo stesso colore (το πορτοκάλι [to portokáli] e το μέλι [to méli]), va bene lo stesso. Accettiamo e rispettiamo anche il fatto che tu sia un sindacalista puro e duro e per te il lavoro (η δουλειά) [i Δuliá] è una schiavitù (η δουλεία) [i Δulía], il che non è tanto sbagliato peraltro siccome il travaglio deriva dal latino *tripalium* che era uno strumento di tortura.

Che brutta figura farai però se dirai a qualcuno che è γέρος [Γéros] (vecchio) mentre intendevi γερός [Γerós] (forte, solido). Che mancanza di tatto quando un'amica ti farà vedere con fierezza il suo nuovo bel χαλί [Xalí] (tappeto) costoso e dirai con molto entusiasmo che è χάλι [Xáli] (schifoso, di stato miserabile) oppure quando ti presenterà orgogliosamente un buon (καλός) [kalós] voto di suo figlio e tu congratulerai l'alunno dicendo che è molto κάλος [kálos] (callo, irrazionale, squilibrato). E non stupirti se una persona non verrà ad un appuntamento e in aggiunta non ti parlerà più quando alla sua domanda "πότε" [póte] (quando?), avrai risposto "ποτέ" [poté] (mai).

Pensi che queste confusioni succedano solo nell'ambito amichevole? No! Esci pure da casa ma non reagire male se ti cacciano fuori (εκτός) [ektós] dall'ascensore mentre tu volevi salire al sesto (έκτος) [éktos]. Al ristorante preparati a digiunare se userai la parola ωμός [omós] (crudo) e non ώμος [ómos] (spalla). Se chiederai dove finisca la coda (η ουρά) [i urá] davanti ad un panificio e ti daranno con compassione un raccoglitore per le urine (τα ούρα) [ta úra], sarà perché non potranno aiutare diversamente un esibizionista. E quando entrerai nel panificio, tu avrai bisogno di lievito (η μαγιά) [i maΓiá] ma ti daranno una bambolina vudù dei Maya (οι Μάγια) [i máΓia] con gli aghi per effettuare rituali di magia (τα μάγια) [ta máΓia]. Potresti anche essere considerato come un terrorista per motivi religiosi se, arrabbiato, ti verrà la voglia di rompere uno τζαμί [zamí] (moschea) invece di uno τζάμι [zámi] (vetro). Detto tutto ciò, gli **omografi non omo-foni** ti metteranno nei guai se l'accento non è opportuna-mente sistemato.

Per finire, vediamo alcune **parole né omografe né omofone** con le stesse consonanti allo stesso ordine e suoni uguali ma con vocali e accento differenti (il neologismo "omoconso-nantiche" sarebbe perfetto ma ci si aggiungono anche i suoni identici in greco), **che assomigliano** e sono molto facilmente confondibili:
- το μετάξι [to metáxi] (seta) e μεταξύ [metaxí] (fra, tra)
- πάνω [páno] (su, sopra) e το πανό [to panó] (striscione)
- πίνω [píno] (bevo) e πεινώ [pinó] (ho fame)
- η πόλη [i póli] (città), πολλή [polí] (molta) ma anche πολύ [polí] (molto)
- η φίλη [i fíli] (amica), το φιλί [to filí] (il bacio) e anche η φυλή [i filí] (tribù)
- φιλώ [filó] (bacio, il verbo), το φύλο [to fílo] (sesso, genere) e το φύλλο [to fílo] (foglia, foglio, pasta fillo; quest'ultima, nel caso non lo sapessi, è una varietà della pasta sfoglia, la si può trovare nei negozi di alimentari greci e in alcuni supermercati, e serve a preparare i vari tipi di torte sfogliate, qualcosa che vedremo un altro giorno).

In conclusione, direi che la lingua greca ti sarebbe molto riconoscente se tu scrivessi sempre le parole accentate in modo rigorosamente esatto e valido, e se usassi oralmente le parole accentate sempre in modo corretto e conforme alle norme dell'educazione come le avrai imparate.

4.3. Come appropriarsi quello che non è omogeneo (con esercizi)

A. Nella prima tabella troverai parole con il loro significato: fanno parte della famiglia della seconda parola di ogni coppia dell'esercizio e ti aiuteranno a trovare quali sono le lettere che mancano. Non dimenticare di aggiungere gli accenti; sono **parole omofone non omografe.**

> o ανεμόμυλος = mulino a vento • η Δανία = Danimarca
> δυτικός = occidentale • το θυροτηλέφωνο = citofono
> η Κρήτη = Creta • μηνιαίος = mensile
> νοικιάζω = affittare • περσινός = dell'anno scorso

1) δανεικός = in prestito • δαν__κος = danese
2) δύσει = tramontato • Δ__ση = Occidente
3) Θήρα = Thera (l'isola di Santorini) • θ__ρα = porta
4) κριτικός = critico • κρ__τικος = cretese
5) Μήλος = Milo (l'isola delle Cicladi) • μ__λος = mulino
6) Μίνα = Mina (nome femminile) • μ__να = mese
7) νίκη = vittoria • ν__κι = affitto
8) Πέρση = Persiano • π__ροι = l'anno scorso

B. Le coppie sotto elencate sono costituite da **parole né omofone né omografe che assomigliano**: per la prima hai tutto; aggiungi la lettera e l'accento mancanti dalla seconda.

1) από = di/da • απ___ = estremo

2) κάνω = (io) faccio • καν___ = canoa

3) μήλο = mela • μιλ___ = (io) parlo

4) μίσο = miso giapponese • μισ___ = (io) odio

5) ξέρω = (io) so • ξερ___ = secco

6) πάτο = fondo • πατ___ = (io) premo

7) παίρνω = (io) prendo • π___ρνω = (io) passo

8) χορός = ballo • χ___ρος = spazio

I segreti svelati in questo capitolo

. Hai capito che un accento in greco non è accessorio ma piuttosto necessario se vuoi capire meglio i tuoi interlocutori e esprimerti correttamente senza creare malintesi.

. Hai avuto l'occasione di incontrare parole omofone non omografe, omografe non omofone e altre né omofone né omografe ma che si assomigliano.

4.3-A

1) δανικός [Danikós] • 2) Δύση [DíSi] • 3) θύρα [Thíra] • 4) κρητικός [kritikós] • 5) μύλος [mílos] • 6) μήνα [mína] • 7) νοίκι [níki] • 8) πέρσι [pérsi]

Le tre isole dell'esercizio: Milo, Thera (Santorini) e Creta

4.3-B

1) άπω [ápo] • 2) κανό [kanó] • 3) μιλώ [miló] • 4) μισώ [miSó] • 5) ξερό [xeró] • 6) πατώ [pató] • 7) περνώ [pernó] • 8) χώρος [Xóros]

5° GIORNO / ΠΕΜΠΤΗ ΗΜΕΡΑ
ΟΥΔΕΝ ΚΑΚΟΝ ΑΜΙΓΕΣ ΚΑΛΟΥ
NESSUN MALE NON MISTO CON IL BENE

5.1. Come capire il titolo ermetico del capitolo

Dai, forza, oggi si conclude questa lunga introduzione alla lingua greca ma senza tutto ciò non è possibile leggere correttamente. Come si dice in greco, Ουδέν κακόν αμιγές καλού: da qualsiasi situazione, per quanto sembri negativa, può derivare qualcosa di buono, il che corrisponde in italiano a "non tutti i mali vengono per nuocere", "dietro ogni nuvola c'è sempre un raggio di sole", ecc. Per il momento, fermiamoci solo agli aggettivi καλός, buono, e κακός, cattivo.

Avevo in mente tre alternative per illustrare questa pagina: la prima era lo yin e lo yang ma era molto monotono con i due colori e poi, non c'entravano in un manuale di greco; la seconda era una foto mia appena svegliato ma non hai bisogno di me par mangiare tutta la pappa; ho scelto la terza che è una bell'occasione per vedere alcune parole contrarie: η μέρα (giorno), η νύχτα (notte), ο ήλιος (sole), το φεγγάρι (luna), ο άντρας (uomo), η γυναίκα (donna), το αγόρι (ragazzo), το κορίτσι (ragazza).

5.2. Come riuscire a non essere cannibali

Ricordi le combinazioni vocaliche composte da due lettere che sono come se fossero una sola lettera con un unico suono EI/ει, OI/οι, YI/υι, AI/αι e OY/ου? Ti avevo specificato prima di tutto che formano un unico suono e dopo, che l'accento va messo sulla seconda lettera quando hanno un unico suono. Perché questa ripetizione? Επανάληψις μήτηρ πάσης μαθήσεως [epanálipsis mítir páΣis maΘíΣeos] (*Repetitio est mater studiorum*) certo ma la mia intenzione era soprattutto di proteggere la vita dei poveri bambini. Mi spiego.

Ognuna di queste combinazioni vocaliche è formata da due suoni distinti con **l'uso della dieresi**. Così τα παιδάκια [ta peΔákia] (bambini) e τα παϊδάκια [ta païΔákia] (costolette) non sono la stessa parola. E mentre non si mettono gli accenti sulle altre maiuscole, la dieresi è obbligatoriamente presente, sempre per salvare i poveri bambini (ΠΑΙΔΑΚΙΑ e ΠΑΪΔΑ-ΚΙΑ). Rassicurati, poche sono le parole che rischiano di farti diventare Erode ma abbastanza numerose quelle con la dieresi che va solo sulle vocali ι e υ, come in η πρωτεΐνη [i proteíni] (proteina), κοροϊδεύω [koroïΔévo] (prendo in giro), η ευφυΐα [i efiía] (intelligenza), η μαϊμού [i maimú] (scimmia) e η προϋπόθεση [i proipóΘeΣi] (presupposto). E, come vedi, è possibile avere accento e dieresi sulla medesima vocale. Mettiamo insieme anche ΑΥ/αυ e ΕΥ/ευ: non hanno un unico suono ma sono combinazioni vocaliche, potrebbero offendersi diversamente e farsi una braciola col rasoio sic-come l'harakiri non fa parte della cultura greca.

Quando la prima vocale di una combinazione vocalica è accentata significa che sono **due lettere distinte** perciò **non**

occorre la dieresi, come in ο Μάιος [o máios] (maggio) e το ρολόι [to rolói] (orologio). Sempre in questo caso se c'è un accento sulla prima lettera di ΑΥ/αυ o ΕΥ/ευ, non sono più pronunciate [av]/[af] e [ev]/[ef] ma [áï] e [éï], come in το μπέικον [to béikon] (bacon) e η νεράιδα [i neráiΔa] (fata).

Attenzione però perché certe parole, con la stessa radice ma con l'accento su una sillaba diversa, hanno una forma con dieresi e un'altra senza, per esempio άυπνος [áipnos] (insonne) e η αϋπνία [i aïpnía] (insonnia), ο γάιδαρος [o ΓáiΔaros] (asino) e το γαϊδουράκι [to ΓaïΔuráki] (asinello), το κορόιδο [to koróiΔo] (babbeo) e κοροϊδεύω [koroïΔévo] (prendo in giro), πλάι [plái] (di fianco) e πλαϊνός [plaïnós] (laterale).

Ecco tutte le regole sull'accento e la dieresi. A partire da domani, non ci sarà più la trascrizione fonetica. Come hai visto, siamo andati piano piano all'inizio (hai già letto un sesto del manuale) ma era molto importante cominciare così. Adesso hai un bagaglio solidissimo e sono sicuro che non incontrerai alcuna difficoltà. E poi, ti è possibile, anzi consigliatissimo, di accedere alla pronuncia di qualsiasi parola greca su Forvo (https://it.forvo.com/languages/el/), ottimo sito conosciuto come la "Wikipedia delle pronunce", gratuito e senza registrazione ma il suo vero grande vantaggio è che tutte le parole e espressioni greche sono pronunciate da persone di madrelingua greca. Che sia il tuo compagno fedele e utile durante i testi e gli esercizi che seguiranno, così non ci sarà ombra di dubbio sulla pronuncia greca.

5.3. Come mettere i puntini sulle i (con esercizio)

Sotto elencate troverai **parole** (da 1 a 8) **che non richiedono la dieresi**. Associa ognuna di esse alla spiegazione del **perché** (da A a Θ) scrivendo nelle caselle fornite la lettera greca che corrisponde ad ogni numero.

1) η γριά = vecchia donna
2) η ηθοποιία = recitazione
3) το κομπολόι = tipico rosario greco scacciapensieri
4) ο πιγκουίνος = pinguino
5) η Πομπηία = Pompei
6) το πρωί = mattina
7) το σόι = famiglia in senso ampio
8) το τσάι = tè

A) L'accento è sulla prima lettera della combinazione vocalica αι, quindi si pronuncia [ái] e non [e].
B) L'accento è sulla prima lettera della combinazione vocalica οι, quindi la sillaba si pronuncia [sói] e non [si].
Γ) L'accento è sulla prima lettera della combinazione vocalica οι, quindi la sillaba si pronuncia [lói] e non [li].
Δ) La combinazione vocalica οι si pronuncia [i], quindi la ι dopo si pronuncia [i] in ogni modo.
E) La combinazione vocalica ου si pronuncia [u], quindi la ι dopo si pronuncia [i] in ogni modo.
Z) Le lettere ια non sono la combinazione vocalica con un unico suono αι, quindi si pronunciano già distintamente [ia] e non [e].
H) Le lettere ηι non sono una combinazione vocalica con un unico suono, quindi si pronunciano [ii] in ogni modo.
Θ) Le lettere ωι non sono una combinazione vocalica con un unico suono, quindi si pronunciano [oi] in ogni modo.

1 -	2 -	3 -	4 -	5 -	6 -	7 -	8 -

I segreti svelati in questo capitolo

. Hai compreso l'uso della dieresi, e hai verificato quando e perché non ne abbiamo bisogno.

. Hai avuto l'occasione di incontrare le tue prime parole in greco ma hanno bisogno di un contesto e di essere messe in frasi.

. Ti sei impadronito dell'alfabeto e della pronuncia, quindi non hai più bisogno delle trascrizioni fonetiche.

5.3

1-Z) [Γriá] ✦ 2-Δ) [iΘopiía] ✦ 3-Γ) [kobolói] ✦ 4-E) [piguínos] ✦ 5-H) [pobiía] ✦ 6-Θ) [proí] ✦ 7-B) [sói] ✦ 8-A) [zzái]

Κομπολόι per tutti i gusti, tutti i momenti, tutte le età e tutti gli usi: tra le mani per rilassarsi o come mezzo naturale adiuvante per smettere di fumare, oppure come elemento di decorazione, appeso su una parete o dal soffitto, protegge dalla sfortuna.

Non vorrei essere pesante ma a destra puoi vedere la bellissima moneta di 10 centesimi con il buco al centro.

6° GIORNO / ΕΚΤΗ ΗΜΕΡΑ
ΑΝΔΡΑ ΜΟΙ ΕΝΝΕΠΕ, ΜΟΥΣΑ, ΠΟΛΥΤΡΟΠΟΝ NARRAMI, O MUSA, L'UOMO DALL'AGILE MENTE

6.1. Come capire il titolo ermetico del capitolo

L'incipit del proemio dell'*Odissea* di Omero, Ἄνδρα μοι ἔννεπε, μούσα, πολύτροπον, non è un'espressione tanto u-sata in Grecia, non c'è però un greco che non lo conosca. Varie ragioni motivano questa mia scelta.

Francobollo con la rappresentazione della scena di Ulisse con le sirene dello stamnos attico a figure rosse n° 1843,1103.31 (circa 480-470 a.C.), rinvenuto a Vulci, che si trova esposto nel British Museum di Londra

73

Innanzitutto, in quanto autore, ho bisogno anche io d'ispirazione così come facevano i poeti antichi invocando la musa Calliope: ecco perché possiamo leggere all'inizio dell'*Iliade* (metto anche accenti e spiriti, così capirai la fortuna di non dover impararli nel greco moderno) "Μῆνιν ἄειδε, θεά, Πη-ληϊάδεω Ἀχιλῆος" (Canta, o dea, l'ira di Achille, figlio di Peleo) e a quello dell'*Eneide* di Virgilio "Musa, mihi causas me-mora" (Musa, ricordami le cause).

Poi, è la tua vera prima lezione, inizia adesso il tuo percorso e, come il viaggio di Ulisse, sarà lungo; rassicurati, non di dieci anni ma di soli ventiquattro giorni ancora. Quello che intendo non potrebbe essere illustrato meglio che tramite la prima strofa della bellissima poesia "Ιθάκη" ("Itaca") di Κωνσταντίνος Καβάφης (Costantino Kavafis).

Se ti metti in viaggio per Itaca
augurati che sia lunga la via,
piena di conoscenze e d'avventure.
Non temere Lestrigoni e Ciclopi
o Posidone incollerito:
nulla di questo troverai per via
se tieni alto il pensiero, se un'emozione
eletta ti tocca l'anima e il corpo.
Non incontrerai Lestrigoni e Ciclopi,
e neppure il feroce Posidone,
se non li porti dentro, in cuore,
se non è il cuore a alzarteli davanti.

> (Traduzione di Nicola Crocetti in *Poesie scelte*,
> Milano, Crocetti Editore, 2020)

Non basterebbe un libro intero per commentare questo testo, perciò vado subito all'essenziale. Se incontrerai qualche ostacolo durante il tuo apprendimento del greco, non è una cosa né brutta né sbagliata, né inutile né superflua, né disonorevole né insormontabile: cogliendo qualsiasi piccola ricchezza ti possa offrire questo percorso disseminato di prove, ecco come prenderà senso il tuo scopo. In poche parole, **non è la meta che importa ma il viaggio stesso.**

E, per chiudere questa introduzione, all'inizio di questo apprendimento **dovrai essere uno studente molto agile e astuto,** esattamente com'era Ulisse. Hai tanta voglia di saper presentarti in greco, vero? Ma, secondo te, chi dei 10.397.246 (numero visto in tempo reale adesso che sto scrivendo) greci in Grecia se ne frega di come ti chiami? Immagina la scena: arrivi ad Atene, non con la nave di Ulisse ma con l'aereo; l'aeroporto della capitale greca porta il nome di Ελευθέριος Βενιζέλος, l'abbiamo già visto e conosci anche la parola "aeroporto" (το αεροδρόμιο). No, no, meglio che tu sia lo spettatore della scena.

Arrivano in Grecia due giovani italiani, **Arianna** (Αριάδνη, dal significato di "purissima") e **Alessandro** (da Αλέξανδρος, con diminutivi Αλέξης e Αλέκος, è colui che respinge gli uomini, i nemici; il primo elemento del nome corrisponde all'italiano "para-": το αλεξίπτωτο, paracadute, cioè quello che respinge le cadute, protegge da esse, το αλεξικέραυνο, parafulmine, ecc.). Guarda!

Αλέξανδρος	Καλημέρα!
Alessandro	Buongiorno!
Πωλητής εισιτηρίων	...
Venditore di biglietti	...
Αλέξανδρος	Ένα εισιτήριο, παρακαλώ.
Alessandro	Un biglietto, per favore.
Πωλητής εισιτηρίων	Έξι ευρώ.
Venditore di biglietti	Sei euro.
Αλέξανδρος	Είμαι φοιτητής.
Alessandro	Sono studente.
Πωλητής εισιτηρίων	Έχεις πάσο;
Venditore di biglietti	Hai la tessera universitaria?
Αλέξανδρος	Ορίστε.
Alessandro	Ecco qui.
Πωλητής εισιτηρίων	Τρία ευρώ λοιπόν.
Venditore di biglietti	Tre euro allora.
Αλέξανδρος	Ευχαριστώ!
Alessandro	Grazie!

Come puoi constatare, nessuno dei due personaggi ha voluto sapere come si chiami l'altro. Il venditore non aveva neanche voglia di parlare quando è arrivato il cliente. Non ce l'ha con lui ma se non se la sente di rispondere, non lo fa, quindi non ti offendere se ti succederà un giorno. Anzi, direi che il venditore è stato relativamente corretto. Quando sono arrivato in Francia io per la prima volta, dopo anni e anni di studi per imparare bene la lingua, la prima persona a cui ho parlato era un autista di autobus all'aeroporto di Parigi. Fierissimo di poter finalmente parlare il francese nel suo paese, gli ho gentilmente chiesto di indicarmi dove scendere per la stazione ferroviaria e lui, in inglese (!), mi ha risposto che non gli era permesso e dovevo contare quattro fermate per scendere...

La biglietteria degli autobus all'aeroporto di Atene

77

6.2. Come fare il calimero

Καλημέρα! (Buongiorno!) e **Καληνύχτα!** (Buonanotte!) sono sicuramente due espressioni che hai già sentito. Aggiungendo una piccola parola facoltativa, **σου** è per **dare del tu**, **σας** per **dare del Lei e per il plurale**.

Per **i vari momenti della giornata** ci sono altrettanti **auguri**. **Καλά ξυπνητούρια!** è un modo tenero per dire "Buon risveglio!" ma si usa anche ironicamente quando qualcuno si è appena svegliato ed è già tardi, oppure quando qualcuno non capisce una situazione o viene informato di qualcosa in ritardo. **Καλημερούδια!** è un modo tenero per "Buongiorno!" senza altri pensieri o intenzioni. A mezzogiorno e nel primo pomeriggio si augura **Καλό μεσημέρι!** (Buon mezzogiorno!) mentre nel tardo pomeriggio, **Καλό απόγευμα!** (Buon pomeriggio!). La sera (in genere abbastanza tardi ma le opinioni divergono e molte persone lo dicono già dalle 12 in poi), si usa **Καλησπέρα!** (Buonasera!) quando ci si incontra, o **Καλησπερούδια!** in modo tenero di nuovo, e **Καλό βράδυ!** (Buona serata!) quando si prende congedo. Diciamo **Καληνύχτα!** solo quando andiamo a letto e a quel momento arrivano anche altri auguri: **Καλή ξεκούραση!** (Buon riposo!), **Καλό(ν) ύπνο!** (Buon sonno!), **Καλό ξημέρωμα!** (Buona alba!) e **Καλή αυριανή!** (Buon domani!). Fossero solo questi... Ne vedremo altri una prossima volta, altrimenti ti addormenteresti con gli elenchi che avevo in mente di farti vedere.

6.3. Come capire che non è tanto difficile essere un/in greco

In italiano, quando cerchi un verbo nel vocabolario, lo trovi all'infinito; in greco invece è alla prima persona singolare del Presente. Pratico, no?

Il verbo είμαι, **essere**, è irregolare come in tutte le lingue. Hai visto finora la prima persona, quindi andiamo a vedere il resto della coniugazione.

Singolare

(εγώ)	είμαι
(εσύ)	είσαι
(αυτός/αυτή/αυτό)	είναι

Plurale

(εμείς)	είμαστε
(εσείς)	είστε
(αυτοί/αυτές/αυτά)	είναι

I **pronomi** sono fra parentesi perché abbiamo la fortuna, in italiano e in greco, di avere una desinenza diversa per ogni per-sona. Non è come in francese in cui i poveri bambini (e non solo) non sanno come scrivere correttamente un verbo perché ci sono più forme foneticamente identiche, perciò i pronomi sono obbligatori. Comunque, già che ci siamo, **i pronomi della terza persona possono avere una connotazione spregiativa**, quindi per il momento evita di usarli; preferisci piuttosto εκείνος per il maschile e εκείνη per il femminile quando ti riferisci ad una persona; gli oggetti e gli animali non si offendono, usa pure αυτός, αυτή, αυτό.

79

Andiamo a praticare

Verifichiamo adesso se hai ritenuto qualche parola greca di tutto ciò che hai visto in questi primi sei giorni. **I capitoli sono** piccoli ma **costruiti in tal modo che devi sempre tornare indietro** per controllare se hai capito tutto.

Completa le frasi che seguono mettendo il verbo είμαι alla forma che conviene. Gli spazi sono (e saranno sempre) volutamente piccoli per due ragioni: da una parte, per le persone che hanno comprato la versione ebook, non sarebbe stato giusto; dall'altra, hai un quaderno che non devi mai dimenticare.

Ti do un aiutino comunque, altrimenti dirai che sono già cattivo mentre non ti ho ancora fatto vedere tutta la cattiveria che si nasconde sotto il mio viso angelico. Le parole dell'esercizio le abbiamo già viste tutte e se non fanno parte del vocabolario di oggi, ti preciso fra parentesi il paragrafo di riferimento. L'unica difficoltà per capire la totalità delle frasi sono due piccole parole, στην e στο, che vedremo più in là: per il momento ti basta sapere che indicano il luogo e le puoi tradurre con "a" o "in".

1) Ο Αλέξανδρος ... φοιτητής.
2) Η Ακρόπολη ... στην Ελλάδα. (§ 1.4, § 3.3)
3) Η Πομπηία ... στην Ιταλία. (§ 5.3, § 1.4)
4) Εσείς ... στο θέατρο. (§ 1.4)
5) Εμείς ... πάνω. (§ 4.2)
6) Ο Αλέξανδρος, η Αριάδνη και ο πωλητής εισιτηρίων ... στο αεροδρόμιο.
7) ... βράδυ. (§ 6.2)
8) Εσύ και εγώ ... στην Ευρώπη. (§ 1.4)

6.4. Come apprezzare il genere neutro

Neutro significa né l'uno né l'altro, cioè né maschile né femminile. Riprendi la tabella del paragrafo 1.4 che hai fatto nel tuo quaderno. Tutti i sostantivi della quinta colonna sono neutri: li puoi riconoscere dalla **desinenza -o al singolare.**

Questa desinenza può essere senza accento, come quella di το εισιτήριο, il biglietto, oppure accentata, come quella di το λεπτό, il minuto ma anche il centesimo, come hai già visto con la bella dracma.

Singolare	το	εισιτήρι-ο	το	λεπτ-ό
Plurale	τα	εισιτήρι-α	τα	λεπτ-ά

Le parole το πάσο e το ευρώ sono neutri ma non hanno plurale perché sono di origine straniera: το πάσο viene ovviamente dall'italiano e per quanto riguarda το ευρώ, si capisce dalla **desinenza** che non è un sostantivo greco perché **-ω** è quella **dei verbi**.

Ecco una lista di sostantivi neutri che hai già visto. Se sono al singolare, scrivili al plurale, e viceversa.

1) το αεροδρόμιο • 2) το εργοστάσιο • 3) τα θέατρα • 4) τα μήλα • 5) τα παράθυρα • 6) τα ρούχα • 7) το σύκο • 8) το αλεξίπτωτο

I segreti svelati in questo capitolo

. Hai cominciato ad interessarti all'etimologia greca delle parole italiane.

. Hai acconsentito alla bellezza e la verità profonda di una poesia greca.

. Hai imparato alcuni auguri dei vari momenti della giornata.

. Hai visto l'ausiliare "essere".

. Hai avuto qualche precisazione sui pronomi personali.

. Hai apprezzato la facilità della declinazione dei sostantivi neutri.

. Hai capito più o meno come funziona questo manuale.

6.3

1) Alessandro è (είναι) studente.

2) L'Acropoli è (είναι) in Grecia.

3) Pompei è (είναι) in Italia.

4) Voi siete (είστε) al teatro.

5) Noi siamo (είμαστε) sopra.

6) Alessandro, Arianna e il venditore di biglietti sono (είναι) all'aeroporto.

7) È (Είναι) sera.

8) Tu ed io siamo (είμαστε) in Europa.

Per quanto riguarda gli articoli definiti, abbiamo visto il maschile, il femminile e il neutro del singolare (§ 3.3) e ti ho detto che precedono anche i nomi propri (§ 4.2).
Per finire, la congiunzione και era nel titolo del § 1.1.

6.4

1) το αεροδρόμιο (l'aeroporto, singolare) ➔ τα αεροδρόμια (§ 2.5, 6.1)

2) το εργοστάσιο (la fabbrica, singolare) ➔ τα εργοστάσια (§ 3.4)

3) τα θέατρα (i teatri, plurale) ➔ το θέατρο (§ 1.4)

4) τα μήλα (le mele, plurale) ➔ το μήλο (§ 4.2)

5) τα παράθυρα (le finestre, plurale) ➔ το παράθυρο (§ 3.4)

6) τα ρούχα (i vestiti, plurale) ➔ το ρούχο (§ 3.3)

7) το σύκο (il fico, singolare) ➔ τα σύκα (§ 4.2)

8) το αλεξίπτωτο (il paracadute, singolare) ➔ τα αλεξίπτωτα (§ 6.1)

7° GIORNO / ΕΒΔΟΜΗ ΗΜΕΡΑ
Ο ΚΥΒΟΣ ΕΡΡΙΦΘΗ
IL DADO È TRATTO

7.1. Come capire il titolo ermetico del capitolo

Alea iacta est è la frase che avrebbe detto Giulio Cesare varcando il fiume Rubicone. Ma molto verosimilmente fu pronunciata in greco (forse non esattamente ο κύβος ερρίφθη ma è un'altra storia) perché Giulio aveva l'abitudine di esprimersi in greco nei momenti importanti della sua vita, cioè al lavoro e alla morte. Questa espressione si usa oggi in italiano, in greco e in latino quando una decisione è stata presa in modo definitivo e irrevocabile ed è il caso dei nostri protagonisti: potranno prendere finalmente l'autobus fra poco e andare al centro di Atene.

Basilio (Βασίλειος in greco antico, Βασίλης in greco moderno, con diminutivi Βάσος e Μπίλης, nome derivato dalla parola ο βασιλεύς del greco antico, ο βασιλιάς in greco moderno, il re, che hai già visto sulla moneta con Alessandro Magno (ma che belle le dracme!), è all'origine non solo del basilisco, la creatura mitologica, ma anche del nome della regione Basilicata) **e Berenice** (portatrice di vittoria, nome in cui troviamo la radice η νίκη, la vittoria (vedi anche la *Nike di Samotracia*), così come nel nome maschile Niceforo, portatore di vittoria) **sono all'aeroporto di Atene e vanno a comprare i loro biglietti per l'autobus**. La situazione ti ricorda qualcosa? Anche no. La differenza del fuso orario (la Grecia è un'ora avanti) ma anche il caldo arrivatogli in faccia quando è uscito dal terminal hanno fatto sì che Basilio abbia pensato solo a se stesso. Lo ha visto arrivare Berenice tenendo in mano un solo biglietto, è seguito un dialogo abbastanza vivace che non ci interessa e lei torna adesso a comprare un altro biglietto.

Βερενίκη	Καλημέρα σας!
Berenice	Buongiorno!
Πωλητής εισιτηρίων	Καλημέρα σου!
Venditore di biglietti	Buongiorno!
Βερενίκη	Ένα εισιτήριο για Σύνταγμα.
Berenice	Un biglietto per Syntagma.
Πωλητής εισιτηρίων	Είσαι φοιτήτρια;
Venditore di biglietti	Sei studentessa?
Βερενίκη	Όχι, δεν είμαι φοιτήτρια. Είμαι καθηγήτρια. Υπάρχει έκπτωση;
Berenice	No, non sono studentessa. Sono una professoressa. Esiste uno sconto?
Πωλητής εισιτηρίων	Όχι, δεν υπάρχει. Έξι ευρώ.
Venditore di biglietti	No, non esiste. Sei euro.
Βερενίκη	Δεν έχω ψιλά. Ορίστε δέκα ευρώ. Τι ώρα φεύγει το λεωφορείο;
Berenice	Non ho spiccioli. Ecco dieci euro. A che ora parte l'autobus?
Πωλητής εισιτηρίων	Σε εννιά λεπτά.
Venditore di biglietti	Tra nove minuti.
Βερενίκη	Ευχαριστώ πολύ. Γεια σας!
Berenice	Grazie molte. Salve!
Πωλητής εισιτηρίων	Γεια σου!
Venditore di biglietti	Ciao!

È arrivata una ragazza e il venditore è stato più amichevole. Oppure ha forse visto la litigata della coppia, e non voleva subire la stessa situazione. Oppure ancora ha intravisto dietro Berenice il collega che lo avrebbe sostituito. In ogni caso, Basilio l'aveva già svegliato dal pisolino siccome non ci sono molti turisti che prendono l'autobus. Preferiscono la metropolitana che è sicuramente più pratica e veloce ma vanno direttamente al distributore automatico, e cosa avrei messo io come primo dialogo? Inoltre, la metropolitana costa di più (quasi il doppio) e non funziona di notte.

7.2. Come contare le ragazze che posson bastare

Se cerchi su Internet la canzone "Τα παιδιά του Πειραιά" con Μελίνα Μερκούρη, hai già i primi quattro numeri in greco: uno, due, tre e quattro sono i baci, gli uccelli e i ragazzi. Se cerchi adesso la versione greca del brano "0303456" di Raffaella Carrà, ossia "6868357", cantata proprio da lei, avrai i numeri restanti. Mancano solo il nove e il dieci che hai visto nel dialogo, quindi sai ormai **contare fino a 10**; sapevi già farlo, ti sarà dimostrato fra poco. Mettiamoli in ordine per ora.

0	μηδέν		
1	ένα	6	έξι
2	δύο	7	επτά/εφτά
3	τρία	8	οκτώ/οχτώ
4	τέσσερα	9	εννέα/εννιά
5	πέντε	10	δέκα

Andiamo a praticare

A. Riesci a riconoscere i numeri greci nelle parole italiane?
1) decasillabo • 2) dimorfo • 3) enneade • 4) eptatlon • 5) esagono • 6) ottenne • 7) pentagramma • 8) tetradimensionale • 9) trilogia

B. Leggi i codici dei voli che arrivano da città italiane all'aeroporto di Atene. E te pareva! Non faccio la pubblicità delle compagnie aeree: sono codici fittizi.

ΑΦΙΞΗ	ΑΡΙΘΜΟΣ ΠΤΗΣΗΣ
Νάπολη	OPH 6107
Κάλιαρι	AIN 2716
Κατάνια	TKY 0345
Φλωρεντία	BEZ 4839
Βενετία	PMX 9528

7.3. Come avere la prova che in principio è il verbo

Come già detto, **i verbi greci finiscono con -ω** (alla forma attiva ma non complichiamo troppo le cose): per quelli **del primo gruppo è una -ω non accentata e la radice termina con una consonante**. Prendiamo come esempi al Presente έχω, **avere**, che è utilissimo, e υπάρχω, esistere, verbo essenziale e vitale certo, ma io te lo presento perché ha una sillaba in più, così vedi che l'accento non si muove.

Singolare

(εγώ)	έχ-ω	υπάρχ-ω
(εσύ)	έχ-εις	υπάρχ-εις
(αυτός/αυτή/αυτό)	έχ-ει	υπάρχ-ει

Plurale

(εμείς)	έχ-ουμε	υπάρχ-ουμε
(εσείς)	έχ-ετε	υπάρχ-ετε
(αυτοί/αυτές/αυτά)	έχ-ουν	υπάρχ-ουν

Andiamo a praticare

Aggiungi i pronomi personali che mancano: non mancano, abbiamo già detto come funziona ma voglio vedere se capisci qual è la persona di ogni verbo.

1) ... αγοράζω • 2) ... ανοίγει • 3) ... αρχίζεις • 4) ... αφήνουμε • 5) ... γιορτάζουν • 6) ... γράφει • 7) ... κλείνετε • 8) ... μαθαίνω • 9) ... πίνουν • 10) ... πλένεις • 11) ... τρέχουμε • 12) ... χάνετε

7.4. Come esprimere il dilemma amletico

Per ottenere una **frase negativa**, devi solo **aggiungere δεν prima del verbo**. È la parola più enfatizzata della frase come il punto più alto di una piramide: se ci sono parole prima, sono pronunciate con un'intonazione ascendente e quelle dopo con un'intonazione discendente.

Frase affermativa	Frase negativa
Υπάρχει έκπτωση. (Esiste uno sconto.)	**Δεν** υπάρχει έκπτωση. (Non esiste uno sconto.)
Το λεωφορείο φεύγει. (L'autobus parte.)	Το λεωφορείο **δε(ν)** φεύγει. (L'autobus non parte.)

La ν finale è fra parentesi perché in realtà non deve esserci prima di una φ ma è la prima e l'ultima volta che la vedi così: **preferisco che tu metta la ν finale dappertutto**. Meglio abbondare che mancare! Se vuoi rispettare le regole però, ecco **una mnemotecnica per sapere davanti a quali lettere rimane la ν**: Πότε έψαξε τζάμπα τσάντα και γκι; (Quando ha cercato a vuoto borsa e vischio?). Tutte le consonanti e le combinazioni consonantiche della frase, ossia π, τ, ψ, ξ, κ, τζ, μπ, τσ, ντ, γκ, insieme a tutte le vocali, cioè α, ε, η, ι, ο, υ, ω (che non ho potuto mettere in questa frase ma le conosci già, non c'è alcuna eccezione e poi non sono esse la difficoltà), e ovviamente le combinazioni vocaliche, siccome cominciano con le stesse vocali (ου, αι, ει, οι, υι, αυ, ευ), sono le lettere all'inizio della seconda parola che mantengono la ν finale della prima parola. Questo vale per δεν ma non solo; ti dirò più in là quali sono le altre parole con cui succede la stessa cosa.

Per quanto riguarda la **frase interrogativa**, fermiamoci un po'. Hai notato, immagino, che il segno del **punto e virgola** (;) l'ho tradotto con un **punto interrogativo** (?). In greco, il punto interrogativo che conosci non esiste: una domanda termina con il tuo punto e virgola che è il mio punto interrogativo; e quello che rappresenta il tuo punto e virgola è il mio **punto in alto** (·) che non esiste in italiano, si avvicina però del punto mediano usato nelle iscrizioni latine per separare le parole.

È l'unica differenza fra il greco e l'italiano. Tutti gli altri segni di punteggiatura (oppure simboli d'interpunzione paragrafematici, come canta quel genio assoluto che è Lorenzo Baglioni nel suo brano "L'apostrofo") sono uguali e si usano esatta-mente allo stesso modo, il che significa che una domanda diretta finisce con il punto interrogativo ma in un'interrogativa indiretta si usa il punto finale.

Domanda diretta	Domanda indiretta
Ξέρεις το τραγούδι «Η απόστροφος»; (Conosci la canzone "L'apostrofo"?)	Αναρωτιέμαι αν ξέρεις το τραγούδι «Η απόστροφος». (Mi chiedo se tu conosca la canzone "L'apostrofo".)

Tutto ciò doveva essere una parentesi e alla fin fine sono andato troppo lontano.

Per formulare una **frase interrogativa totale** (cioè a cui si risponde "sì" o "no") **devi solo aggiungere un punto interrogativo ad una frase affermativa,** pronunciare con un'intonazione ascendente e il gioco è fatto. **Quando il soggetto è esplicito però, va dopo il verbo.**

Frase affermativa	Frase interrogativa
Έχεις πάσο. (Hai la tessera universitaria.)	Έχεις πάσο; (Hai la tessera universitaria?)
Ο φοιτητής έχει πάσο. (Lo studente ha la tessera.)	Έχει πάσο ο φοιτητής; (Ha lo studente la tessera?)

Andiamo a praticare

A. Traduci in greco i verbi che seguono. Ti puoi aiutare dal paragrafo 7.3 se hai l'impressione che ti ricordano qualcosa ma non sei sicuro di aver già imparato le parole.

1) non comprate ◆ 2) non apri ◆ 3) non cominciano ◆ 4) non lascio ◆ 5) non festeggia ◆ 6) non scriviamo ◆ 7) non chiudo ◆ 8) non imparate ◆ 9) non bevi ◆ 10) non lava ◆ 11) non corrono ◆ 12) non perdiamo

B. Metti queste frasi a) alla forma interrogativa senza cambiare la persona e b) sempre alla forma interrogativa ma alla stessa persona del plurale e con il sostantivo al plurale.

1) Έχεις εισιτήριο. ◆ 2) Το λεωφορείο φεύγει.

I segreti svelati in questo capitolo

. Hai messo in ordine nella mente i numeri fino a 10 che conoscevi già.

. Hai visto la coniugazione dei verbi del primo gruppo e, senza conoscere il significato di alcuni verbi, hai riconosciuto le desinenze.

. Hai apprezzato la mnemotecnica che ho inventato per te (e di cui vado fierissimo) rispetto alle lettere che mantengono la ν finale di δεν.

. Hai imparato come costruire le frasi affermative, interrogative totali e negative.

. Hai capito che il punto interrogativo greco non è quello italiano.

Soluzioni degli esercizi del 7° capitolo

7.2-A
1. decasillabo (10)
2. dimorfo (2)
3. enneade (9)
4. eptatlon (7)
5. esagono (6: come già detto, la ξ si è semplificata in italiano)
6. ottenne (8: con due t in italiano per fenomeno di assimilazione delle due consonanti, più facili da pronunciare)
7. pentagramma (5)
8. tetradimensionale (4: la "tessera" con i quattro lati e angoli e l'elemento "tetra-" derivano da questo numero greco)
9. trilogia (3)

7.2-B
Η άφιξη (arrivo) • Ο αριθμός πτήσης (numero di volo)

Nell'ordine i voli sono:
(Napoli) όμικρον ρο ήτα έξι ένα μηδέν επτά/εφτά
(Cagliari) άλφα ιώτα νι δύο επτά/εφτά ένα έξι
(Catania) ταυ κάππα ύψιλον μηδέν τρία τέσσερα πέντε
(Firenze) βήτα έψιλον ζήτα τέσσερα οκτώ/οχτώ τρία εννέα/εννιά
(Venezia) ρο μι χι εννέα/εννιά πέντε δύο οκτώ/οχτώ

7.3
1) εγώ αγοράζω (compro)
2) αυτός/αυτή/αυτό/εκείνος/εκείνη/εκείνο ανοίγει (apre)
3) εσύ αρχίζεις (cominci)
4) εμείς αφήνουμε (lasciamo)
5) αυτοί/αυτές/αυτά/εκείνοι/εκείνες/εκείνα γιορτάζουν (festeggiano)
6) αυτός/αυτή/αυτό/εκείνος/εκείνη/εκείνο γράφει (scrive)

7) <u>εσείς</u> κλείνετε (chiudete)

8) <u>εγώ</u> μαθαίνω (imparo)

9) <u>αυτοί/αυτές/αυτά/εκείνοι/εκείνες/εκείνα</u> πίνουν (bevono)

10) <u>εσύ</u> πλένεις (lavi)

11) <u>εμείς</u> τρέχουμε (corriamo)

12) <u>εσείς</u> χάνετε (perdete)

7.4-Α

1) δεν αγοράζετε • 2) δεν ανοίγεις • 3) δεν αρχίζουν • 4) δεν αφήνω • 5) δε γιορτάζει • 6) δε γράφουμε • 7) δεν κλείνω • 8) δε μαθαίνετε • 9) δεν πίνεις • 10) δεν πλένει • 11) δεν τρέχουν • 12) δε χάνουμε

7.4-Β

1) Έχεις εισιτήριο. (Hai un biglietto.)

a) Έχεις εισιτήριο; (Hai un biglietto?)

b) Έχετε εισιτήρια; (Avete biglietti?)

2) Το λεωφορείο φεύγει. (L'autobus parte.)

a) Φεύγει το λεωφορείο; (Parte l'autobus?)

b) Φεύγουν τα λεωφορεία; (Partono gli autobus?)

8° GIORNO / ΟΓΔΟΗ ΗΜΕΡΑ
ΜΕΤΡΟΝ ΑΡΙΣΤΟΝ
LA MISURA È LA MIGLIOR COSA

8.1. Come capire il titolo ermetico del capitolo

In genere sentiamo Παν μέτρον άριστον (Ogni misura è la miglior cosa) ma questa versione non è corretta perché forse la misura di ogni persona non è quell'ottima e per quanto riguarda me, per esempio, la mia misura del cibo è lontana dalla misura ottima. Tu usa piuttosto Τα πάντα με μέτρο (Tutto con misura), espressione neogreca. Vediamo in quale campo l'uno dei personaggi del dialogo di oggi non ritrova la virtù che sta nel mezzo.

La prima necessità, spostarsi, è stata soddisfatta più o meno bene. Passiamo ora ad un'altra, ancora una volta più utile del presentarsi. **Giorgio** (Γεώργιος oppure Γιώργος, dal greco antico ο γεωργός, coltivatore, è colui che vive coltivando la terra, origine che troviamo anche nell'aggettivo italiano "georgico", nell'Academia dei Georgofili di Firenze, nelle *Georgiche* di Virgilio ma anche nel nome del paese Georgia) **e Galatea** (il sostantivo greco το γάλα, latte, dà in italiano non solo questo nome, che significa "bianca come il latte", ma anche la parola "galassia": secondo il racconto mitologico che spiega la creazione e il nome della nostra Via Lattea, Zeus voleva rendere Eracle immortale e quando Hera fu addormentata, il padre degli dèi mise il bambino ad allattare al seno di sua moglie, la dea si svegliò e strappando il bambino dal seno, lasciò cadere uno schizzo di latte che si diffuse nel cielo) sono a Syntagma, una delle piazze centrali di Atene, e **vanno a mangiare in** una ταβέρνα, un ristorante greco che serve piatti tradizionali, oppure, per essere più precisi, una ταβερνούλα, ταβερνίτσα, ταβερνάκι, insomma **un piccolo locale tradizionale.**

Σερβιτόρος	Ωπ, καλώς τα παιδιά!
Cameriere	Ehi, benvenuti, ragazzi!
Γαλάτεια	Γεια σας! Έχετε σουβλάκι φαλάφελ;
Galatea	Salve! Avete souvlaki falafel?
Σερβιτόρος	Α! Βετζετέριαν η κοπέλα!
Cameriere	Ah! Vegetariana la ragazza!
Γαλάτεια	Ναι.
Galatea	Sì.
Σερβιτόρος	Για βετζετέριαν έχουμε σαλάτες μόνο.
Cameriere	Per vegetariani abbiamo solo insalate.
Γαλάτεια	Πωπώ! Μόνο; Μια σαλάτα λοιπόν.
Galatea	Oh! Solo? Un'insalata allora.
Σερβιτόρος	Με ντοματούλες, αγγουράκι, πιπερίτσα, ελίτσες και φετούλα;
Cameriere	Con pomodorini, cetriolino, peperoncino, o-livette e formaggino feta?
Γαλάτεια	Ναι.
Galatea	Sì.
Γιώργος	Εγώ θα ήθελα ένα σουβλάκι κεμπάπ και ένα σουβλάκι κοτόπουλο.
Giorgio	Io vorrei un souvlaki kebab e un souvlaki pollo.
Σερβιτόρος	Ντοματούλα, κρεμμυδάκι, τζατζικάκι βάζω;
Cameriere	Ci metto pomodorino, cipollina e salsina tza-tziki?
Γιώργος	Ναι, ναι.
Giorgio	Sì, sì.
Γαλάτεια	Α, θα μπορούσαμε να έχουμε και πατάτες και ένα μπουκάλι νερό;
Galatea	Ah, potremmo avere anche patatine e una bottiglia di acqua?
Σερβιτόρος	Φυσικό ή ανθρακούχο; Κρασάκι θέλετε;
Cameriere	Naturale o gassata? Vinello volete?
Γαλάτεια	Μόνο φυσικό νερό. Ευχαριστούμε.
Galatea	Solo acqua naturale. La ringraziamo.

8.2. Come esprimere la volontà di soddisfare una necessità fisico-biologica dell'essere umano non solo per sopravvivere e coprire un fabbisogno primario del corpo ma anche per poter continuare decentemente la propria giornata

Qui non imparerai il verbo "mangiare" perché la sua coniugazione è un po' particolare ma saprai come chiedere cortesemente ciò che vuoi mangiare. Sei agile, l'abbiamo già detto, quindi puoi perfettamente riuscire a dire qualcosa con le conoscenze che possiedi.

Il verbo θέλω, **volere**, al Presente lo sai coniugare: è come έχω. Vediamolo adesso al **Condizionale**, alla prima persona del singolare e del plurale, cioè le persone che puoi usare come **formula di cortesia**. Vediamo anche il verbo μπορώ, **potere**, perché αν θέλεις, μπορείς (letteralmente: se vuoi, puoi), volere è potere.

θα ήθελα	vorrei
θα θέλαμε	vorremmo
θα μπορούσα (να έχω...);	potrei (avere...)?
θα μπορούσαμε (να έχουμε...);	potremmo (avere...)?

Andiamo a praticare

Come diresti in greco le frasi che seguono?
1) Vorrei un biglietto, per favore.
2) Sì, vorremmo due mele.
3) Potrei avere solo dieci fichi?
4) Potremmo avere sconto?

8.3. How do you do?

Molte parole straniere sono entrate (e continuano ad entrare) inalterate nella lingua greca. Possono di certo aiutare un principiante a **capire più facilmente**. Tuttavia, le devi **usare moderatamente**.

Certe parole sempre più presenti purtroppo nella lingua orale dovresti evitarle. In italiano dici *okay* o *sorry*? Spero di no. Preferisci allora anche tu εντάξει oppure σύμφωνοι al posto di οκέι, e συγγνώμη (ο συγνώμη) invece di σόρι.

Se το αμφίψωμο (quello che ha pane sotto e sopra) ti sembra meno normale di σάντουιτς, ακραιφνής χορτοφάγος (vegetariano puro) più ricercato di βίγκαν, το μείγμα οινοπνευματωδών ποτών (miscela di bevande alcoliche) troppo lungo rispetto a κοκτέιλ e ο κιμάς από μοσχαρίσιο και αρνίσιο κρέας (carne macinata di manzo e agnello) abbastanza impreciso in confronto a κεμπάπ, ti capisco: non fanno parte del mio vocabolario e sarebbe una bugia dirti che si usano molto spesso in Grecia.
Esistono però altre parole davvero eufoniche ed è sinceramente peccato non sentirle più spesso dato che il loro significato è esattamente lo stesso: οι νιφάδες καλαμποκιού (τα κορν φλέικς), οι ρεβιθοκεφτέδες (polpette di ceci, τα φαλάφελ), το ταχυφαγείο (dove si mangia velocemente, το φαστ φουντ), ο χορτοφάγος (ο βετζετέριαν). Non trovi anche tu? Di certo sono più lunghe ma όποιος βιάζεται σκοντάφτει (chi ha fretta inciampa) o in italiano, chi va piano va sano e lontano.

100

8.4. Come apprezzare di nuovo il genere neutro

Hai visto oggi

παιδιά, σουβλάκι, αγγουράκι, κρεμμυδάκι, τζατζικάκι, μπουκάλι, κρασάκι

Due giorni fa hai visto i neutri in -o/-ό che hanno un plurale in -α/-ά. Riprendi adesso la tabella del § 1.4 e osserva la quarta colonna (tutto a rovescio si fa in questo manuale). I sostantivi che vedi lì sono sempre **neutri** ma finiscono **con -ι/-ί**. Non ti voglio affaticare però con una nuova desinenza, quindi teniamo la -α/-ά al plurale.

Prendiamo come esempio το σουβλάκι, il souvlaki, parola essenziale, utile e salutare durante un soggiorno in Grecia. Vediamo anche το παιδί, il bambino o il ragazzo, che ha l'accento sull'ultima sillaba: siamo stati simpatici con la -ι, l'abbiamo tenuta al plurale, ma non ci chieda di più, l'accento appartiene alla -α.

Singolare	το	σουβλάκ-ι	το	παιδ-ί
Plurale	τα	σουβλάκ-ια	τα	παιδ-ιά

Andiamo a praticare

Ecco una nuova lista di sostantivi neutri, con la desinenza -ι questa volta. Mettili al plurale facendo attenzione all'accento.

1) το φιλί • 2) το χαλί • 3) το λεμόνι • 4) το παντελόνι • 5) το μυρμήγκι • 6) το τζάμι • 7) το γουρούνι • 8) το μπουκάλι • 9) το μανταρίνι • 10) το κλειδί

I segreti svelati in questo capitolo

. Hai visto il Condizionale di due verbi utilissimi, "volere" e "potere", e puoi usare ormai le formule di cortesia.

. Hai scoperto che esistono tante parole straniere in greco ma che vanno usate con parsimonia.

. Hai continuato ad approfondire il neutro.

8.2

1) Θα ήθελα ένα εισιτήριο, παρακαλώ.

2) Ναι, θα θέλαμε δύο μήλα.

3) Θα μπορούσα να έχω μόνο δέκα σύκα;

4) Θα μπορούσαμε να έχουμε έκπτωση;

8.4

1) τα φιλιά (i baci) • 2) τα χαλιά (i tappeti) • 3) τα λεμόνια (i limoni) • 4) τα παντελόνια (i pantaloni, più paia) • 5) τα μυρμήγκια (le formiche) • 6) τα τζάμια (i vetri) • 7) τα γουρούνια (i maiali) • 8) τα μπουκάλια (le bottiglie) • 9) το μανταρίνια (i mandarini) • 10) το κλειδιά (le chiavi)

9° GIORNO / ΕΝΑΤΗ ΗΜΕΡΑ
ΦΟΒΟΥ ΤΟΥΣ ΔΑΝΑΟΥΣ ΚΑΙ ΔΩΡΑ ΦΕΡΟΝΤΑΣ
TEMI I DANAI ANCHE QUANDO PORTANO
DONI

9.1. Come capire il titolo ermetico del capitolo

Nell'*Iliade* di Omero ma anche nell'*Eneide* di Virgilio, i Greci vengono chiamati Achei, discendenti di una delle prime tribù greche che si stabilirono in Acaia, e Danai, della tribù del re Danao, fondatore della città di Argo. Virgilio usò l'espressione alla prima persona del singolare (*Timeo Danaos et dona ferentes*) ma oggi in greco si usa all'imperativo, Φοβού τους Δαναούς και δώρα φέροντας, soprattutto nella forma sospesa "Φοβού τους Δαναούς..." (siccome un neogreco che ha dimenticato le declinazioni del greco antico non è sicuro se debba usare φέροντας o φέροντες) perché è meglio avvisare tutti di che cosa è capace un greco; sai che macello combinò Ulisse con il cavallo di Troia (ο δούρειος ίππος, cioè il cavallo di legno). Bellissimo regalo (το δώρο) fece loro! Esattamente come in informatica il virus omonimo, e come puoi vedere, non uso il termine inglese e mi capisci benissimo.

Dafne (dal greco η δάφνη che significa "alloro" e trae il suo nome dalla ninfa che si trasformò in pianta per sfuggire l'amore del dio Apollo) **e Demetrio** (Δημήτριος in greco antico, Δημήτρης in greco moderno, con diminutivi Δήμος, Μίμης, Μήτσος e Τζίμης, significa "colui che appartiene a Demetra", deriva dal nome della dea, che probabilmente ha il senso di "Madre Terra") **si sono seduti in una piccola taverna greca e stanno aspettando quello che hanno ordinato.** Cosa potrebbe andare male per temere qualcosa?

Σερβιτόρος	Το νεράκι, οι πατατούλες, τα σουβλάκια και η σαλατούλα. Καλή όρεξη!
Cameriere	L'acquetta, le patatine, i souvlaki e l'insalatina. Buon appetito!
Δημήτρης	Ωωω!
Demetrio	Oh!
Δάφνη	Συγγνώμη! Ψάχνουμε για ένα ξενοδοχείο.
Dafne	Mi scusi! Stiamo cercando un albergo.
Σερβιτόρος	Να! Το ξενοδοχείο «Σύνταγμα».
Cameriere	Ecco! L'albergo "Syntagma".
Δημήτρης	Μπα! Ακριβώς απέναντι. Είναι ακριβό;
Demetrio	Bah! Proprio di fronte. È caro?
Σερβιτόρος	Όχι, είναι φτηνό.
Cameriere	No, è economico.
Δάφνη	Είναι καλό;
Dafne	È buono?
Σερβιτόρος	Ναι, ναι.
Cameriere	Sì, sì.
Δημήτρης	Οκέι, ευχαριστούμε.
Demetrio	Va bene, La ringraziamo.

Souvlakia in una delle tre taverne più famose di Monastiraki ad Atene

9.2. Come esprimersi con poche calorie

Λίγα και καλά, cioè poche parole ma buone. Le massime e i proverbi sono sempre stati frutto della saggezza dei popoli. Perché costruire frasi intere quando si può comunicare con una sillaba, due al massimo, e esprimere anche meglio ciò che si pensa?

All'arrivo improvviso di Galatea e Giorgio, il cameriere che era forse di spalle, si esclama con **sorpresa gradevole** e intonazione ascendente ωπ! (che si scrive oπ! con la nuova ortografia) e avrebbe anche potuto dire ώπα! (oppure όπα!) che non accompagna solo il sirtaki. Quando capisce che Galatea è vegetariana, dice un α! di **conferma** con intonazione discendente, che non è come quello di dopo, quando Galatea si ricorda con **esclamazione** e intonazione ascendente di non aver chiesto una bottiglia di acqua. Il cameriere informa che non ci sono piatti vegetariani e la ragazza dice πωπώ! (oppure πώπω!, ποπό!, πόπο!, puoi scegliere l'ortografia e l'accento che ti conviene) con **sorpresa meno gradevole** e intonazione discendente. Demetrio non partecipa tanto al dialogo e alla vista dei piatti sul tavolo, si accontenta di un semplice ωωω! (oppure ooo!) di **meraviglia** ma quando scopre che l'albergo propostogli si trova proprio di fronte, emette un μπα! di **dubbio** perché si sa che è abbastanza facile approfittare di un turista che non conosce il paese e non parla abbastanza bene la lingua.

Le **interiezioni** sono tantissime e esprimono una vasta gamma di sentimenti.

9.3. Come conquistare il genere femminile

Hai visto ieri e oggi
κοπέλα, σαλάτες, σαλάτα, ντοματούλες, πιπερίτσα,
ελίτσες, φετούλα, πατάτες, πατατούλες, σαλατούλα

Il pomodoro è femminile in greco. Partiamo da questa premessa, altrimenti penserai che io sia fuori tema. In italiano dici "Il bambino mangia il pomodoro" e capisci dall'ordine delle parole quale sostantivo è il soggetto e quale l'oggetto. In greco puoi benissimo dire anche "Mangia il bambino il pomodoro", "Mangia il pomodoro il bambino", "Il bambino il pomodoro mangia", "Il pomodoro il bambino mangia" e "Il pomodoro mangia il bambino". No, non sono carnivori i pomodori greci; è solo che conoscono già dall'Antichità **i casi e le funzioni,** così sanno che non è la posizione nella frase che indica il loro ruolo. Un pomodoro greco capisce perfettamente che non può mangiare un povero bambino e perché non ci siano malintesi, diventa:

- un Pie**nn**olo per il **n**ominativo (= soggetto)
- un **G**iallorosso di Crispiano per il **g**enitivo (= complemento di specificazione)
- un Canestrino di Lu**cc**a per l'a**cc**usativo (= complemento oggetto diretto)
- e un **V**erneteco sannita per il **v**ocativo (= complemento di vocazione).

Così il bambino che non è stato mangiato dal pomodoro tutt'altro che infanticida, può ringraziarlo dicendo:

- Il Piennolo (**soggetto**) è un pomodorino del Vesuvio.
- Il colore del Giallorosso di Crispiano (**complemento di specificazione**) è giallo aranciato.
- Mia madre compra sempre i Canestrini di Lucca (**complemento oggetto diretto**).
- Eh, Verneteco sannita (**complemento di vocazione**), mi piaci.

Il genitivo e il vocativo sono utilissimi, ne vedrai alcuni nelle pagine che seguono, ma per esprimerti puoi farne a meno mediante alcuni trucchi. **Per evitare il genitivo** (sostantivi in genere preceduti in italiano da "di", "del", "della" e compagnia) **è possibile cambiare la costruzione della tua frase** e usare, per esempio, il verbo "avere" che conosci già oppure i possessivi che imparerai fra qualche giorno. **Per quanto riguarda il vocativo**, non hai bisogno di chiamare qualcuno con il nome (κύριε, signore, e κυρία, signora, sono più che sufficienti, secondo me): basta guardarlo negli occhi e capirà a chi ti rivolgi; oppure sii ancora una volta agile e astuto usando **"tu" o "voi"**. La prima frase che ho imparato in francese era "Eh, vous là-bas, ne touchez pas ma moto!" (Eh, voi laggiù, non toccate la mia moto!), generalizza anche tu.

Una chiarificazione essenziale va fatta perché gli altri insegnanti di greco θα πέσουν να με φάνε (letteralmente: cadranno a mangiarmi, espressione che si usa per una reazione molto negativa): alcune delle tabelle che ti propongo sono senza prendere in considerazione il genitivo, altrimenti ci sarebbero state più categorie perché l'accento non è sempre tranquillo siccome scende e sale. In quanto principiante, imparerai solo tre tipi di sostantivi maschili, due di femminili e due di neutri. Quando vorrai approfondire il greco dopo aver assimilato bene le basi, sarà molto più facile risistemare il tutto e mi perdonerai per ciò che ti ho taciuto.

Chiudo anche questa lunga parentesi e **interessiamoci solo al nominativo e all'accusativo**. Quando hai studiato il neutro, non ho fatto la distinzione fra questi due casi perché non ti volevo mettere l'ansia: erano uguali. La stessa cosa vale per il **femminile** ma l'articolo cambia. Riprendi la tabella del § 1.4: la colonna che ci interessa è la seconda, i nomi **in -α/-ά**. Decliniamo η ντομάτα, il pomodoro, e η ελιά, l'oliva. Per quanto riguarda την, rivedi la mnemotecnica del § 7.4.

		Singolare		
Nominativo	η	ντομάτ-α	η	ελι-ά
Accusativo	την	ντομάτ-α	την	ελι-ά
		Plurale		
Nominativo	οι	ντομάτ-ες	οι	ελι-ές
Accusativo	τις	ντομάτ-ες	τις	ελι-ές

Andiamo a praticare

Per ogni frase seleziona le due caselle che corrispondono al caso del soggetto e a quello dell'oggetto; tutte rispettano l'ordine soggetto + verbo + oggetto.

	Nom. sg.	Nom. pl.	Acc. sg.	Acc. pl.
1) Η αγορά έχει ντομάτες.				
2) Η γριά νοικιάζει την σπηλιά.				
3) Οι γριές έχουν λίρες.				
4) Η κοπέλα ψάχνει δουλειά.				
5) Οι κοπέλες βλέπουν τη(ν) μέλισσα.				
6) Οι κοπέλες θέλουν ντομάτες.				
7) Η μητέρα φωτογραφίζει τις κοπέλες.				
8) Οι ντομάτες έχουν καρδιά.				

9.4. Come stare attenti al lupo

Hai visto ieri e oggi

ντοματούλες, αγγουράκι, πιπερίτσα, ελίτσες, φετούλα,
ντοματούλα, κρεμμυδάκι, τζατζικάκι, κρασάκι, νεράκι,
πατατούλες, σαλατούλα

Chissà perché, quando si tratta di cibo, nei ristoranti e nelle trasmissioni culinarie si usano tanto i **nomi alterati vezzeggiativi**, parole affatto evidenti, un incubo per gli stranieri. Allora, se non capisci cosa ti viene detto, **chiedi di ripetere**.

Ελίτσα; Τι; (Cosa?)

Ντοματούλα; Πώς; (Come?)

Πατατούλα; Δηλαδή; (Cioè?)

Πιπερίτσα; Ορίστε; (Prego?)

Σαλατούλα; Συγγνώμη; (Scusa? / Scusi?)

Φετούλα; Τι πράγμα; (Che cosa?)

Αγγουράκι; Δεν καταλαβαίνω. (Non capisco.) / Δεν κατάλαβα; (Non ho capito?)

Κρασάκι; Τι εννοείς; / Τι εννοείτε; (Cosa vuoi dire? / Cosa vuole dire?)

Κρεμμυδάκι; Πώς είπες; / Πώς είπατε; (Come hai detto? / Come ha detto?)

Νεράκι; Τι σημαίνει; / Τι πάει να πει; (Cosa significa?)

Τζατζικάκι; Μπορείς να επαναλάβεις; / Μπορείτε να επαναλάβετε; (Puoi ripetere? / Può ripetere?)

Così riconoscerai parole normali: η ελιά (oliva), η ντομάτα (pomodoro), η πατάτα (patata), η πιπεριά (peperone), η σαλάτα (insalata), η φέτα (formaggio feta), το αγγούρι (cetriolo), το κρασί (vino), το κρεμμύδι (cipolla), το νερό (acqua), το τζατζίκι (tzatziki). E inoltre le puoi declinare tutte ormai!

112

I segreti svelati in questo capitolo

. Hai imparato alcune interiezioni che esprimono sorpresa, conferma, esclamazione, meraviglia e dubbio.

. Hai cominciato a capire cosa sono i casi e le funzioni, e hai visto un paio di modi per svincolare problemi inutili.

. Hai percepito che ti nascondo alcune cose rispetto alle desinenze dei sostantivi ma è per il tuo bene.

. Hai cominciato ad approcciare il femminile.

. Hai provato a capire alcuni nomi alterati vezzeggiativi ma, siccome non è tanto facile, hai avuto ricorso ad espressioni utili per chiedere di ripetere e spiegare.

Soluzioni degli esercizi del 9° capitolo

9.3

1) <u>Η αγορά</u> (nom. sg.) έχει <u>ντομάτες</u> (acc. pl.). • Traduzione: Il mercato ha dei pomodori.

2) <u>Η γριά</u> (nom. sg.) νοικιάζει <u>την σπηλιά</u> (acc. sg.). • Traduzione: La vecchia donna affitta la grotta.

3) <u>Οι γριές</u> (nom. pl.) έχουν <u>λίρες</u> (acc. pl.). • Traduzione: Le vecchie donne hanno delle lire.

4) <u>Η κοπέλα</u> (nom. sg.) ψάχνει <u>δουλειά</u> (acc. sg.). • Traduzione: La ragazza cerca un lavoro.

5) <u>Οι κοπέλες</u> (nom. pl.) βλέπουν <u>την μέλισσα</u> (acc. sg.). • Traduzione: Le ragazze guardano l'ape.

6) <u>Οι κοπέλες</u> (nom. pl.) θέλουν <u>ντομάτες</u> (acc. pl.). • Traduzione: Le ragazze vogliono dei pomodori.

7) <u>Η μητέρα</u> (nom. sg.) φωτογραφίζει <u>τις κοπέλες</u> (acc. pl.). • Traduzione: La madre fotografa le ragazze.

8) <u>Οι ντομάτες</u> (nom. pl.) έχουν <u>καρδιά</u> (acc. sg.). • Traduzione: I pomodori hanno un cuore.

10° GIORNO / ΔΕΚΑΤΗ ΗΜΕΡΑ
ΕΠΑΝΑΛΗΨΙΣ ΜΗΤΗΡ ΠΑΣΗΣ ΜΑΘΗΣΕΩΣ
LA RIPETIZIONE È LA MADRE DI OGNI APPRENDIMENTO

10.1. Come capire il titolo ermetico del capitolo

La ripetizione è una tappa non solo obbligatoria ma soprattutto fondamentale nell'apprendimento di una lingua. Lo dicevano i Romani, *Repetitio est mater studiorum*, E poi, *Bis repetita placent, Ripetita iuvant*, mettiamo allora in pratica questi detti.

Come hai forse visto, lo stesso titolo esiste altre due volte nel manuale. Infatti, ogni nove lezioni farai un ripasso che ti aiuterà ad ottenere basi più solide. In queste pagine avrai l'occasione di rivedere la maggioranza delle parole già incontrate ma su cui non abbiamo potuto insistere abbastanza e di organizzarle, così otterrai il tuo lessico personale: spero che tu faccia liste come conviene più a te, dal greco all'italiano o dall'italiano al greco. Nei paragrafi tutto deve essere abbastanza chiaro ma nei testi hai sicuramente molte domande. Ma, secondo te, ti avrei lasciato così con i tuoi dubbi? È arrivato il momento di chiarire tutto, almeno per le parole più frequenti e utili.

Se non incontri problemi nelle pagine che seguono, va benissimo: troverai lì le cose più importanti da trattenere, memorizzare e assimilare. Se c'è qualcosa che non va, dovrai tornare ai paragrafi che ti segnalerò. E se continuerai ad avere dubbi, cosa di meglio di un vocabolario? Se non hai ancora comprato uno in versione cartacea (che è la soluzione più consigliata), c'è un ottimo online: www.grecomoderno.com. Puoi anche visitare la pagina www.openbook.gr/lexiko-tis-ellinikis-ws-xenis-glwssas e cliccando sull'icona rossa che dice "PDF" sotto "Κατεβάστε το e-book" (Scaricate l'ebook), potrai avere sul tuo computer un vocabolario del greco come lingua straniera con le definizioni in greco: 670 pagine e circa 10.000 voci ti bastano per cercare, perderti e scoprire. All'inizio sarà certo un po' difficile ma solo cercando e ricercando per capire impererai bene la lingua. Sullo stesso sito troverai un'enorme banca di risorse consultabili del tutto gratuitamente, liberamente e legalmente: migliaia di libri greci (ma anche stranieri), romanzi, racconti, opere teatrali, raccolte di poesie, fumetti, riviste e, se non ti ho ancora convinto, più di 1.000 audio-books per seguire parola dopo parola la lettura di un testo.

Elena (l'origine del nome Ἕλενα, meno frequente in greco che Ελένη, è incerta ma quella che mi piace di più personalmente è che deriva da η σελήνη, la luna) **e Ettore** (Ἕκτωρ era quello antico, Ἕκτορας quello di oggi, colui che tiene forte; come vedi di nuovo le lettere -κτ- si sono semplificate in italiano, perciò si scrive con due -tt-), che si conoscevano già dall'Antichità siccome erano tutti e due nel campo troiano durante la guerra, **ti accompagneranno** oggi.

Pierre Claude François Delorme, *Hector adressant des reproches à Pâris*
(*Ettore rimproverando Paride*), 1824, Museo di Piccardia, Amiens, Francia

10.2. Come non dover cambiare il mondo in cui viviamo

Gli **aggettivi** sono una cosa importantissima nella nostra vita. Come sarebbe il mondo senza di essi? Se pensiamo a *La e la bestia* e *Il, il e il*, sarebbe un mondo ripetitivo e bestiale senza spaghetti. Sarebbe senza dubbio meno vulnerabile al cambiamento climatico siccome *Cime* senza tempeste sarebbero solo le cime di rapa ma come sopravvivere in una società priva di proteste operaie, in cui *Il stato* soffrirebbe di agrammaticalità a causa dell'assenza di numeri ordinali? Per fortuna, gli aggettivi esistono; per fortuna bis, si possono declinare al femminile e al neutro; e per fortuna tris, sai già come fare l'accordo siccome hanno le desinenze già viste.

Negli ultimi due dialoghi, i protagonisti hanno parlato dell'acqua e dell'albergo: το φυσικό νερό, το ανθρακούχο νερό, το ακριβό ξενοδοχείο, το φτηνό ξενοδοχείο, καλό ξενοδοχείο. La posizione abituale dell'**aggettivo** è **prima del sostantivo**.

Per formare il singolare e il plurale di un aggettivo neutro, **basta aggiungere le desinenze** del neutro **che conosci** benissimo. Cominciamo con το φυσικό νερό, acqua naturale.

Singolare	το	φυσικ-ό	νερ-ό
Plurale	τα	φυσικ-ά	νερ-ά

Anche gli aggettivi neutri possono avere o meno una desinenza accentata, dipende sempre dalla parola. Nel gruppo το

118

ωραίο ξενοδοχείο, il bell'albergo, l'aggettivo e il sostantivo hanno l'accento sulla penultima sillaba.

Singolare	το	ωραί-ο	ξενοδοχεί-ο
Plurale	τα	ωραί-α	ξενοδοχεί-α

Ma gli aggettivi hanno più classi, come in italiano, perciò è possibile avere **un aggettivo e un sostantivo ognuno con una desinenza diversa.**

Il bel ragazzo, το όμορφο παιδί, merita di essere declinato.

Singolare	το	όμορφ-ο	παιδ-ί
Plurale	τα	όμορφ-α	παιδ-ιά

Il pantalone caro, το ακριβό παντελόνι, non lo merita ma sarebbe un sacrilegio dire che un souvlaki possa essere caro.

Singolare	το	ακριβ-ό	παντελόν-ι
Plurale	τα	ακριβ-ά	παντελόν-ια

Abbiamo visto il **femminile**, decliniamo allora anche η ανθρακούχα σόδα, la soda gassata: è analcolica e la si può consumare senza moderazione.

		Singolare	
Nominativo	η	ανθρακούχ-α	σόδ-α
Accusativo	την	ανθρακούχ-α	σόδ-α

		Plurale	
Nominativo	οι	ανθρακούχ-ες	σόδ-ες
Accusativo	τις	ανθρακούχ-ες	σόδ-ες

119

Nessuno ti chiederà però nella vita quotidiana di declinare nomi e aggettivi. Vediamo in pratica **a cosa servono le declinazioni**. Per far ciò, torniamo al bambino tomatofilo con il pomodoro non infantivoro, che non ho spiegato abbastanza.

La frase normale è Το παιδί τρώει την ντομάτα. Il verbo (ora ti posso parlare di τρώω, mangiare, perché la forma con la desinenza -ει non è irregolare) è alla terza persona del singolare, quindi il soggetto deve essere al singolare. Il bambino e il pomodoro sono al singolare. Il bambino è neutro e non possiamo capire se sia il soggetto o il complemento oggetto diretto del verbo; ma il pomodoro è all'accusativo, quindi è senza ombra di dubbio l'oggetto.

La stessa frase può essere espressa così: Την ντομάτα τρώει το παιδί, cioè il bambino mangia il pomodoro (e non il cetriolo). Il pomodoro è posto prima del verbo, non può essere il soggetto però perché è all'accusativo, quindi può essere unicamente l'oggetto. Se il soggetto va dopo il verbo è per enfatizzare il complemento oggetto.

Poniti domande semplici e riuscirai a capire come funzionano i casi. Comincia sempre dal verbo che non ti può ingannare. Chi mangia il pomodoro? Il bambino, è **il soggetto, deve essere al nominativo**. Cosa mangia il bambino? Il pomodoro, è **l'oggetto, deve essere all'accusativo**.

Rimaniamo nel contesto favorito del cibo: vorrei un souvlaki. Il verbo non ha un pronome né in italiano né in greco ma capisci dalla desinenza del verbo che è la prima persona del singolare. Chi vorrebbe un souvlaki? Io, sono il soggetto e non servo, sono inutile, superfluo e pleonastico. Cosa vorrei? Un souvlaki, è l'oggetto e sarà all'accusativo. Nominativo e accusativo del neutro sono uguali, quindi non c'è molto da riflettere: Θα ήθελα ένα σουβλάκι.

10.3. Come ripassare momenti del passato prossimo (con esercizi)

Capitoli 1-5

Σωστό ή λάθος; (Vero o falso?) È solo l'essenziale di questi primi cinque capitoli. Nelle soluzioni ho precisato i paragrafi in cui si trova ogni risposta.

1) La lettera Γ si pronuncia come la [j] latina (*Juventus*) o la [y] inglese (*year*).
2) La Δ è come la [th] inglese (*theatre*).
3) La Z è una s sonora come la [z] inglese (*zebra*).
4) La Θ è una s moscia come la [z] spagnola (*corazón*).
5) La Σ può essere una [s] sorda o sonora.
6) La X è come la [c] toscana, la [ch] tedesca (*Achtung*) o la [j] spagnola (*jamón*).
7) La lettera σ si mette all'inizio e all'interno di una parola ma si scrive ς alla fine di una parola.
8) I suoni chiusi del greco sono come quelli dell'italiano.
9) Due lettere dell'alfabeto greco si pronunciano [o].
10) Tre vocali e tre combinazioni vocaliche si pronunciano [i].
11) AI si pronuncia [e].
12) OY e Y si pronunciano [u].
13) AY si pronuncia solo [av] e EY si pronuncia solo [ef].
14) B è la [b] italiana e NT è la [d] italiana.
15) La combinazione ΓK non è mai all'inizio di una parola.
16) Nessuna parola monosillabica è accentata.
17) Le combinazioni EI, OI, YI, AI, OY, AY e EY non sono mai accentate.
18) Le parole in stampatello non ricevono mai accenti.
19) Quando un nome proprio inizia con una vocale accentata maiuscola, l'accento va messo sempre prima, a destra.

20) Per formare due suoni distinti in una combinazione vocalica si usa solo la dieresi.

6° capitolo

Qui di seguito puoi ritrovare il dialogo tra Alessandro (A) e il venditore di biglietti (Π). Ma ci sono cinque errori. Riesci a trovarli? Ovviamente senza guardare il testo originale!

A. Καληνύχτα! Ένα εισιτήρια, παρακαλώ.
Π. Έξι ευρό.
A. Είσαι φοιτητής.
Π. Έχεις πάσο;
A. Ορίστε.
Π. Τρία ευρό λοιπόν.
A. Ευχαριστώ!

7° capitolo

A. Nei primi due dialoghi hai visto alcune parole che non ti ho spiegato perché si capiscono nella traduzione oppure perché le rivedremo più in là. Ma sono parole utilissime, perciò ti chiedo di tornare ai due testi per trovare la traduzione greca delle parole che seguono.

1) che cosa • 2) ciao • 3) dunque, allora • 4) ecco • 5) grazie
6) molto • 7) no • 8) per favore • 9) per

B. Il 7° giorno i personaggi erano più loquaci. Ti do l'inizio e la fine del dialogo e, senza guardare il testo originale, tu devi rimettere al loro posto le otto frasi della lista. B sta per Berenice e Π per il venditore dei biglietti.

Α) Δεν έχω ψιλά. • Β) Είμαι καθηγήτρια.
Γ) Έξι ευρώ. • Δ) Ορίστε δέκα ευρώ.
Ε) Όχι, δεν είμαι φοιτήτρια. • Ζ) Όχι, δεν υπάρχει.

123

Η) Τι ώρα φεύγει το λεωφορείο; • Θ) Υπάρχει έκπτωση;

Β.	Καλημέρα σας!
Π.	Καλημέρα σου!
Β.	Ένα εισιτήριο για Σύνταγμα.
Π.	Είσαι φοιτήτρια;
Β.	1-... / 2-... / 3-...
Π.	4-... / 5-...
Β.	6-... / 7-... / 8-...
Π.	Σε εννιά λεπτά.
Β.	Ευχαριστώ πολύ. Γεια σας!
Π.	Γεια σου!

8° capitolo

A. Rispondi alle domande prima affermativamente cominciando con ναι e dopo negativamente con όχι.

1) Αγοράζετε σουβλάκια;
2) Έχεις παιδιά;
3) Θέλεις τζατζίκι;
4) Πίνετε κρασί;

B. Oggi non voglio riprendere il testo del dialogo iniziale tale quale, ti ho preparato una versione alleggerita e un po' cambiata. Leggila e scegli dalla lista le parole che la completano. Σ è il cameriere, ΓΑ è Galatea e ΓΙ è Giorgio.

βάζω • Ευχαριστούμε • θα • θέλετε • και • μόνο • μπορούσαμε • μπουκάλι • Ναι • Όχι • παιδιά • σας

Σ.	Καλώς τα (1) ... !
ΓΑ.	Γεια (2) ... ! Για βετζετέριαν τι έχετε;
Σ.	Σαλάτες (3) ....

ΓΑ.	Μια σαλάτα λοιπόν.
ΓΙ.	Εγώ (4) ... ήθελα ένα σουβλάκι κεμπάπ (5) ... ένα σουβλάκι κοτόπουλο.
Σ.	Τζατζίκι (6) ... ;
ΓΙ.	(7) ..., με τζατζίκι.
ΓΑ.	Θα (8) ... να έχουμε και ένα (9) ... νερό;
Σ.	Κρασί (10) ... ;
ΓΑ.	(11) ... , δε θέλουμε κρασί. (12) ... .

9° capitolo

A. Qual è il soggetto nelle frasi che seguono? Non hai bisogno di capire il loro senso: osserva bene le desinenze dei verbi e gli articoli.

1) Η Ελλάδα και η Ιταλία έχουν δημοκρατία.

2) Χορεύεις συρτάκι;

3) Το παιδί δε θέλει πατάτες.

4) Βλέπουμε «Το παιδί και το δελφίνι» με τη Σοφία Λόρεν.

5) Πίνετε κρασί;

6) Το αυτοκίνητο παίρνω.

B. Eccoti il dialogo del 9° giorno con alcune piccole modifiche. Scegli nella colonna di destra l'elemento che completa ogni battuta. I personaggi sono: (Σ.) il cameriere, (ΔΗ.) Demetrio e (ΔΑ.) Dafne.

125

Σ. (1) Ορίστε	(Α) ακριβό;
ΔΗ. (2) Ωωω!	(Β) το ξενοδοχείο «Σύνταγμα».
ΔΑ. (3) Συγγνώμη!	(Γ) δεν είναι ακριβό.
Σ. (4) Απέναντι,	(Δ) είναι καλό και φτηνό.
ΔΗ. (5) Είναι	(Ε) Ευχαριστούμε!
Σ. (6) Όχι,	(Ζ) καλό;
ΔΑ. (7) Είναι	(Η) τα σουβλάκια και η σαλάτα.
Σ. (8) Ναι,	(Θ) Ψάχνουμε για ένα ξενοδοχείο.

I segreti svelati in questo capitolo

. Hai appena sfiorato l'accordo tra un sostantivo e un aggettivo.

. Hai cominciato a capire a cosa servono i sostantivi declinati.

. Hai fatto un ripasso sull'essenziale della pronuncia e dell'accentazione.

. Hai riletto i primi dialoghi e li hai perfettamente capiti questa volta.

Soluzioni degli esercizi del 10° capitolo

Ricapitolazione dei giorni 1-5

1-V (§ 1.2-1.3) • 2-F (§ 1.3) • 3-V (§ 1.2-1.3) • 4-V (§ 1.2-1.3) • 5-F (§ 1.2-1.3) • 6-V (§ 1.2-1.3) • 7-V (§ 1.3) • 8-F (§ 2.2) • 9-V (§ 1.2 e 2.2) • 10-V (§ 2.2) • 11-V (§ 2.2) • 12-F (§ 2.2) • 13-F (§ 2.2) • 14-F (§ 2.3) • 15-F (§ 2.3) • 16-F (§ 3.3) • 17-F (§ 3.3 e 5.2) • 18-V (§ 3.3) • 19-F (§ 3.3) • 20-F (§ 5.2)

Ricapitolazione del giorno 6

1) Καληνύχτα! (Buonanotte!) ➲ Καλημέρα! (§ 6.2)

2) εισιτήρια (biglietti, plurale) ➲ εισιτήριο (§ 6.4)

3-4) ευρό (parola straniera) ➲ ευρώ (§ 6.4)

5) είσαι (sei) ➲ είμαι, perché è Alessandro che parla (§ 6.3)

Ricapitolazione del giorno 7
7-A

1) τι (parola interrogativa) • 2) γεια (si dice o da solo o con σου/σας come καλημέρα) • 3) λοιπόν ("allora" conclusivo, non temporale) • 4) ορίστε • 5) ευχαριστώ (è un verbo, ringraziare) • 6) πολύ (in italiano si fa l'accordo al femminile plurale; in greco è un avverbio) • 7) όχι (da non confondere con δεν, non) • 8) παρακαλώ (significa anche "prego") • 9) για (preposizione, da non confondere con γεια)

7-B

1-E • 2-B • 3-Θ • 4-Z • 5-Γ • 6-A • 7-Δ • 8-H

Ricapitolazione del giorno 8
8-A

1) Comprate dei souvlaki? Ναι, αγοράζουμε σουβλάκια. Όχι, δεν αγοράζουμε σουβλάκια.

2) Hai dei figli? Ναι, έχω παιδιά. Όχι, δεν έχω παιδιά.

3) Vuoi dello tzatziki? Ναι, θέλω τζατζίκι. Όχι, δε θέλω τζατζίκι.

4) Bevete del vino? Ναι, πίνουμε κρασί. Όχι, δεν πίνουμε κρασί.

8-B

1) παιδιά (al plurale si chiamano così non solo i bambini ma in genere tutti, anche le persone di un'età più o meno avanzata) • 2) σας • 3) μόνο • 4) θα • 5) και • 6) βάζω • 7) Ναι • 8) μπορούσαμε • 9) μπουκάλι • 10) θέλετε • 11) Όχι • 12) Ευχαριστούμε

Traduzione del testo:
- Benvenuti, ragazzi!
- Salve! Per vegetariani cosa avete?
- Solo insalate.
- Un'insalata allora.
- Io vorrei un souvlaki kebab e un souvlaki pollo.
- Ci metto dello tzatziki?
- Sì, con tzatziki.
- Potremmo avere anche una bottiglia di acqua?
- Volete del vino?
- No, non vogliamo vino. La ringraziamo.

Ricapitolazione del giorno 9
9-A

1) Η Ελλάδα και η Ιταλία, al nominativo (*cfr*. l'articolo η). • Traduzione: La Grecia e l'Italia hanno democrazia.

2) Εσύ, tu sottinteso (*cfr*. la desinenza del verbo, -εις). • Traduzione: Balli il sirtaki?

3) Το παιδί, neutro, può essere un nominativo o un accusativo; ma la desinenza di πατάτες è plurale, quindi non può

129

essere il soggetto di un verbo singolare. • Traduzione: Il bambino non vuole patate.

4) Εμείς, noi sottinteso (*cfr.* la desinenza del verbo, -ουμε). • Traduzione: Guardiamo "Il ragazzo sul delfino" (in greco: "Il ragazzo e il delfino") con Sophia Loren.

5) Εσείς, voi sottinteso (*cfr.* la desinenza del verbo, -ετε). • Traduzione: Bevete vino?

6) Εγώ, io sottinteso (*cfr.* la desinenza del verbo, -ω). • Traduzione: Prendo la macchina (e non l'autobus), perciò l'oggetto si trova prima del verbo.

9-B
5A • 4B • 6Γ • 8Δ • 2E • 7Z • 1H • 3Θ

La traduzione del testo:
- Ecco i souvlaki e l'insalata.
- Oh! La ringraziamo!
- Mi scusi! Stiamo cercando un albergo.
- Proprio di fronte, l'albergo "Syntagma".
- È caro?
- No, non è caro.
- È buono?
- Si, è buono e economico.

11° GIORNO / ΕΝΔΕΚΑΤΗ ΗΜΕΡΑ
ΤΑ ΠΑΝΤΑ PEI
TUTTO SCORRE

11.1. Come capire il titolo ermetico del capitolo

Τα πάντα ρει (και ουδέν μένει), cioè tutto scorre e nulla rimane, è una verità: l'acqua del fiume scorre e una goccia non sarà mai la stessa né potrà mai tornare indietro, il tempo fugge (lo diceva anche Virgilio, *tempus fugit*) e con esso la giovinezza e la bellezza (ecco perché io non faccio sport: perché esaurirmi in attività fisiche se non sarà per sempre?), ogni singola parola pronunciata sparisce appena detta e non c'è una prova contrariamente allo scritto (secondo i Romani, *verba volant, scripta manent*, le parole volano, gli scritti rimangono). Ma hai mai pensato al fatto che quando dici "adesso" (τώρα), il tempo di pronunciarlo e il momento in questione è già passato? E che dire della versione scritta? L'istante in cui scrivi la a- non è quello della -o. È sicuramente la parola più breve nel tempo e non corrisponde mai alla realtà. Beh, Eraclito aveva pensato a tutto tranne ai chili che rimangono e non se ne vanno mai ma un filosofo non poteva pensare a cose così futili. Fa niente, lo dico io adesso, l'idea non si applica a tutto tutto purtroppo.

Comunque se ho scelto questo titolo è perché la situazione di oggi risiede nel campo del divenire, è la preparazione verso quello di domani, l'essere, finalmente. Non capisci cosa voglia dire ma sarai felice, ne sono sicuro. **Zoe** (Ζωή, la vita, che deriva dal verbo ζω, vivere) **e Zeffiro** (Ζέφυρος, il vento che soffia dal Ponente, che viene da ovest, ma non ho mai incontrato qualcuno che si chiama così) **hanno trovato un**

131

albergo economico nel centro di Atene **e entrano per chiedere informazioni.**

Ξενοδόχος	Καλώς ήρθατε!
Albergatore	Benvenuti!
Ζωή	Γεια σας! Έχετε ένα δωμάτιο;
Zoe	Buongiorno! Ha una camera?
Ξενοδόχος	Φυσικά. Κοστίζει είκοσι ευρώ, γιατί είναι χαμηλή σαιζόν. Στην υψηλή σαιζόν η τιμή είναι σαράντα με πενήντα.
Albergatore	Certo. Costa venti euro perché è bassa stagione. In alta stagione il prezzo è di quaranta-cinquanta.
Ζωή	Γιατί όχι; Εντάξει, καλά είναι.
Zoe	Perché no? D'accordo, va bene.
Ξενοδόχος	Άφιξη: σήμερα, δηλαδή Σάββατο τριάντα Οκτωβρίου. Αναχώρηση; Πότε φεύγετε;
Albergatore	Arrivo: oggi, cioè sabato trenta di ottobre. Partenza? Quando partite?
Ζωή	Δεν ξέρουμε ακόμα.
Zoe	Non sappiamo ancora.
Ξενοδόχος	Μια ταυτότητα, παρακαλώ.
Albergatore	Una carta d'identità, per favore.
Ζέφυρος	Δίνω εγώ. Ορίστε.
Zeffiro	La do io. Ecco.

11.2. Come arrivare al 100% delle tue capacità

Sai già **contare** fino a 10. Per arrivare **fino a 100** devi solo imparare undici numeri ancora. **Da 11 a 20** le uniche novità sono 11, 12 e 20; per tutti gli altri numeri aggiungi a 10 quelli che conosci già **in un'unica parola** e l'accento rimane sempre sulla sillaba di origine. **Da 21 in poi**, tranne per le decine tonde tonde, i numeri si scrivono **in due parole distinte**: prima la decina e seguono i numeri da 1 a 9.

11	έντεκα	16	δεκαέξι / δεκάξι
12	δώδεκα	17	δεκαεπτά / δεκαεφτά
13	δεκατρία	18	δεκαοκτώ / δεκαοχτώ
14	δεκατέσσερα	19	δεκαεννέα / δεκαεννιά
15	δεκαπέντε	20	είκοσι
21	είκοσι ένα	26	είκοσι έξι
22	είκοσι δύο	27	είκοσι επτά / εφτά
23	είκοσι τρία	28	είκοσι οκτώ / οχτώ
24	είκοσι τέσσερα	29	είκοσι εννέα / εννιά
25	είκοσι πέντε	30	τριάντα
40	σαράντα	70	εβδομήντα
50	πενήντα	80	ογδόντα
60	εξήντα	90	ενενήντα
		100	εκατό

Andiamo a praticare

I numeri telefonici si leggono a coppie (più o meno). Proviamo. Metto i punti per farti capire come funziona.

1) 2.10.48.25.6.71 • 2) 23.10.97.11.83 • 3) 69.54.32.16.12

11.3. Come far nascere un tormentone settimanale

Hai visto oggi Σάββατο

Il ritornello della "Scuola dei Puffi", in greco "Το σχολείο των Στρουμφ", andava così:

Δευτέρα κάτι έχω	Il lunedì ho qualcosa
Την Τρίτη δεν αντέχω	Il martedì non ce la faccio
Τετάρτη πώς βαριέμαι	Il mercoledì quanto mi annoio
Την Πέμπτη δεν κρατιέμαι	Il giovedì non mi trattengo
Παρασκευή πρωί	Il venerdì mattina
Λα λα λα λα λα λα λα	La la la la la la la
Απ' όλες τις ημέρες	Fra tutti i giorni
Η Κυριακή μ' αρέσει.	Mi piace la domenica.

Se aggiungi il sabato del dialogo di oggi, hai tutti **i giorni della settimana. Si scrivono tutti con la prima lettera maiuscola e sono femminili (tranne il sabato)** perché η ημέρα, il giorno, è femminile.

Come vedi (solo se hai fatto caso ai titoli dei capitoli però perché ho scelto di farti vedere i numeri cardinali così e non in una lezione), **i giorni della settimana sono basati sui numeri**, con certe volte l'accento su un'altra sillaba. Η Κυριακή, è il giorno del Signore (da ο Κύριος come in italiano la domenica deriva da *Dominus*). Dal lunedì al giovedì, i giorni sono costruiti sui numeri cardinali da 2 a 5, siccome la domenica è considerata come il primo giorno della settimana: Δευτέρα (η δεύτερη ημέρα), Τρίτη (η τρίτη ημέρα), Τετάρτη (η τέταρτη ημέρα), Πέμπτη (η πέμπτη ημέρα). Il venerdì viene dal verbo παρασκευάζω, preparare, perché secondo gli ebrei era il giorno della preparazione dell'indomani, giorno di riposo. E il sabato è come il tuo ma con due -β-. E quest'ultimo giorno mi fa pensare al proverbio Ξεκίνησε ο Εβραίος να πάει στο παζάρι κι ήταν ημέρα Σάββατο (letteralmente: Si è messo l'ebreo ad andare al mercato ed era sabato) che si dice per gli ostacoli che appaiono quando una persona prende finalmente la decisione di fare qualcosa.

Per parlare di un'azione che si svolge un certo giorno si usa, come in italiano, l'articolo senza preposizione.

τη Δευτέρα

την Τρίτη

την Τετάρτη

την Πέμπτη

την Παρασκευή

το Σάββατο

την Κυριακή

Nel § 6.2 abbiamo visto gli auguri per i vari momenti della giornata. È arrivato il momento per gli **auguri settimanali**. La domenica in tarda serata o il lunedì mattino si dice Καλή εβδομάδα! (Buona settimana!). Quando c'è un ponte in settimana si dice Καλό τριήμερο! e alla fine della settimana Καλό Παρασκευοσαββατοκύριακο! oppure, siccome la parola è lunga, familiarmente Καλό ΠουΣουΚού!, come dicono anche i soldati quando hanno un permesso di tre giorni, cioè "Buon venerdì, sabato e domenica!". Per solo gli ultimi due giorni si augura Καλό Σαββατοκύριακο! (Buon fine settimana!), il sabato sera si esce di solito, quindi si dice Καλό σαββατόβραδο! (Buon sabato sera!) e l'indomani, Καλή Κυριακή! (Buona domenica!).

11.4. Come encomiare i Romani che non vengono sempre dopo i Greci

Dodici sono gli stipendi annuali ma solo quelli ordinari senza la tredicesima e la quattordicesima mensilità. Dodici sono i segni dello zodiaco occidentale ma senza prendere in considerazione la costellazione del Serpentario. Dodici sono le stelle sulla bandiera dell'Europa ma gli stati membri sono molti di più. Dodici è la massa atomica del carbonio ma in verità è 12,0107. Dodici sono le fatiche di Ercole ma all'inizio erano dieci perché Euristeo non giudicò valide due fra di esse. Dodici sono gli dèi olimpici ma se li conti più attentamente, ne risultano quattordici. Tutto è relativo ma **i mesi** no, sono proprio dodici, quindi non ti insegno niente di nuovo.

Anche i loro **nomi** in greco non sono una novità perché sono **di origine latina**. Per una volta che non hanno rubato i Romani qualcosa, facciamo un po' di **etimologia** per ringraziarli.

Ιανουάριος è il mese dedicato a Giano, il dio degli inizi;
Φεβρουάριος è il mese delle purificazioni;
Μάρτιος è dedicato al dio Marte;
Απρίλιος ha un'etimologia incerta, deriva forse dal verbo *aperio*, aprire, perché in quel periodo si aprono i fiori;
Μάιος è il mese di Maia, dea della fecondità, madre di Ermete;
Ιούνιος è dedicato a Giunone, dea dei matrimoni, perciò già dall'Antichità questo mese è considerato più propizio per questi riti;
Ιούλιος porta il nome di Giulio Cesare;

Αὔγουστος dedicato al primo imperatore romano, Augusto (Ottaviano), è l'unico mese che non finisce con -ιος;
Σεπτέμβριος deriva dal numero 7 (*septem*) in latino mentre si tratta del nono mese del calendario ma è perché l'anno cominciava a marzo dall'epoca di Romolo in poi;
Οκτώβριος deriva dal numero 8 (*octo*), ecco perché non c'è la -m- in contrasto con gli altri mesi;
Νοέμβριος deriva dal numero 9 (*novem*);
Δεκέμβριος deriva dal numero 10 (*decem*).

Sono tutti maschili, si capisce dalla desinenza -ος e saprai come declinarli fra pochi giorni. Nel dialogo di oggi hai visto una nuova desinenza: -ου è quella del genitivo. L'arrivo in albergo è il 30 di ottobre, e la preposizione "di" corrisponde al caso genitivo. Non entriamo per il momento in cose difficili. Quando dai **una data intera**, devi cominciare con **την** per il primo giorno di ogni mese e con **στις** per tutti gli altri; dopo metti il numero ordinale al femminile per il primo giorno (siccome è η ημέρα), i cardinali per gli altri; e per i mesi si usa la desinenza -ίου (tranne per il mese di maggio che prende anche la dieresi e agosto, per cui la desinenza è semplicemente -ου):

την 1η Ιανουαρίου, il 1° gennaio
στις 2 Φεβρουαρίου, il 2 febbraio
στις 3 Μαρτίου, il 3 marzo
στις 4 Απριλίου, il 4 aprile
στις 5 Μαΐου, il 5 maggio
στις 6 Ιουνίου, il 6 giugno
στις 7 Ιουλίου, il 7 luglio
στις 8 Αυγούστου, l'8 agosto
στις 9 Σεπτεμβρίου, il 9 settembre
στις 10 Οκτωβρίου, il 10 ottobre
στις 20 Νοεμβρίου, il 20 novembre
στις 30 Δεκεμβρίου, il 30 dicembre

Pensavi di aver finito con gli **auguri**? Απατάσαι οικτρά! (Falli deplorevolmente), espressione troppo letteraria che non ti servirà mai, rimane un po' di spazio libero però e te ne parlo.

Il primo giorno di ogni mese si esce dalla porta della casa, si rientra con il piede destro e si augura Καλό μήνα! (Buon mese!); a casa mia, quel giorno mettiamo un pizzico di zucchero all'entrata vicinissimo alla porta perché il mese sia dolce. Ti avevo promesso anche gli **auguri** per **le stagioni** (η εποχή). Eccoli: Καλή άνοιξη (Buona primavera), Καλό καλοκαίρι (Buon'estate), Καλό φθινόπωρο (Buon autunno) e Καλό χειμώνα (Buon inverno), un augurio che fa impazzire la gente quando finiscono le vacanze estive e si torna al lavoro.

Andiamo a praticare

Ritrova le frasi che si nascondono in questi lunghi pezzi di parole. Metti le maiuscole dove necessario.

1) Σήμεραείναιδευτέραείκοσιεπτάιανουαρίου.
2) Αύριοέχουμεπαρασκευήδεκαεννέααπριλίου.
3) Στιςτριάνταοκτωβρίουείμαιελλάδα.
4) Έχωέναραντεβούστιςδώδεκατουμαρτίου.
5) Φεύγωτηνπρώτηιουλίου,ημερατετάρτη.
6) Μ'αρέσειμόνοτοσάββατο,όχιηκυριακή.

I segreti svelati in questo capitolo

. Hai imparato a contare fino a 100.

. Hai capito come si leggono i numeri telefonici greci.

. Hai avuto alcune spiegazioni sull'ortografia dei mesi in italiano.

. Hai visto i giorni della settimana e i mesi dell'anno, e saputo come esprimere una data intera.

. Hai continuato a scoprire alcuni auguri.

11.2

1) δύο, δέκα, σαράντα οκτώ/οχτώ, είκοσι πέντε, έξι, εβδομήντα ένα (210 è il prefisso dei fissi ad Atene) ◆ 2) είκοσι τρία, δέκα, ενενήντα επτά/εφτά, έντεκα, ογδόντα τρία (2310 è il prefisso di Salonicco) ◆ 3) εξήντα εννέα/εννιά, πενήντα τέσσερα, τριάντα δύο, δεκαέξι/δεκάξι, δώδεκα (con 69 cominciano i numeri dei cellulari)

11.4

1) Σήμερα είναι Δευτέρα είκοσι επτά Ιανουαρίου. (Oggi è lunedì 27 gennaio.)

2) Αύριο έχουμε Παρασκευή δεκαεννέα Απριλίου. (Domani è (letteralmente: abbiamo) venerdì 19 aprile.)

3) Στις τριάντα Οκτωβρίου είμαι Ελλάδα. (Il 30 ottobre sono in Grecia.)

4) Έχω ένα ραντεβού στις δώδεκα του Μαρτίου. (Ho un appuntamento il 12 marzo.)

5) Φεύγω την πρώτη Ιουλίου, ημέρα Τετάρτη. (Parto il 1° luglio, giorno mercoledì.)

6) Μ' αρέσει μόνο το Σάββατο, όχι η Κυριακή. (Mi piace solo il sabato, la domenica no.)

12° GIORNO / ΔΩΔΕΚΑΤΗ ΗΜΕΡΑ
ΓΝΩΘΙ ΣΑΥΤΟΝ
CONOSCI TE STESSO

12.1. Come capire il titolo ermetico del capitolo

Terme di Diocleziano,
Roma

Ludwig Reichert Haus,
Ludwigshafen, Germania

Non sappiamo con certezza chi fu all'origine di questa e-spressione, ma secondo Pausania il Periegeta, era scritta sull'entrata del tempio di Apollo a Delfi. Corrisponde al latino *Nosce te ipsum* e in greco moderno, qualcuno che έχει το γνώθι σαυτόν significa che è consapevole di se stesso, delle proprie capacità e possibilità.

Elettra (quella che è brillante, luminosa, nome derivato da το ήλεκτρο, l'ambra) **e Ercole** (la gloria di Era, perché la fama dell'eroe omonimo era dovuta agli ordini datigli dalla dea; oggi, questo nome definisce per antonomasia una persona di grande forza fisica), che si scrivono entrambi con una H in greco, **sono alla reception di un albergo e hanno già cominciato a fare la registrazione.**

Ξενοδόχος	Αριθμός: ΑΤ ενενήντα τρία, έντεκα, εβδομήντα ένα. Επώνυμο: Ercole.
Albergatore	Numero: ΑΤ novantatré, undici, settantuno. Cognome: Ercole.
Ηρακλής	Όχι, με λένε Ercole Demitri. Ercole είναι το όνομα, Demitri είναι το επίθετο.
Ercole	No, mi chiamo Ercole Demitri. Ercole è il nome, Demitri è il cognome.
Ξενοδόχος	Συγγνώμη!
Albergatore	Mi scusi!
Ηρακλής	Δεν πειράζει.
Ercole	Fa niente.
Ξενοδόχος	Πάντως ελληνικό ονοματεπώνυμο. Εθνικότητα: ιταλική.
Albergatore	Nome e cognome greci comunque. Nazionalità: italiana.
Ηρακλής	Ναι, είμαι Ιταλός.
Ercole	Sì, sono italiano.
Ξενοδόχος	Και η φίλη σας από την Ιταλία είναι;
Albergatore	Anche la Sua amica viene dall'Italia?
Ηλέκτρα	Ακριβώς, είμαι Ιταλίδα.
Elettra	Esatto, sono italiana.
Ξενοδόχος	Τόπος και ημερομηνία γέννησης;
Albergatore	Luogo e data di nascita?
Ηρακλής	Μόλα ντι Μπάρι, δώδεκα Ιουλίου του ογδόντα εννιά.
Ercole	Mola di Bari, dodici di luglio del ottantanove.
Ξενοδόχος	Μια υπογραφή, παρακαλώ. Δωμάτιο εξήντα δύο. Ορίστε το κλειδί. Καλή διαμονή!
Albergatore	Una firma, per favore. Camera sessantadue. Ecco la chiave. Buona permanenza!
Ηλέκτρα	Ευχαριστούμε!
Elettra	La ringraziamo!

12.2. Come cantare la "Ode alla gioia"

Per cantare l'inno dell'Unione europea (Mannaggia al Regno Unito! Non poteva aspettare la pubblicazione del mio manuale per brexitare?) devi partecipare attivamente. Non faccio l'elenco dei **paesi**, delle **nazionalità** e delle **lingue** (puoi benissimo cercare in un vocabolario tutto quello che ti serve) perché **è importante che tu pratichi la comprensione.**

Andiamo a praticare

Completa ogni spazio con la parola che conviene. Leggi prima tutte le frasi, così capirai le parole che non conosci. Nelle soluzioni troverai le risposte e non solo.

Άγγλοι • Αυστρία • Γαλλία • γαλλικά • Γερμανία
Ιταλίας • ιταλικά • Κύπρο • Μαδρίτη • πορτογαλικά

1) Η Αθήνα είναι η πρωτεύουσα της Ελλάδας. Ελληνικά μιλούν στην Ελλάδα και στην … .

2) Η πρωτεύουσα της … είναι η Ρώμη. Στην Ιταλία μιλούν … .

3) Η Ιταλία έχει σύνορα με τη Γαλλία, την Ελβετία, την … και τη Σλοβενία.

4) Η … έχει πρωτεύουσα το Παρίσι. Οι Γάλλοι και οι Γαλλίδες μιλούν … .

5) Μιλούν γερμανικά στη …, στην Αυστρία, στο Βέλγιο και στο Λουξεμβούργο.

6) Οι … και οι Ιρλανδοί μιλούν αγγλικά.

7) Οι Ισπανοί δε μένουν στο Άμστερνταμ, αλλά στη … .

8) Τα ιταλικά, τα γαλλικά, τα ισπανικά, τα … και τα ρουμανικά είναι λατινικές γλώσσες.

145

12.3. Come conquistare di nuovo il genere femminile

Η ταυτότητα, η εθνικότητα, η Ιταλίδα e η ημερομηνία seguono il modello di η ντομάτα (η Ιταλία ha evidentemente solo un singolare); η σαιζόν, d'origine francese, non si declina.

Passiamo allora ad un altro tipo di **femminile**, quello **con la desinenza -η** al singolare (vedi anche i nomi della terza colonna della tabella del § 1.4), come η φίλη, l'amica, e η τιμή, il prezzo. La desinenza del plurale ti è già familiare.

	Singolare			
Nominativo	η	φίλ-η	η	τιμ-ή
Accusativo	την	φίλ-η	την	τιμ-ή
	Plurale			
Nominativo	οι	φίλ-ες	οι	τιμ-ές
Accusativo	τις	φίλ-ες	τις	τιμ-ές

Η γέννηση, η άφιξη e η αναχώρηση sono parole utilissime per l'organizzazione di un viaggio ma non le toccare più di tanto: il loro plurale non è come quello che ti ho insegnato oggi perché l'accento è sulla terzultima.

Andiamo a praticare

Adesso che abbiamo finito i sostantivi neutri e femminili, ricordi qual è la desinenza singolare che ti fa capire il genere?

1) βαλίτσα • 2) βουνό • 3) διαβατήριο • 4) διαμονή • 5) εστιατόριο • 6) θάλασσα • 7) νησί • 8) παραλία • 9) ταξίδι • 10) φωτογραφική μηχανή

12.4. Come non risvegliare troppo il maschio alfa che è in te

E finalmente è arrivato il momento dei **sostantivi maschili**: li ho lasciati per ultimi perché **hanno quattro desinenze diverse** nei casi di cui hai bisogno per ora. Come vedi, hai cominciato con i neutri che hanno due sole desinenze, hai continuato con i femminili che ne hanno altrettante ma gli articoli non sono gli stessi, e adesso i maschili, più esigenti ma anche abbastanza numerosi. A cosa serve un uomo? A uccidere uno scarafaggio, a tirar giù un oggetto che si trova in alto e non mi viene in mente qualcos'altro adesso. Lo si deve sopportare con i suoi capricci perché a un certo punto servirà. Perciò anche la declinazione del maschile è capricciosa: sa che non possiamo farne a meno e approfitta di noi. Comunque niente panico, li vedrai spesso, ti abituerai e poi, hanno anche loro qualcosa di facile: per ogni caso **l'articolo ricorda molto la desinenza** oppure, se preferisci, la desinenza ricorda l'articolo.

La prima categoria di **maschili** che studieremo è **in -ος**: nella prima colonna della famosa tabella del § 1.4 vedi che sono sei fra gli otto perché sono i più numerosi in greco. Prendiamo come esempi ο τόπος, il luogo, e ο αριθμός, il numero.

	Singolare			
Nominativo	ο	τόπ-ος	ο	αριθμ-ός
Accusativo	τον	τόπ-ο	τον	αριθμ-ό
	Plurale			
Nominativo	οι	τόπ-οι	οι	αριθμ-οι
Accusativo	τους	τόπ-ους	τους	αριθμ-ούς

148

L'articolo τον (maschile accusativo singolare) fa parte delle parole che mantengono o meno la ν finale secondo la regola che abbiamo già visto con la mnemotecnica. Se non ricordi davanti a quali lettere succede ciò, torna a rileggere il § 7.4.

Andiamo a praticare

Scrivi la desinenza che manca dai sostantivi. C'è un po' di tutto: maschili in -ος, femminili in -α e -η, e neutri in -o e -ι. Non dimenticare l'accento quando è necessario.

1) ο Αλέξανδρος	τον Αλέξανδρ…
2) το εισιτήριο	τα εισιτήρι…
3) η ημερομηνία	τις ημερομηνί…
4) η Ιταλίδα	οι Ιταλίδ…
5) ο Ιταλός	οι Ιταλ…
6) το κοτόπουλο	τα κοτόπουλ…
7) το λεωφορείο	τα λεωφορεί…
8) το μπουκάλι	τα μπουκάλι…
9) ο ξενοδόχος	τους ξενοδόχ…
10) το παιδί	τα παιδι…
11) η σαλάτα	τις σαλάτ…
12) ο σερβιτόρος	τους σερβιτόρ…
13) η υπογραφή	οι υπογραφ…
14) η φοιτήτρια	οι φοιτήτρι…
15) η ώρα	την ώρ…

12.5. Come rendere un lettore felice

E finalmente è arrivato il momento delle presentazioni! Tutti gli altri capitoli hanno quattro paragrafi ma oggi si festeggia. Capisci però che non era possibile senza che tu avessi visto i casi. So che non li padroneggi ancora ma almeno hai sentito parlare di cosa sono e hai più o meno capito a cosa servono.

Ci sono **più modi per presentarsi**. Quello più comune è **Με λένε** (letteralmente: mi chiamano) e regge l'accusativo. Un altro, leggermente più formale, è **Ονομάζομαι** (mi chiamo) e regge il nominativo. Io personalmente posso anche dire **Το όνομά μου είναι** Ιπποκράτης **και το επώνυμό μου είναι** Καλογερόπουλος, ma tu devi mettere i tuoi nome e cognome perché il plagio è un reato; in quello che ho appena scritto c'è una piccola parola che non hai ancora visto: lasciamola da parte per il momento e ne riparleremo, così eviti le sanzioni.

In ogni caso, diciamo che nominativi e accusativi non ti interessano tanto perché userai il tuo nome italiano e non si capisce la differenza.

Με λένε Ντονατέλα.	Ονομάζομαι Ντονατέλα.
Με λένε Κάρλο.	Ονομάζομαι Κάρλο.

Vedi un po' cosa succede con un nome greco però. Al femminile, il nominativo è identico all'accusativo. Ma al maschile, i due casi sono diversi.

Με λένε Γαλάτει-α.	Ονομάζομαι Γαλάτει-α.
Με λένε Γιώργ-ο.	Ονομάζομαι Γιώργ-ος.

150

Gli altri manuali fanno le presentazioni nel primo capitolo e usano solo il verbo "essere". Tu hai aspettato un po' ma non valeva la pena?

I segreti svelati in questo capitolo

. Hai capito i paesi, le nazionalità e le lingue dell'Europa tramite un'attività di comprensione.

. Hai continuato ad approfondire i sostantivi con un'altra categoria di femminili e una prima categoria di maschili.

. Hai sfiorato il lessico delle vacanze.

. Hai finalmente scoperto come ci si presenta.

12.2

Qui di seguito, troverai sempre in questo ordine il paese, i suoi abitanti prima al maschile e dopo al femminile, la capitale e alla fine la lingua.

1) Atene è la capitale della Grecia. Il greco si parla in Grecia e a Cipro (Κύπρο). • η Ελλάδα, ο Έλληνας, η Ελληνίδα, η Αθήνα, τα ελληνικά • η Κύπρος, ο Κύπριος, η Κύπρια, η Λευκωσία, τα ελληνικά

2) La capitale dell'Italia (Ιταλίας) è Roma. In Italia parlano italiano (ιταλικά). • η Ιταλία, ο Ιταλός, η Ιταλίδα, η Ρώμη, τα ιταλικά

3) L'Italia ha confini con la Francia, la Svizzera, l'Austria (Αυστρία) e la Slovenia. • η Ελβετία, ο Ελβετός, η Ελβετίδα, η Βέρνη • η Αυστρία, ο Αυστριακός, η Αυστριακή, η Βιέννη, τα γερμανικά • η Σλοβενία, ο Σλοβένος, η Σλοβένα, η Λιουμπλιάνα, τα σλοβενικά

4) La Francia (Γαλλία) ha come capitale Parigi. I francesi e le francesi parlano francese (γαλλικά). • η Γαλλία, ο Γάλλος, η Γαλλίδα, το Παρίσι, τα γαλλικά

5) Parlano tedesco in Germania (Γερμανία), in Austria, in Belgio e in Lussemburgo. • η Γερμανία, ο Γερμανός, η Γερμανίδα, το Βερολίνο, τα γερμανικά • το Βέλγιο, ο Βέλγος, η Βελγίδα, οι Βρυξέλλες, τα ολλανδικά • το Λουξεμβούργο, ο Λουξεμβούργιος/Λουξεμβουργιανός, η Λουξεμβούργια/ Λουξεμβουργιανή, το Λουξεμβούργο, τα λουξεμβουργιανά

6) Gli inglesi (Άγγλοι) e gli irlandesi parlano inglese. • η Αγγλία / το Ηνωμένο Βασίλειο, ο Άγγλος, η Αγγλίδα, το Λονδίνο, τα αγγλικά • η Ιρλανδία, ο Ιρλανδός, η Ιρλανδή/Ιρλανδέζα, το Δουβλίνο, τα ιρλανδικά

153

7) Gli spagnoli non abitano ad Amsterdam ma a Madrid (Μαδρίτη). • η Ισπανία, ο Ισπανός, η Ισπανίδα, η Μαδρίτη, τα ισπανικά • η Ολλανδία, ο Ολλανδός, η Ολλανδή/Ολλανδέζα, το Άμστερνταμ, τα ολλανδικά
8) L'italiano, il francese, lo spagnolo, il portoghese (πορτογαλικά) e il rumeno sono lingue latine. • η Πορτογαλία, ο Πορτογάλος, η Πορτογαλίδα, η Λισαβόνα, τα πορτογαλικά • η Ρουμανία, ο Ρουμάνος, η Ρουμάνα, το Βουκουρέστι, τα ρουμανικά

Se hai scaricato il vocabolario che ti ho consigliato (§ 10.1), nell'appendice puoi trovare due pagini con queste cose e altre due pagini con i nomi degli abitanti di tutte le regioni greche.

12.3
Le **parole** dell'esercizio sono **in relazione con le vacanze**, οι διακοπές, femminile che devi mettere solo al plurale, perché al singolare, η διακοπή è la pausa, l'interruzione.

1) η βαλίτσ-α, valigia • 2) το βουν-ó, montagna • 3) το διαβατήρι-ο, passaporto • 4) η διαμον-ή, soggiorno • 5) το εστιατόρι-ο, ristorante • 6) η θάλασσ-α, mare (Attenzione, attenzione! Il mare è femminile in greco; te l'ho già detto ma lo ripeto.) • 7) το νησ-í, isola • 8) η παραλί-α, spiaggia • 9) το ταξίδ-ι, viaggio • 10) η φωτογραφικ-ή μηχαν-ή, fotocamera

12.4

1) τον Αλέξανδρ-ο (acc. sg.) • 2) τα εισιτήρι-α (nom. e acc. pl.) • 3) τις ημερομηνί-ες (acc. pl.) • 4) οι Ιταλίδ-ες (nom. pl.) • 5) οι Ιταλ-οί (nom. pl.) • 6) τα κοτόπουλ-α (nom. e acc. pl.) • 7) τα λεωφορεί-α (nom. e acc. pl.) • 8) τα μπουκάλι-α (nom. e acc. pl.) • 9) τους ξενοδόχ-ους (acc. pl.) • 10) τα παιδι-ά (nom. e acc. pl.) • 11) τις σαλάτ-ες (acc. pl.) • 12) τους σερβιτόρ-ους (acc. pl.) 13) οι υπογραφ-ές (nom. pl.) • 14) οι φοιτήτρι-ες (nom. pl.) • 15) την ώρ-α (acc. sg.)

The Oxford Academy,
Connecticut, Stati Uniti

SAHETI School,
Johannesburg, Sudafrica

Il motto γνώθι σαυτόν dappertutto nel mondo

155

13° GIORNO / ΔΕΚΑΤΗ ΤΡΙΤΗ ΗΜΕΡΑ
ΔΙΑ ΤΗΣ ΕΙΣ ΑΤΟΠΟΝ ΑΠΑΓΩΓΗΣ
ATTRAVERSO LA DIMOSTRAZIONE PER AS-SURDO

13.1. Come capire il titolo ermetico del capitolo

Δια της εις άτοπον απαγωγής (*reductio ad absurdum* in latino, "dimostrazione per assurdo" in italiano), un principio inizialmente formalizzato da Aristotele, è un'espressione che si usa oggi per esprimere un modo di risoluzione di problemi, ossia giungere alla giusta conclusione dopo aver escluso tutte le alternative come impossibili.

Teodora (come Teodoro, Dorotea e Doroteo, dono di Dio) **e Teseo** (il cui nome sarebbe della stessa radice che la parola greca che significa "istituzione", siccome Teseo fu un re di Atene che unificò la regione dell'Attica sotto il dominio atenese; è tanto famoso che esiste ad Atene un quartiere che porta il nome dell'eroe, perché il bellissimo tempio sopra l'antica agorà, uno dei meglio conservati al mondo, era considerato come luogo di sepoltura di Teseo ma alla fine si tratta di un tempio dedicato a Efesto) **stanno scoprendo la camera** che hanno appena affittato in un albergo di Atene **e non sono tanto soddisfatti della loro scelta.** Se tutto fosse andato bene, non ci sarebbe stato un dialogo. Ma poi non è quello che succede in genere quando siamo in vacanza?

157

Θεοδώρα	Είναι κλέφτες! Δε μου αρέσει καθόλου.
Teodora	Sono dei ladri! Non mi piace per niente.
Θησέας	Δεν έχει ούτε καλοριφέρ ούτε αιρκοντίσιον ούτε καν ένα χαλί.
Teseo	Non ha né termosifoni né aria condizionata e nemmeno un tappeto.
Θεοδώρα	Όταν πληρώνω, με είκοσι ευρώ περιμένω άλλα κομφόρ, δηλαδή όχι έναν σπασμένο καθρέφτη, σκόνη μέσα στη ντουλάπα, αράχνες πίσω από το κρεβάτι, φασαρία κάτω από το παράθυρο και τουαλέτα έξω από το δωμάτιο.
Teodora	Quando pago, con venti euro mi aspetto altri comfort, cioè non uno specchio rotto, polvere nell'armadio, ragni dietro il letto, rumore sotto la finestra e water fuori dalla camera.
Θησέας	Κι επίσης, οι διπλανοί κάνουν φασαρία.
Teseo	E inoltre, i vicini accanto fanno rumore.
Θεοδώρα	Απόψε κάνουμε υπομονή, γιατί είμαστε κουρασμένοι, αλλά άλλα λεφτά όχι. Να ξέρεις ότι άλλη μέρα δε μένω εγώ εδώ. Αν με αγαπάς, αύριο φεύγουμε. Ναι ή όχι;
Teodora	Stasera portiamo pazienza perché siamo stanchi ma altri soldi no. Sappi che io non rimango qua un altro giorno. Se mi ami, domani partiamo. Sì o no?
Θησέας	Εντάξει, αγάπη μου. Μα σε καταλαβαίνω. Ό,τι θέλεις εσύ.
Teseo	Va bene, amore mio. Ma ti capisco. Tutto quello che vuoi tu.

13.2. Come saper nominare le cose che non vanno bene

Anche le parole sono andate in bestia e si sono mescolate. Traduci gli **oggetti** dell'immagine: se manca la parola greca, l'hai già vista nel dialogo oppure è trasparente; se manca quella italiana, sono stato di nuovo buono e ti voglio aiutare.

o καθρέφτης • l'asciugamano • il cuscino • το κομοδίνο • il frigorifero • la lampada • η κουβέρτα • il lenzuolo • la parete • η ντουλάπα • il pavimento • il piumino • η πόρτα • la sedia • il soffitto • το κρεβάτι

1) το ταβάνι
2) lo specchio
3) η καρέκλα
4) το πάτωμα
5) l'armadio
6) το ψυγείο
7) la porta
8) το φωτιστικό

9) il comodino
10) ο τοίχος
11) il letto
12) το μαξιλάρι
13) το σεντόνι
14) το πάπλωμα
15) la coperta
16) η πετσέτα

13.3. Come riuscire a congiungere gli estremi anche quando si è sull'orlo della separazione

Ah, **le congiunzioni**! Quanto sono importanti **per esprimersi chiaramente e precisamente**, e giustificare le proprie scelte in modo coerente e convincente. Oggi hai visto quelle più importanti. Vediamole in categorie che ti faciliteranno.

Coordinazione neutra	και, κι (e, ed)
Coordinazione negativa	ούτε (né)
	ούτε καν (e nemmeno)
Disgiunzione	ή (o, oppure)
Spiegazione	δηλαδή (cioè, ossia, vale a dire)
Dichiarazione	ότι (che)
Tempo	όταν (quando)
Causa	γιατί (perché)
Conseguenza	λοιπόν (allora, dunque)
Ipotesi	αν (se)
Opposizione	αλλά, μα (ma, però)

Non ho usato una terminologia molto scientifica ma dev'essere più chiaro così. Qualche chiarimento adesso.

- La congiunzione **κι** si mette sempre **davanti ad una vocale** ma non è obbligatoria, può essere anche **και**.
- La parola **καν** si usa per rinforzare **ούτε** ma anche quella non è obbligatoria.
- **Γιατί** può essere una parola che inizia una **domanda** ma anche la **risposta**, esattamente come il "perché" in italiano.

Per finire, devi **stare attento agli accenti e alla punteggia-tura**, insisto di nuovo. Nel testo ci sono: la congiunzione **αλλά** e **άλλα**, il plurale neutro dell'aggettivo άλλος, άλλη, άλλο, "altri"; la congiunzione **ότι** e **ό,τι** con una virgola, "tutto quello che"; la congiunzione **ή** e (non sono riuscito a metterlo ma ne avevamo già parlato prima) l'articolo femminile singolare **η**.

Andiamo a praticare

Completa i titoli delle canzoni che seguono con una delle congiunzioni che hai visto in questo paragrafo. Dai, mi sono accorto che era già abbastanza difficile siccome ci sono un paio di parole che non conosci, perciò ti do le congiunzioni fra cui scegliere: αλλά, αν, αν, γιατί, ή, και, όταν, ότι, ούτε.

1. «... γεννιέται μια αγάπη» (Άννα Όξα)
2. «Να είσαι ... να πρέπει να είσαι, το αμλετικό δίλημμα» (Φραντσέσκο Γκαμπάνι)
3. «Κανείς δεν μπορεί να με κρίνει, ... εσύ» (Κατερίνα Καζέλλι)
4. «... εγώ, ... εκείνη, τώρα πού είσαι;» (Μπιάτζιο Αντονάτσι)
5. «Ο Μάρκο έφυγε ... δεν ξαναγυρίζει πια» (Λάουρα Παουζίνι)
6. Οι τραγουδούν «Πες μου ... είσαι η μοναδική μου μεγάλη αγάπη» (Ιλ Βόλο)
7. «... τόσο τόσο πολύ, ξέρεις» (Λούτσιο Ντάλλα)
8. «50 χιλιάδες δάκρυα δε θα φτάσουν ... εσύ είσαι λυπητερή μουσική» (Νίνα Τζίλλι)

13.4. Come continuare a non risvegliare troppo il maschio alfa che è in te

Hai visto oggi
κλέφτες, καθρέφτη

Studiamo oggi i **sostantivi maschili** che finiscono con **-ης** come ο κλέφτης, il ladro, e ο φοιτητής, lo studente, parola che hai trovato già nei primi capitoli. Se riprenderai la celebre tabella del § 1.4 (di nuovo la prima colonna, quella dei maschili), vedrai una sola volta la desinenza in questione.

Singolare

Nominativo	ο	κλέφτ-ης	ο	φοιτητ-ής
Accusativo	τον	κλέφτ-η	τον	φοιτητ-ή

Plurale

Nominativo	οι	κλέφτ-ες	οι	φοιτητ-ές
Accusativo	τους	κλέφτ-ες	τους	φοιτητ-ές

Oops! Tranne per il nominativo singolare, sono **desinenze del femminile** (§ 12.3). È facile fare la differenza però. Sono **maschili** quando si tratta di un **mestiere** (con qualche eccezione, come lo specchio, ο καθρέφτης).

Alcuni esempi: ο αθλητής (atleta), ο διευθυντής (direttore), ο ποιητής (poeta), ο πωλητής (venditore), ο σκηνοθέτης (regista), ο τραγουδιστής (cantante), ο φοιτητής (studente), parole già viste, ma anche ο επιβάτης (passeggero), ο εργάτης (lavoratore), ο μαθητής (allievo), ο ναύτης (marinaio), ο νικητής (vincitore) e ο πολίτης (cittadino).

162

Andiamo a praticare

Completa le frasi aggiungendo l'articolo e la desinenza. Per capire qual è il soggetto non dimenticare di guardare bene il verbo.

1) Ξέρω ... τραγουδιστ... .
2) ... σκηνοθέτ... δεν πληρώνει τους ηθοποιούς.
3) Δε μου αρέσει ... καθρέφτ... .
4) Παίρνετε τηλέφωνο ... νικητ... .
5) Περιμένουμε ... επιβάτ... .
6) Φεύγουν ... κλέφτ... .
7) ... διευθυντ... περιμένουν ... εργάτ... .
8) ... μαθητ... και ... φοιτητ... γράφουν πολύ.

I segreti svelati in questo capitolo

. Hai visto come lamentarsi quando non si è soddisfatti da una camera d'albergo.

. Hai scoperto il lessico degli oggetti presenti in una camera da letto.

. Hai imparato le congiunzioni più importanti.

. Hai capito ancora una volta che il rispetto degli accenti è essenziale.

. Hai continuato ad esplorare i sostantivi maschili.

Soluzioni degli esercizi del 13° capitolo

13.2

1) il soffitto • 2) ο καθρέφτης • 3) la sedia • 4) il pavimento • 5) η ντουλάπα • 6) il frigorifero • 7) η πόρτα • 8) la lampada • 9) το κομοδίνο • 10) la parete • 11) το κρεβάτι • 12) il cuscino • 13) il lenzuolo • 14) il piumino • 15) η κουβέρτα • 16) l'asciugamano

13.3

1. Anna Oxa canta "Quando (Όταν) nasce un amore".

2. Francesco Gabbani canta "Essere o (ή) dover essere, il dubbio amletico".

3. Caterina Caselli canta "Nessuno mi può giudicare, nemmeno (ούτε (καν)) tu".

4. Biagio Antonacci canta "Se (Αν) io, se (αν) lei, adesso dove sei?".

5. Laura Pausini canta "Marco se n'è andato e (και) non ritorna più".

6. Il Volo canta "Dimmi che (ότι) sei il mio unico grande amore".

7. Lucio Dalla canta "Ma (Αλλά/Μα) tanto tanto bene, sai".

8. Nina Zilli canta "50 mila lacrime non basteranno perché (γιατί) musica triste sei tu".

Siccome abbiamo parlato di musica, ti volevo presentare un sito dove scoprirai sicuramente cose interessanti: stixoi.info (c'è un punto fra le due parole, non so se si veda). Se nel menu a sinistra, sotto Μεταφράσεις (Traduzioni) cliccherai su Ανά γλώσσα μετάφρασης (Per lingua di traduzione) e dopo sulla bandiera italiana, troverai più di 4.000 testi, canzoni e poesie, tradotti dal greco all'italiano e viceversa.

13.4

1) Ξέρω τον τραγουδιστή / τους τραγουδιστές. (Conosco il cantante / i cantanti. • Il verbo è alla 1a persona singolare e il pronome è sottinteso, perciò quello che manca è il complemento oggetto diretto: in questo caso il sostantivo può essere al singolare o al plurale.)

2) Ο σκηνοθέτης δεν πληρώνει τους ηθοποιούς. (Il regista non paga gli attori. • "Gli attori" è all'accusativo, è il complemento oggetto diretto; "il regista" può essere solo il soggetto in questa frase, al nominativo.)

3) Δε μου αρέσει ο καθρέφτης. (Non mi piace lo specchio. • Cosa non mi piace? Lo specchio (non piace a me). È il soggetto della frase, al nominativo.)

4) Παίρνετε τηλέφωνο το(ν) νικητή. (Chiamate il vincitore. • Il verbo è alla 2a persona plurale e il soggetto ancora una volta sottinteso, quindi "il vincitore" è il complemento oggetto diretto della frase.)

5) Περιμένουμε τους επιβάτες / τον επιβάτη. (Aspettiamo i passeggeri / il passeggero. • Il verbo è alla 1a persona plurale con un soggetto sempre sottinteso, quindi "i passeggeri" non può essere il soggetto della frase.)

6) Φεύγουν οι κλέφτες. (Partono i ladri. • Nonostante la postposizione, "i ladri" non può essere il soggetto della frase perché il verbo ha la desinenza della 3a persona plurale; e poi, "partire" è un verbo intransitivo, non può reggere un complemento oggetto.)

7) Το(ν) διευθυντή περιμένουν οι εργάτες. (I lavoratori aspettano il direttore. • Il verbo è al plurale, quindi "il direttore" non può essere il soggetto della frase; "I direttori aspettano i lavoratori" sarebbe meno logico.)

8) Οι μαθητές / Ο μαθητής και οι φοιτητές / ο φοιτητής γράφουν πολύ. (Gli allievi / L'allievo e gli studenti / lo studente scrivono molto. • Entrambe le soluzioni sono possibili per il soggetto siccome il verbo è al plurale.)

14° GIORNO / ΔΕΚΑΤΗ ΤΕΤΑΡΤΗ ΗΜΕΡΑ
ΕΝ ΟΙΔΑ ΟΤΙ ΟΥΔΕΝ ΟΙΔΑ
UNA COSA SOLA SO, CHE NON SO NIENTE

14.1. Come capire il titolo ermetico del capitolo

La celeberrima frase Εν οἶδα ὅτι οὐδέν οἶδα, attribuita a Socrate, rivela la grandezza dello spirito di una persona che studia sempre, cerca sempre e ci sono sempre tante cose da sapere che alla fine non si sa nemmeno una minima parte del sapere universale.

Ippolito (è colui che scioglie i cavalli; il primo elemento del nome lo troviamo anche in ο ἱππόδρομος, ippodromo, luogo dove corrono i cavalli, ο ἱπποπόταμος, ippopotamo, il cavallo del fiume, e ο Ἱπποκράτης, Ippocrate, colui che domina i cavalli, da non confondere con "ipocrita" da ὑποκρίνομαι, far finta, ecco a cosa serve la y che manca in italiano) **e Ifigenia** (di forte stirpe, il cui secondo elemento si trova anche nel nome Eugenia, Εὐγενία, di nobile stirpe e dà l'aggettivo εὐγενικός, gentile) **chiamano Iris** (come la messaggera degli dèi, che significa "arcobaleno" e ha dato il sostantivo "iride" per la parte circolare dell'occhio di colore variabile), **una loro amica greca** che non hanno visto da molto tempo.

Ίριδα	Παρακαλώ;
Iris	Pronto?
Ιφιγένεια	Γεια.
Ifigenia	Ciao.
Ίριδα	Ποιος είναι;
Iris	Chi è?
Ιφιγένεια	Η Ιφιγένεια είμαι.
Ifigenia	Sono Ifigenia.
Ίριδα	Γεια σου! Μα... από πού τηλεφωνείς;
Iris	Ciao! Ma... da dove chiami?
Ιφιγένεια	Από την Αθήνα. Αχαχα!
Ifigenia	Da Atene. Ahahah!
Ίριδα	Έλα, δεν το πιστεύω! Από πότε;
Iris	Dai, non ci credo! Da quando?
Ιφιγένεια	Από χτες.
Ifigenia	Da ieri.
Ιππόλυτος	Χαιρετίσματα.
Ippolito	Saluti.
Ιφιγένεια	Έχεις χαιρετίσματα από τον Ιππόλυτο.
Ifigenia	Hai i saluti di Ippolito.
Ίριδα	Τι χαρά! Πώς είστε;
Iris	Che gioia! Come state?
Ιφιγένεια	Ε, καλά, προσπαθούμε, έτσι κι έτσι, ας τα λέμε καλά.
Ifigenia	Eh, bene, ci proviamo, così così, diciamo bene.
Ίριδα	Γιατί;
Iris	Perché?
Ιφιγένεια	Ε, στο ξενοδοχείο ενοχλούν πολύ οι...
Ifigenia	Eh, all'albergo danno molto fastidio i...
Ίριδα	Άσε, άσε, τα λέμε από κοντά αύριο; Τι λες; Πηγαίνω γυμναστήριο τώρα.
Iris	Lascia, lascia, ne parliamo da vicino domani? Che ne dici? Vado in palestra adesso.

14.2. Come trasmettere la voce da lontano

Il sostantivo "telefono" (το τηλέφωνο) significa "voce da lontano" e ha lo stesso primo elemento che televisione (η τηλεόραση), visione da lontano, telescopio (το τηλεσκόπιο), osservazione da lontano, ecc. Vediamo le **espressioni utili per comunicare al telefono**.

Hai già visto παρακαλώ finora due volte e l'avevo tradotto con "per favore". Ma παρακαλώ (con un punto interrogativo nello scritto e un'intonazione ascendente nell'orale) è la parola che usa qualcuno per rispondere al telefono. Altre parole che si possono usare sono εμπρός; (che all'origine significa "avanti"), ναι; (sì) e λέγετε; (dite).

Vediamo anche **i saluti** per non lasciare la pagina bianca ma anche perché non ne avevo mai parlato concretamente e certo non servono solo al telefono. Hai già visto Γεια σου! (Ciao!) e Γεια σας! (Salve!) con σου per dare del tu, e σας per dare del Lei e per il plurale. Ci sono però tante altre espressioni per chiedere come sta il proprio interlocutore.

Espressione...	... che significa letteralmente
Τι κάνεις;	Cosa fai?
Τι κάνετε;	Cosa fa/fate?
Τι γίνεσαι;	Cosa diventi?
Τι γίνεστε;	Cosa diventate? (difficilmente per Lei)
Πώς είσαι;	Come sei?
Πώς είστε;	Come è/siete?
Είσαι καλά;	Sei bene?
Είστε καλά;	È/Siete bene?

Πώς πάει;	Come va?
Τι γίνεται;	Cosa diventa?
Τι νέα;	Che novità?
Τι καλά;	Cosa di buono?
Όλα καλά;	Tutto bene?
Τι χαμπάρια;	Come butta?

Siamo già fuori tema, continuiamo e andiamo oltre con **le risposte alle domande** appena viste.

Espressione...	... che significa letteralmente
Υπέροχα.	Formidabilmente bene.
Φανταστικά.	Fantasticamente bene.
Τέλεια.	Perfettamente bene.
Πολύ καλά.	Molto bene.
Αρκετά καλά.	Abbastanza bene.
Καλά.	Bene.
Μια χαρά.	Una gioia. (può essere anche ironico)
Τα ίδια.	Le stesse cose.
Έτσι κι έτσι.	Così così.
Καλούτσικα.	Piuttosto bene.
Όχι και τόσο καλά.	Non tanto bene.
Καθόλου καλά.	Affatto bene.
Χάλια.	Male.

14.3. Come essere ciceroni curiosi

La regola delle 5 W contiene, come rivela il suo nome, cinque **parole interrogative**. Iris è più curiosa e ne usa sei. Aggiungo io qualcuna e non avrai più nessuna domanda.

Ποιος;	Chi? / Quale? (maschile • plurale: ποιοι;)
	Ποιος είναι; Chi è?
	Ποιος Ιππόλυτος; Quale Ippolito?
Ποια;	Chi? / Quale? (femminile • plurale: ποιες;)
	Ποια μιλάει; Quale (donna) parla?
	Ποια Ιφιγένεια; Quale Ifigenia?
Ποιο;	Chi? / Quale? (neutro • plurale: ποια;)
	Ποιο παίρνεις; Quale (mezzo) prendi?
	Ποιο παιδί; Quale bambino?
Πόσος;	Quanto? (maschile)
	Πόσος καφές μένει; Quanto caffè rimane?
Πόση;	Quanta? (femminile)
	Πόση ώρα; Quanta ora?
Πόσο;	Quanto? (neutro)
	Πόσο κάνει; Quanto costa?
Τι;	Che? / Cosa?
	Τι θέλεις; Cosa vuoi?
Γιατί;	Perché? (letteralmente: per che?)
	Γιατί φεύγεις; Perché te ne vai?
Τίνος;	Di chi? Con una -ι-, altrimenti Τήνος è un'isola delle Cicladi. Nell'orale si può anche dire ποιανού, ποιανής, ποιανού ma non è più facile una sola forma per i tre generi?
	Τίνος είναι; Di chi è?

Πότε;	Quando? Con l'accento sulla -o-, altrimenti ποτέ significa "mai".
	Πότε τρώμε; Quando mangiamo?
Πώς;	Come? Con l'accento, altrimenti significa "che".
	Πώς το λένε; Come si dice?
Πού;	Dove? Con l'accento, altrimenti significa "che".
	Πού πας; Dove vai?

Andiamo a praticare

Scegli dalla lista la parola che completa ogni frase.

Γιατί • Ποια • Ποιο • Ποιος • Πόσο
Πότε • Πού • Πώς • Τι • Τίνος

1) ... είναι η ταυτότητα;
2) ... Ιπποκράτης; Ο γιατρός;
3) ... κάνετε θόρυβο;
4) ... κοπέλα αγαπάς;
5) ... λεωφορείο φεύγει;
6) ... πηγαίνεις αύριο;
7) ... πηγαίνουμε γυμναστήριο;
8) ... πληρώνεις για το δωμάτιο;
9) ... σας λένε;
10) ... ώρα φεύγει το λεωφορείο;

172

14.4. Come sforzarsi a capire che la tortura verbale non ha ancora un termine per te

Il primo gruppo di verbi finiva con una -ω non accentata (§ 7.3). Un altro tipo di **verbi** sono quelli **accentati sull'ultima sillaba**. Προσπαθώ, sforzarsi, cercare di, tentare, e ενοχλώ, disturbare, si coniugano così.

	Singolare
(εγώ)	προσπαθ-**ώ**
(εσύ)	προσπαθ-**είς**
(αυτός/αυτή/αυτό)	προσπαθ-**εί**

	Plurale
(εμείς)	προσπαθ-**ούμε**
(εσείς)	προσπαθ-**είτε**
(αυτοί/αυτές/αυτά)	προσπαθ-**ούν(ε)**

Alcuni verbi però, come παρακαλώ e τηλεφωνώ, li puoi trovare **anche con le desinenze di un atro tipo di verbi** che non abbiamo ancora visto (§ 16.3). Molti sono i verbi a cui non piace tanto la desinenza che contiene -εί- e hanno la tendenza di cambiare gruppo. Ma non ti devi preoccupare affatto. Impara le forme regolari e se ne incontri altre che non rispettano le regole, è perché **la lingua evolve** e nuove forme sono certe volte più usate di quelle che seguono la regola. Così è possibile avere due o tre (anche di più secondo il registro della lingua) per la stessa persona.

Singolare

(εγώ)	τηλεφων-ώ	τηλεφων-άω
(εσύ)	τηλεφων-είς	τηλεφων-άς
(αυτός/αυτή/αυτό)	τηλεφων-εί	τηλεφων-ά(ει)

Plurale

(εμείς)	τηλεφων-ούμε	τηλεφων-άμε
(εσείς)	τηλεφων-είτε	τηλεφων-άτε
(αυτοί/αυτές/αυτά)	τηλεφων-ούν(ε)	τηλεφων-άνε

Andiamo a praticare

A. Metti i verbi fra parentesi alla forma che conviene. Non ti farò difficile la vita (almeno non ancora): sono tutti verbi che seguono l'esempio di προσπαθώ.

1) Εγώ, ο Ιπποκράτης Καλογερόπουλος, (δημιουργώ) ... τις ασκήσεις. Εσύ (μπορώ) ...;
2) Η γιαγιά (κατοικώ) ... στην εξοχή.
3) Ο Ιππόλυτος και η Ιφιγένεια (ζω) ... στην Ιταλία.
4) Ο ξενοδόχος (πληροφορώ) ... το Γιώργο και τη Γαλάτεια για την τιμή.
5) Οι γείτονες (ενοχλώ) ... στο ξενοδοχείο.

B. Passiamo adesso ai verbi discoli del tipo τηλεφωνάω-τηλεφωνώ. Scegli il sostantivo che completa come soggetto ogni frase.

Εγώ • Εμείς • Εσείς • Η μαμά • Οι γείτονες

1) ... βοηθάει το παιδί.
2) ... ζητάμε τη βοήθειά σας.
3) ... περπατάω στην εξοχή.
4) ... τηλεφωνούν στους φίλους τους.
5) ... φοράτε παντελόνια.

174

I segreti svelati in questo capitolo

. Hai imparato le espressioni che si usano per comunicare al telefono ma anche i saluti non solo telefonici.

. Hai visto un elenco abbastanza completo delle parole interrogative.

. Hai esplorato un nuovo tipo di verbi un po' particolare.

. Hai capito che la lingua evolve e ci possono essere forme verbali che non rispettano sempre le regole.

14.3

1) Τίνος (Di chi è la carta d'identità?) ◆ 2) Ποιος (Quale Ippocrate? Il medico?) ◆ 3) Γιατί (Perché fate rumore?) ◆ 4) Ποια (Quale ragazza ami?) ◆ 5) Ποιο (Quale autobus parte?) ◆ 6) Πού (Dove vai domani?) ◆ 7) Πότε (Quando andiamo in palestra?) ◆ 8) Πόσο (Quanto paghi per la camera?) ◆ 9) Πώς (Come si chiama Lei?) ◆ 10) Τι (A che ora parte l'autobus?)

14.4-A

1) δημιουργώ / μπορείς (Io, Ippokratis Kalogeropoulos, creo gli esercizi. Tu puoi?) ◆ 2) κατοικεί (La nonna abita in campagna.) ◆ 3) ζουν/ζούνε: la prima forma è senza accento perché è monosillabica (Ippolito e Ifigenia vivono in Italia.) ◆ 4) πληροφορεί (L'albergatore informa Giorgio e Galatea per il prezzo.) ◆ 5) ενοχλούν/ενοχλούνε (I vicini disturbano nell'albergo.)

14.4-B

1) Η μαμά (La mamma aiuta il bambino.) ◆ 2) Εμείς (Noi chiediamo il vostro aiuto.) ◆ 3) Εγώ (Io cammino in campagna.) ◆ 4) Οι γείτονες (I vicini telefonano ai loro amici.) ◆ 5) Εσείς (Voi indossate dei pantaloni.)

15° GIORNO / ΔΕΚΑΤΗ ΠΕΜΠΤΗ ΗΜΕΡΑ
ΝΟΥΣ ΥΓΙΗΣ ΕΝ ΣΩΜΑΤΙ ΥΓΙΕΙ
MENTE SANA IN CORPO SANO

15.1. Come capire il titolo ermetico del capitolo

Νους υγιής εν σώματι υγιεί è la traduzione del *Mens sana in corpore sano* tratto da un verso delle *Satire* di Giovenale: perché la mente sia sana, anche il corpo deve essere sano. E, siccome l'ultima frase del dialogo di ieri parlava della palestra, vediamo cosa si può fare per curare il proprio corpo e la propria mente. Prima di tutto, impara la parola η υγεία, la salute, che conoscevi già: vedi la dea Igea, igiene, igienico, ecc.

Calipso (quella che dissimula, nasconde, dal verbo καλύπτω, coprire) **e Cosimo** (da ο κόσμος, mondo, significa "dell'universo") **hanno trovato un club sportivo** con il motto dei Giochi olimpici ("Più veloce, più in alto, più forte"). Cosimo è pigro e non accompagna Calipso che vuole iscriversi. Ma nessuna fortuna: dimentica a casa gli occhiali (τα γυαλιά), non può compilare il questionario (το ερωτηματολόγιο) e si lancia in un lungo monologo indirizzato alla signora (di cui non hai bisogno di conoscere il nome, altrimenti avrei dovuto scrivere l'etimologia di un terzo nome) che le ha posto alcune domande.

Με λένε Καλυψώ Ντελ Ρε και είμαι είκοσι έξι χρονών. Μένω Σωκράτους εβδομήντα έξι, στον Πειραιά. Το τηλέφωνο στο σπίτι είναι το δύο, δέκα, σαράντα ένα, πενήντα επτά, τρία, δώδεκα και το κινητό μου είναι το εξήντα εννιά, τριάντα πέντε, ογδόντα τέσσερα, έντεκα, ενενήντα οκτώ. Μ' ενδιαφέρει η ιππασία, μου αρέσουν πολύ τα άλογα. Κάνω γυμναστική κάθε μέρα και τρώω υγιεινά. Δεν καπνίζω, δεν έχω προβλήματα υγείας και δεν παίρνω φάρμακα. Ένας φίλος μου κάνει μπάσκετ εδώ.

Bene, la signora senza nome ma con gli occhiali ha ricevuto tutte le informazioni di cui aveva bisogno, ha scritto la data intera (giorno e mese) e Calipso ha firmato anche senza gli occhiali. È una ragazza motivata per lo sport che ha scelto, non fa abusi di nessun tipo, non ha problemi di salute, quindi la sua candidatura sarà sicuramente accettata.

Stai dicendo qualcosa? Più forte, non ti sento! Che cosa ho dimenticato?

Forse non è lo sport che ha scelto Calipso
ma questa foto che avevo preso a Nauplia non è bellissima?
Non potrebbe essere un quadro di Edward Hopper?

15.2. Come essere peggior sordo di chi non vuol sentire

Hai visto oggi
πολλά πράγματα... (molte cose...)

In greco si dice στου κουφού την πόρτα, όσο θέλεις βρόντα, letteralmente "alla porta del sordo, bussa quanto vuoi". La signora anonima a quattr'occhi ha scritto tutto quello che le ha detto Calipso e tu hai capito il testo. Andiamo avanti.

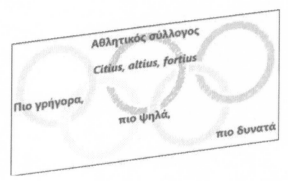

179

Andiamo a praticare

Rispettando il testo del § 15.1, metti in ordine da 1 a 11 le domande che ha fatto la signora insignificante occhialuta.

... Από πού μας γνωρίζεις;

... Έχεις προβλήματα υγείας;

... Καπνίζεις;

... Παίρνεις φάρμακα;

... Ποια είναι τα τηλέφωνά σου;

... Ποιο άθλημα σου αρέσει;

... Πόσες ημέρες την εβδομάδα κάνεις γυμναστική;

... Πόσο χρονών είσαι;

... Πού μένεις;

... Πώς σε λένε;

... Τρως υγιεινά;

15.3. Come compilare un questionario con o senza occhiali

Andiamo a praticare

Continui a dire qualcosa ma non riesco a capire cosa vuoi da me. Ecco il questionario del club. Compilalo con le informazioni fornite da Calipso.

Ερωτηματολόγιο πρώτης εγγραφής

Όνομα: ....

Επώνυμο: ....

Φύλο: ☐ Άντρας. ☐ Γυναίκα.

☐ Προτιμώ να μην απαντήσω.

Ηλικία: ☐ Κάτω από 30 χρονών.

☐ Μεταξύ 30 και 50 χρονών.

☐ Πάνω από 50 χρονών.

Διεύθυνση: ....

Σταθερό τηλέφωνο: ....

Κινητό τηλέφωνο: ....

Ποιο άθλημα σ' ενδιαφέρει;

☐ Η καλαθοσφαίριση (το μπάσκετ).

☐ Το ποδόσφαιρο.

☐ Η πετοσφαίριση (το βόλεϊ).

☐ Η αντισφαίριση (το τένις).

☐ Η επιτραπέζια αντισφαίριση (το πινγκ πονγκ).

☐ Η κολύμβηση.

☐ Η ιππασία.

☐ Η ποδηλασία.

☐ Ο στίβος.

Σελίδα 1

Πόσες ημέρες την εβδομάδα κάνεις γυμναστική;

☐ Ποτέ.

☐ 1-2 φορές την εβδομάδα.

☐ Περισσότερες από δύο και λιγότερες από πέντε.

☐ Κάθε μέρα εκτός από το Σαββατοκύριακο.

☐ Σχεδόν καθημερινά.

☐ Όλες τις ημέρες.

Πώς χαρακτηρίζεις τη διατροφή σου;

☐ Υγιεινή.　　　　☐ Κακή.

Καπνίζεις;

☐ Πολύ.　　　　☐ Λίγο.　　　　☐ Καθόλου.

Έχεις προβλήματα υγείας;

☐ Ναι.　　　　☐ Όχι.

Αν ναι, ποια; ....

Παίρνεις φάρμακα;

☐ Ναι.

☐ Αρκετά συχνά.

☐ Πολύ σπάνια.

☐ Όχι.

Από πού μας γνωρίζεις;

☐ Από συγγενή, φίλο ή γνωστό.

☐ Από διαφήμιση στο ραδιόφωνο.

☐ Από το Ίντερνετ.

☐ Άλλο.

Ημερομηνία: .... Υπογραφή: ....

15.4. Come non gestire il comportamento possessivo dei bambini

Hai visto oggi

τα τηλέφωνά σου, τη διατροφή σου, ένας φίλος μου
μου αρέσουν, μας γνωρίζεις

Hai già incontrato **i possessivi** più volte, vediamoli più in dettaglio. Per esprimere la possessione hai bisogno di **una piccola parola dopo il sostantivo**.

	Singolare	Plurale
1a persona	μου	μας
2a persona	σου	σας
3a persona	του/της/του	τους

La differenza con l'italiano è che il pronome possessivo non si mette mai prima, il che significa che si dice sempre "l'amica mia", "il nome mio" e così via, e dall'altra, che **alla terza persona del singolare c'è una distinzione fra il maschile, il femminile e il neutro**: in italiano, con "il suo cane", non si capisce di chi parli mentre in greco ο σκύλος του è per un uomo o un bambino, ο σκύλος της per una donna.

L'unica difficolta è che **quando il sostantivo è sdrucciolo, devi mettere un accento anche sull'ultima sillaba**, altrimenti non hai il fiato per arrivare fino alla fine e la parola è impronunciabile.

ο κόκοράς μου	il mio gallo
η ταυτότητά σου	la tua carta d'identità
το όνομά του/της/του	il suo nome
οι γείτονές μας	i nostri vicini
οι εθνικότητές σας	le vostre nazionalità
τα αυτοκίνητά τους	le loro macchine

Το μέλι μου, το μέλι σου, το μέλι μας (il mio miele, il tuo miele, il nostro miele), nome che avrebbe potuto portare questa bancarella del mercato di Potamos a Kythira (o Citera o anche Cerigo per voialtri)

Andiamo anche un po' più lontano, non ha alcun legame con il titolo del paragrafo ma vedrai che se mettiamo tutto insieme, ti faciliterà la vita: un sostantivo seguito da μου, σου, ecc. e si esprime la possessione; **le stesse parole** le puoi usare **prima di un verbo** e in questo caso **sono pronomi personali** ma, attenzione, **complemento oggetto indiretto**.

Μου λες την ώρα.	Mi dici l'ora. (λέω σε κάποιον = dire a qualcuno)
Σου κοστίζει πολύ.	Ti costa molto. (κοστίζω σε κάποιον = costare a qualcuno)
Του δίνω λεφτά.	Gli do soldi. (δίνω σε κάποιον = dare a qualcuno)
Της φέρνει δώρα.	Le porta regali. (φέρνω σε κάποιον = portare a qualcuno)
Μας αρέσει η εξοχή.	Ci piace la campagna. (αρέσω σε κάποιον = piacere a qualcuno)
Σας τηλεφωνούμε.	Vi telefoniamo. (τηλεφωνώ σε κάποιον = telefonare a qualcuno)
Δεν τους μιλάτε καθόλου.	Non parlate loro affatto. (μιλάω σε κάποιον = parlare a qualcuno)

Andiamo a praticare

A. Scegli il pronome giusto che corrisponde alla traduzione fornita.

1) i miei cavalli = τα άλογά μου/σου/μας

2) i suoi fuori (di Calipso) = τα λουλούδια μου/σου/της

3) il loro cane = ο σκύλος μου/του/τους

4) il nostro gatto = η γάτα μας/σας/μου

5) la sua tartaruga (del bambino) = η χελώνα μου/σου/του

6) la tua casa = το σπίτι του/σου/της

7) la vostra foto = η φωτογραφία του/σας/τους

8) le nostre api = οι μέλισσές μας/μου/τους

B. Dopo aver verificato le tue risposte, traduci in greco le frasi che seguono.

1) Ci danno i loro fiori.

2) Cosimo porta loro il suo cane.

3) Gli telefonano (gli = a Cosimo) le sue amiche (sue = di Calipso).

4) Mi piace la vostra casa.

5) Vi porta le vostre foto.

6) Non ti piacciono i nostri cavalli.

I segreti svelati in questo capitolo

. Hai capito un testo intero senza la traduzione e hai potuto riutilizzare le informazioni opportuni.

. Hai cominciato ad essere a tuo agio con le frasi interrogative.

. Hai compilato un questionario sempre senza la traduzione del testo originale.

. Hai apprezzato la similitudine perfetta tra i pronomi possessivi e quelli personali complemento oggetto diretto.

Soluzioni degli esercizi del 15° capitolo

15.2

11) Από πού μας γνωρίζεις; (Da dove ci conosci?)

9) Έχεις προβλήματα υγείας; (Hai problemi di salute?)

8) Καπνίζεις; (Fumi?)

10) Παίρνεις φάρμακα; (Prendi farmaci?)

4) Ποια είναι τα τηλέφωνά σου; (Quali sono i tuoi telefoni?)

5) Ποιο άθλημα σου αρέσει; (Quale sport ti piace?)

6) Πόσες ημέρες την εβδομάδα κάνεις γυμναστική; (Quante volte alla settimana fai ginnastica?)

2) Πόσο χρονών είσαι; (Quanti anni hai?)

3) Πού μένεις; (Dove abiti?)

1) Πώς σε λένε; (Come ti chiami?)

7) Τρως υγιεινά; (Mangi sano?)

15.3

Non ripeto le risposte perché ho l'impressione che esploderai ad un certo momento. Ti do direttamente la traduzione degli elementi del questionario.

Questionario di prima iscrizione

Nome • Cognome

Sesso: Uomo • Donna • Preferisco di non rispondere

Età: Sotto i 30 anni. • Fra i 30 e i 50 anni. • Sopra i 50 anni.

Indirizzo • Telefono fisso • Telefono mobile

Quale sporti ti interessa? La pallacanestro. • Il calcio. • La pallavolo. • Il tennis. • Il tennis da tavolo. • Il nuoto. • L'equitazione. • Il ciclismo. • L'atletica leggera.

(Pagina 1)

Quante volte alla settimana fai ginnastica? Mai. • 1-2 volte alla settimana. • Più di due e meno di cinque. • Ogni giorno tranne il fine settimana. • Quasi quotidianamente. • Tutti i giorni.

188

Come caratterizzi la tua nutrizione? Sana. ◆ Cattiva.

Fumi? Molto. ◆ Poco. ◆ Affatto.

Hai problemi di salute? Sì. ◆ No. ◆ Se sì, quali?

Prendi farmaci? Sì. ◆ Abbastanza spesso. ◆ Molto raramente. ◆ No.

Da dove ci conosci? Da un parente, un amico o un conoscente. ◆ Da una pubblicità alla radio. ◆ Da Internet. ◆ Altro.

Data ◆ Firma

(Pagina 2)

15.4-A

1) μου ◆ 2) της ◆ 3) τους ◆ 4) μας ◆ 5) του ◆ 6) σου ◆ 7) σας ◆ 8) μας

15.4-B

1) Μας δίνουν τα λουλούδια τους. ◆ 2) Ο Κοσμάς τους φέρνει το σκύλο του. Attenzione: "il suo cane" è il complemento oggetto diretto, perciò è all'accusativo. ◆ 3) Του τηλεφωνούν/τηλεφωνάνε οι φίλες της. ◆ 4) Μου αρέσει το σπίτι σας. ◆ 5) Σας φέρνει τις φωτογραφίες σας. Attenzione: "le vostre foto" è il complemento oggetto diretto, perciò è all'accusativo. ◆ 6) Δε σου αρέσουν τα άλογά μας.

189

16° GIORNO / ΔΕΚΑΤΗ ΕΚΤΗ ΗΜΕΡΑ
ΤΑ ΕΝ ΟΙΚΩ ΜΗ ΕΝ ΔΗΜΩ
QUELLO CHE SUCCEDE A CASA NON DEVE ESSERE RESO PUBBLICO

16.1. Come capire il titolo ermetico del capitolo

Τα εν οίκω μη εν δήμω, le cose personali non dovrebbero essere rese pubbliche, è l'espressione che corrisponde a "lavare in casa i panni sporchi". **Leonida** (simile a un leone, nome originariamente maschile ma voi avete visto una desinenza -a e l'avete fatto anche femminile) **e Leucotea** (la dea bianca, dall'aggettivo λευκός, bianco, che dà, per esempio, la leucemia) **sono una giovane coppia** che non fa una vita mondana nel fine settimana perché non gli piace molto uscire di casa e li capisco benissimo: stare in pigiama tutta la giornata senza dover lavarsi, pettinarsi, vestirsi dopo una settimana intensa è la felicità assoluta. Leucotea si è iscritta in un club sportivo ma **Leonida** preferisce allenarsi a casa e lo vuole gridare a tutto il mondo: **ha scoperto un forum** di casalinghi e si esprime.

Saluto tutto il gruppo "Fine settimana a casa"! Il sabato e la domenica sono per dentro, perché fuori c'è molta gente e molto traffico.
Mi chiamo Leonida e sono anche io un pantofolaio (letteralmente: un gatto di casa). Mi sveglio la mattina presto e faccio ginnastica in giardino, poiché non ho il tempo di fare in settimana. In seguito, faccio una piccola doccia e dopo, pulisco l'appartamento con la mia ragazza, Leucotea. Condividiamo le stanze: lei prende il salotto e la cucina, e io la camera da letto e il bagno. Mentre lei cucina, io leggo e quello che mi rilassa molto è ascoltare musica classica. Per il pranzo

191

(letteralmente: a mezzogiorno) mangiamo verso le 2, come tutti i giorni, e guardiamo la TV o quando c'è bel tempo, fuori in giardino. Dopo, facciamo una piccola siesta, perché nella settimana siamo al lavoro. Il sabato pomeriggio andiamo a fare la spesa al supermercato, mentre la domenica Leucotea mette la lavatrice e innaffia i fiori e le piante quando io stiro. Più tardi, parliamo con i nostri amici al telefono e giochiamo a giochi da tavolo fino alla sera. Andiamo a letto (letteralmente: per sonno) abbastanza tardi dopo una giornata piena.

SavvatokyriakoStoSpiti

Χαιρετώ όλη την ομάδα "Σαββατοκύριακο στο σπίτι"! Το Σάββατο και η Κυριακή είναι για μέσα, επειδή έξω έχει πολύ κόσμο και πολλή κίνηση.
Με λένε Λεωνίδα και είμαι κι εγώ ένας σπιτόγατος. Ξυπνάω το πρωί νωρίς και κάνω γυμναστική στον κήπο, αφού δεν έχω το χρόνο να κάνω τις καθημερινές. Στη συνέχεια, κάνω ένα ντουζάκι και μετά καθαρίζω το διαμέρισμα με την κοπέλα μου, τη Λευκοθέα. Μοιράζουμε τα δωμάτια: εκείνη παίρνει το σαλόνι και την κουζίνα, κι εγώ το υπνοδωμάτιο και το μπάνιο. Όσο εκείνη μαγειρεύει, εγώ διαβάζω και αυτό που με ξεκουράζει πολύ είναι όταν ακούω κλασική μουσική. Το μεσημέρι τρώμε κατά τις 2, όπως κάθε μέρα, και βλέπουμε τηλεόραση ή όταν έχει καλό καιρό, έξω στον κήπο. Έπειτα, κάνουμε μια μικρή σιέστα, γιατί μέσα στην εβδομάδα είμαστε στη δουλειά. Το Σάββατο το απόγευμα πηγαίνουμε για ψώνια στο σούπερ μάρκετ, ενώ την Κυριακή, η Λευκοθέα βάζει πλυντήριο και ποτίζει τα λουλούδια και τα φυτά, καθώς εγώ σιδερώνω. Αργότερα, μιλάμε με τους φίλους μας στο τηλέφωνο και παίζουμε επιτραπέζια παιχνίδια μέχρι το βράδυ. Πάμε για ύπνο αρκετά αργά μετά από μια γεμάτη ημέρα.

16.2. Come non disprezzare i meriti di un appartamentino

L'**appartamento** dei ragazzi è senza studio, το γραφείο (ma anche "scrivania" e "ufficio") né balcone, το μπαλκόνι / η βεράντα né posto-auto, το γκαράζ, e riescono a pulirlo in una mattinata. Tu riuscirai a trovare velocemente ciò che si trova nel loro dolce nido?

Nell'immagine vedi le **stanze** da Α a Δ (facilissimo, hai tutte le parole nel dialogo), e gli oggetti da 1 a 24 (con parole che non hai visto ma si intuiscono facilmente).

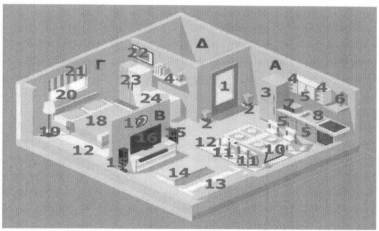

ο απορροφητήρας • η ηλεκτρική κουζίνα / ο φούρνος • το ηχείο • ο καναπές • η καρέκλα • η κουζίνα • η κουρτίνα • το κρεβάτι • το μπάνιο / η τουαλέτα • ο νεροχύτης • η ντουλάπα • το ντουλάπι • το παράθυρο • ο πίνακας / το κάδρο • η πόρτα • το ράφι • το ρολόι • το σαλόνι • η συρταριέρα • η τηλεόραση • το τραπεζάκι • το τραπέζι • το υπνοδωμάτιο / η κρεβατοκάμαρα • ο φούρνος μικροκυμάτων • το φυτό • το φωτιστικό • το χαλί / η μοκέτα • το ψυγείο

16.3. Come capire che Menelao e Agesilao sono due

Menelao e Agesilao hanno molte cose in comune. Prima di tutto, sono greci, ovvio; poi, sono maschi, si sa già; in seguito, sono stati tutti e due re di Sparta; e infine, finiscono con -ao. Ecco come riconoscerai **i verbi in -αω** con l'accento sulla -α, che **hanno anche una seconda forma con una -ω accentata**.

Prendiamo come esempio un verbo utilissimo: αγαπάω, a-mare, voler bene. Già che ci siamo, **in Grecia non ci si vuole bene, tutta la gente si ama**: il ragazzo ama la ragazza, la madre ama suo figlio, si amano i parenti, gli amici, i colleghi, c'è tanto amore nell'aria.

	Singolare	
(εγώ)	αγαπά-ω	αγαπ-ώ
(εσύ)	αγαπά-ς	
(αυτός/αυτή/αυτό)	αγαπά-ει	αγαπ-ά
	Plurale	
(εμείς)	αγαπά-με	αγαπ-ούμε
(εσείς)	αγαπά-τε	
(αυτοί/αυτές/αυτά)	αγαπά-νε	αγαπ-ούν(ε)

Le **forme** della prima colonna sono leggermente **più informali** ma tu puoi usare quelle che ti sono più facili.
Ci sono altri verbi subito dopo, non ti voglio stancare di più oggi con altri esercizi, e in ogni caso rivedremo prossimamente i verbi di Menelao e Agesilao.

194

16.4. Come diventare saggi come le scimmie

Hai in mente le tre scimmie sagge che si chiudono gli occhi, le orecchie e la bocca, e non vedono il male, non sentono il male e non parlano del male? Quando abbiamo visto il primo verbo, έχω, avevo precisato che la radice termina con una consonante. Perché? **Alcuni verbi hanno una radice che termina con una vocale** (come **ακούω**, ascoltare, sentire, **λέω**, dire, e **κοιτάω**, guardare, altra forma di κοιτάζω): la radice rimane sempre accentata (tranne per le forme di una sola sillaba) e le desinenze sono sempre uguali. Vediamo anche **πάω**, andare (che non corrisponde al titolo del paragrafo ma se immagini che le orecchie o gli occhi vadano a scoprire qualcosa, questo verbo entra benissimo), altra forma di πηγαίνω. Pochissimi altri verbi appartengono in questa categoria: **καίω**, bruciare, **κλαίω**, piangere, **σπάω**, rompere, **φταίω**, essere in colpa, e quello dell'esercizio.

Singolare

ακού-ω	λέ-ω	κοιτά-ω	πά-ω
ακού-ς	λε-ς	κοιτά-ς	πα-ς
ακού-ει	λέ-ει	κοιτά-ει	πά-ει

Plurale

ακού-με	λέ-με	κοιτά-με	πά-με
ακού-τε	λέ-τε	κοιτά-τε	πά-τε
ακού-νε	λέ-νε	κοιτά-νε	πά-νε

Anche questo momento te l'aspettavi da un po': come si coniuga il verbo **τρώω**, mangiare?

195

I segreti svelati in questo capitolo

. Hai visto attività quotidiane e fine-settimanali possibili da effettuare in casa e anche un po' fuori.

. Hai saputo nominare le stanze di un appartamento e molti oggetti che ci si trovano.

. Hai continuato ad approfondire i verbi.

. Hai imparato che i greci sono un popolo molto affettuoso.

Soluzioni degli esercizi del 16° capitolo

16.2

A) κουζίνα • B) σαλόνι • Γ) υπνοδωμάτιο / κρεβατοκάμαρα • Δ) μπάνιο / τουαλέτα

1) πόρτα • 2) φυτό • 3) ψυγείο • 4) ράφι • 5) ντουλάπι • 6) απορροφητήρας • 7) φούρνος μικροκυμάτων • 8) νεροχύτης • 9) ηλεκτρική κουζίνα / φούρνος • 10) τραπέζι • 11) καρέκλα • 12) χαλί / μοκέτα • 13) καναπές • 14) τραπεζάκι • 15) ηχείο • 16) τηλεόραση • 17) ρολόι • 18) κρεβάτι • 19) φωτιστικό • 20) παράθυρο • 21) κουρτίνα • 22) πίνακας / κάδρο • 23) ντουλάπα • 24) συρταριέρα

16.4

La radice è τρώ- e dopo aggiungi le desinenze visti in questo paragrafo: τρώ-ω, τρω-ς, τρώ-ει, τρώ-με, τρώ-τε, τρώ-νε.

17° GIORNO / ΔΕΚΑΤΗ ΕΒΔΟΜΗ ΗΜΕΡΑ
ΖΗΝ ΕΠΙΚΙΝΔΥΝΩΣ
VIVERE PERICOLOSAMENTE

17.1. Come capire il titolo ermetico del capitolo

Ζην επικινδύνως, detta anche nella versione italiana, è un'espressione che diceva spesso in entrambe le lingue la mia zia adoratissima. Zia da lassù, questo capitolo è per te. Andiamo a vedere i pericoli nascosti nella campagna greca.

Mirone (il fragrante, come la mirra, nome dello scultore del *Discobolo* che si trova nel Museo nazionale romano di Palazzo Massimo) **e Melania** (di colore nero, scuro, all'origine delle parole "melanina" e "malinconia") **stanno facendo una gita giornaliera.**

Μελάνη	Τι ωραία! Ακούς παντού πουλιά που κάνουν τσίου τσίου και όχι μπιπ μπιπ σαν τα αυτοκίνητα... Α, ένα άλογο.
Melania	Che bello! Senti dappertutto degli uccelli che fanno cip cip e non beep beep come le macchine... Ah, un cavallo.
Μύρωνας	Πού;
Mirone	Dove?
Μελάνη	Εκεί πέρα, αριστερά, πλάι στο σπίτι, ανάμεσα στα δύο δέντρα. Είναι μακριά, κρίμα!
Melania	Laggiù, a sinistra, accanto alla casa, tra i due alberi. È lontano, peccato!
Μύρωνας	Κι εδώ κοντά, δεξιά, δίπλα στη λίμνη, μια αγελάδα που κάνει μουυυυ.
Mirone	E qua vicino, a destra, accanto al lago, una mucca che fa muuu.
Μελάνη	Ωραία εικόνα για φωτογραφία με τα λουλούδια γύρω γύρω. Σαν πίνακας είναι.
Melania	Bella immagine per una foto con i fiori tutto attorno. È come un quadro.
Σκύλος	Γαβ γαβ!
Cane	Bau bau!
Μύρωνας	Κι εκεί ψηλά, πάνω στο δέντρο μία γάτα νιαουρίζει και μας κοιτάζει. Ψιψιψί, ψιψίνα...
Mirone	E lassù, sull'albero un gatto miagola e ci guarda. Pciù pciù, micina...
Γάτα	Νιάου!
Gatto	Miao!
Μύρωνας	Να κι ο κόκορας με τις κότες.
Mirone	Ecco anche il gallo con le galline.
Μελάνη	Αψού! Ωραία η εξοχή, αλλά μου φέρνει αλλεργία.
Melania	Etcì! Bella la campagna ma mi porta allergia.
Μύρωνας	Τς, τς, τς...
Mirone	Tch tch...

17.2. Come sussurrare ai cavalli o anche no

Hai visto oggi
τσίου τσίου, μπιπ μπιπ, μουυυυ, γαβ γαβ, ψιψιψί, νιάου,
αψού, τς, τς, τς

Non rimaniamo molto su questo argomento perché il manuale che hai fra le mani tratta della **lingua** greca e non di quella **degli animali**. Se vuoi approfondire invece, puoi ascoltare "Το πουλάκι τσίου", il "Pulcino pio" greco.

Volevo solo fermarmi su due cose importantissime. Da una parte, se proverai ad attirare un gatto greco con i baci, si avvicinerà un cane perché sono abituati ad un'altra lingua. Per un micino, come hai già letto nel dialogo, si usa "**ψιψιψί**". Dall'altra, un riferimento speciale va fatto a "**τς**" che se non sai come pronunciare correttamente, cerca su Internet il video intitolato "Il vocabolario del Sud - NTZ" di Casa Surace: alzando le sopracciglia o anche la testa intera, oppure muovendo la testa a destra e a sinistra più volte, "τς" significa "no" mentre "τς" pronunciato a partire da tre volte esprime la disapprovazione come quella di Mirone alla fine del dialogo.

17.3. Come fare dietrofront in campagna

Hai visto oggi

εκεί πέρα, αριστερά, πλάι στο σπίτι, ανάμεσα στα δέντρα,
μακριά, εδώ κοντά, δεξιά, δίπλα στη λίμνη, γύρω γύρω,
εκεί ψηλά, πάνω στο δέντρο

Per la traduzione degli **avverbi**, puoi rivedere il testo. L'unica
cosa da specificare è la costruzione di alcuni perché hai visto
qualcosa di strano: la preposizione **σε** (= a) **e l'articolo
all'accusativo che segue, diventano una sola parola.**

Nominativo	Accusativo	σε + Acc.
ο καθρέφτης	τον καθρέφτη	στον καθρέφτη
οι τόποι	τους τόπους	στους τόπους
η εκδρομή	την εκδρομή	στην εκδρομή
οι λίμνες	τις λίμνες	στις λίμνες
το λεωφορείο	το λεωφορείο	στο λεωφορείο
τα δωμάτια	τα δωμάτια	στα δωμάτια

Andiamo a praticare

A. Rivedi la traduzione del testo di oggi, anche quella del §
13.1, e abbina i contrari.

1) αριστερά •	• α) εκεί
2) εδώ •	• β) έξω
3) κάτω •	• γ) δεξιά
4) κοντά •	• δ) μακριά
5) μέσα •	• ε) πάνω

B. Come dirai: a) accanto alle case, b) nel lago, c) tra gli armadi
e d) sulla macchina? Abbina gli elementi delle tre colonne.

a) δίπλα •	• 1) στις •	• α) αυτοκίνητο
b) μέσα •	• 2) στο •	• β) λίμνη
c) ανάμεσα •	• 3) στα •	• γ) σπίτια
d) πάνω •	• 4) στη •	• δ) ντουλάπες

202

17.4. Come non badare più a non risvegliare il maschio alfa che è in te

Ultimo tipo di **maschili** per il tuo livello è quello che finisce con **-ας**. Sono pochi, perciò ce n'è solo uno nella tabella del § 1.4 ed è l'ultima volta che ti parlo di quell'esercizio ma anche dei sostantivi.

	Singolare	
Nominativo	ο	πίνακ-ας
Accusativo	τον	πίνακ-α

	Plurale	
Nominativo	οι	πίνακ-ες
Accusativo	τους	πίνακ-ες

Andiamo a praticare

A. Di' quale o quali sono i casi dei sostantivi che seguono.
1) αιώνες • 2) άντρα • 3) γείτονας • 4) Έλληνες • 5) ήρωες • 6) καρχαρίας • 7) κόκορα • 8) μάγειρα • 9) μήνας • 10) πίνακες • 11) ταμίας • 12) τζίτζικα

B. Se sono al singolare, scrivili al plurale, e viceversa, preceduti degli articoli questa volta.

I segreti svelati in questo capitolo

. Hai sfiorato la lingua degli animali ma hai capito bene come ci si rivolge ad un cane e un gatto greco.

. Hai imparato in tutti i contesti possibili una parola brevissima ma utilissima e piena di senso, τς.

. Hai visto tanti avverbi e approfondito la costruzione della preposizione σε.

. Hai apprezzato che le declinazioni dei sostantivi, soprattutto dei maschili, siano finite.

Soluzioni degli esercizi del 17° capitolo

17.3
A) 1-γ • 2-α • 3-ε • 4-δ • 5-β

B) a-3-γ • b-4-β • c-1-δ • d-2-α

17.4-A
1) nominativo o accusativo plurale (ο αιώνας, secolo)
2) accusativo singolare (ο άντρας, uomo)
3) nominativo singolare (ο γείτονας, il vicino)
4) nominativo o accusativo plurale (ο Έλληνας, greco)
5) nominativo o accusativo plurale (ο ήρωας, eroe)
6) nominativo singolare (ο καρχαρίας, squalo)
7) accusativo singolare (ο κόκορας, gallo)
8) accusativo singolare (ο μάγειρας, cuoco)
9) nominativo singolare (ο μήνας, mese)
10) nominativo o accusativo plurale (ο πίνακας, quadro)
11) nominativo singolare (ο ταμίας, cassiere)
12) accusativo singolare (ο τζίτζικας, cicala)

17.4-B
1) ο αιώνας, τον αιώνα • 2) τους άντρες • 3) οι γείτονες • 4) ο Έλληνας, τον Έλληνα • 5) ο ήρωας, τον ήρωα • 6) οι καρχαρίες • 7) τους κόκορες • 8) τους μάγειρες • 9) οι μήνες • 10) ο πίνακας, τον πίνακα • 11) οι ταμίες • 12) τους τζίτζικες (ma al plurale si usano piuttosto le forme del neutro το τζιτζίκι, quindi τα τζιτζίκια)

18° GIORNO / ΔΕΚΑΤΗ ΟΓΔΟΗ ΗΜΕΡΑ
ΗΛΘΟΝ, ΕΙΔΟΝ ΚΑΙ ΑΠΗΛΘΟΝ
VENI, VIDI E ME NE ANDAI

18.1. Come capire il titolo ermetico del capitolo

Giulio Cesare scrisse *Veni, vidi, vici*. I greci moderni hanno cambiato un po' la frase: oggi si va, si vede e si parte.

Nestore (Νέστωρ in greco antico, è colui che torna a casa e ha, secondo me, **l'etimologia più bella della lingua greca**: è della stessa famiglia di ο νόστος che è il ritorno al paese, parola che si attesta per la prima volta nell'incipit dell'*Odissea*; l'aggettivo νόστιμος del greco moderno che significa "delizioso, appetitoso" mette allo stesso livello un cibo e il giorno del ritorno di Ulisse ad Itaca che era effettivamente delizioso) e **Nicoletta** (femminile di Nicola, da Νικόλαος in greco antico, Νίκος, Νικόλας e Νικολάκης in greco moderno, che porta il popolo alla vittoria) **hanno fatto una gita in campagna e al loro ritorno scrivono una mail.**

Va bene cogliere l'attimo presente ma hai bisogno di **parlare** anche **del passato** e di fare progetti per il futuro. **Da oggi** vedrai **sempre come secondo paragrafo** di ogni lezione **le forme verbali**: sono un argomento che richiede tanta pazienza e tenacia per capire, assimilare e manipolare. Le cose si complicano leggermente con il tempo, perciò vanno approfondite il più possibile e per il resto ci sarà sempre l'occasione di parlare più in là. Non dimentichiamo che αγάλι αγάλι γίνεται η αγουρίδα μέλι, piano piano diventa dolce il frutto acerbo, il che significa che **ci vuole impegno e tempo per realizzare qualcosa** e poi, che φασούλι το φασούλι γεμίζει το σακούλι, fagiolo dopo fagiolo si riempie il sacchetto, **a un ritmo lento ma costante si arriva ad un risultato molto soddisfacente.**

Προς: mamma.rosa@e-mail.gr

Θέμα: Εκδρομή

Μαμά και μπαμπά,

Δε μιλήσαμε σήμερα. Σας λείψαμε; Μόλις γυρίσαμε και είδαμε ότι τηλεφωνήσατε πολλές φορές. Ανησυχήσατε; Επειδή είναι αργά, σας στέλνω αυτό το μέιλ. Ξυπνήσαμε νωρίς το πρωί, πήραμε γρήγορα πρωινό και πήγαμε στην εξοχή. Τα περάσαμε φανταστικά. Γεμίσαμε τις μπαταρίες μας. Είχε ήλιο και έκανε ζέστη. Ο Νέστορας έβγαλε πολλές φωτογραφίες. Ήταν πολύ ωραία μέρα, αλλά κάπου έχασα το κινητό μου. Αυτά. Αύριο πάμε στη θάλασσα επιτέλους!

Φιλάκια,

Νικολέτα

Αποστολή

A: mamma.rosa@e-mail.gr
Oggetto: Escursione

Mamma e papà,
Non ci siamo parlati oggi. Vi siamo mancati? Siamo appena tornati e abbiamo visto che avete chiamato più volte. Siete stati preoccupati? Siccome è tardi, vi mando questa mail. Ci siamo svegliati presto la mattina, abbiamo preso colazione velocemente e siamo andati in campagna. Ce la siamo passata fantasticamente bene. Ci siamo riempiti di energia (letteralmente: abbiamo riempito le nostre pile). C'era il sole e faceva caldo. Nestore ha scattato molte foto. È stata una giornata molto bella ma ho perso il mio cellulare da qualche parte. Ecco tutto. Domani andiamo al mare finalmente!
Baci,
Nicoletta

Invia

18.2. Come formalizzare e verbalizzare

Hai visto oggi
μιλήσαμε, λείψαμε, γυρίσαμε, είδαμε, τηλεφωνήσατε,
ανησυχήσατε, ξυπνήσαμε, πήραμε, πήγαμε, περάσαμε,
γεμίσαμε, είχε, έκανε, έβγαλε, ήταν, έχασα

L'Aoristo, etimologicamente "indeterminato, indefinito", è un tempo del passato utilissimo, frequentissimo e capricciosissimo. **Capire la formazione dell'Aoristo non è tanto facile**, non ti posso raccontare balle, impossibile non è comunque. Studiando il *Simple past* in inglese, hai cominciato a vedere i verbi irregolari: *be, was/were, been, go, went, gone*, ecc. Ma non li hai imparati tutti ad un tratto. Io mi ricordo che il primo anno la nostra professoressa ci chiedeva ogni settimana di impararli per gruppi di cinque, l'anno successivo ripassarli e impararne i nuovi in gruppi di dieci e così via. È una tortura ma non ci si può esprimere diversamente in inglese. Ho certo l'intenzione di darti **le regole** perché **ti aiuteranno all'inizio** ma dopo devi imparare ogni verbo con la propria forma all'Aoristo perché in fin dei conti, **pochi sono i verbi che rispettano le regole e moltissime le eccezioni.**

La prima cosa sicura è che l'Aoristo corrisponde al **Passato prossimo** (o Perfetto composto) dell'italiano, il che significa che si usa per esprimere **un'azione recente o lontana che non ha durata nel passato ma è** momentanea, **breve**. Può anche essere tradotto con un verbo al **Passato remoto** siccome non esiste in greco un tempo simile: quello che ho fatto io stamattina e quello che fece l'*homo sapiens* 200.000 anni fa sarà espresso con un verbo all'Aoristo. E forse il Passato remoto ti aiuterebbe a capire perché l'Aoristo **non ha una forma composta** (ausiliare + participio) ma semplice.
La seconda cosa sicura sono le **desinenze**; per tutti i verbi della forma attiva sono uguali.

211

Singolare	Plurale
-α	-αμε
-ες	-ατε
-ε	-αν

Tutto il resto è tanto approssimativo quanto il nome del tempo. Vediamo comunque le cosiddette "regole".

Per il **primo gruppo di verbi**, cioè quelli che finiscono con una -ω non accentata al Presente, le desinenze dell'Aoristo sono tre: **-σα, -ξα o -ψα**. Non devi scegliere quella che ti piace di più: ogni verbo ha la propria e la devi memorizzare.

γεμίζ-ω	γέμιΣ-α
γυρίζ-ω	γύριΣ-α
λείπ-ω	έ-λειΨ-α
χάν-ω	έ-χαΣ-α

Per il **secondo gruppo di verbi**, sia finiscono con -άω/-ώ che con -ώ al Presente, la desinenza dell'Aoristo è **-ησα**.

ανησυχ-ώ	ανησύχηΣ-α
μιλ-άω/ώ	μίληΣ-α
ξυπν-άω/ώ	ξύπνηΣ-α
τηλεφων-άω/ώ	τηλεφώνηΣ-α

E basta così. Nel testo ci sono 16 verbi all'Aoristo e solo 8 sono regolari, vedi la percentuale...

Passiamo alle eccezioni:

βγάζω	έ-βγαλ-α
βλέπω	εί-δ-α
παίρνω	πήρ-α
περνάω-ώ	πέρασ-α
πηγαίνω/πάω	πήγ-α

E **i verbi che non hanno un Aoristo** (o perché dal senso non possono essere istantanei o perché è così, la vita essendo difficile, ingiusta e crudele) **riprendono la forma dell'Imperfetto** (e qua erano appunto all'Imperfetto):

είμαι	ήμουν
έχω	είχ-α
κάν-ω	έ-καν-α

Sintetizziamo con una piccola tabella utilissima di tre soli verbi all'Aoristo.

Singolare

(εγώ)	ήμουν	εί-δ-α	έ-χασ-α
(εσύ)	ήσουν	εί-δ-ες	έ-χασ-ες
(αυτός,-ή,-ό)	ήταν	εί-δ-ε	έ-χασ-ε

Plurale

(εμείς)	ήμασταν	εί-δ-αμε	χάσ-αμε
(εσείς)	ήσασταν	εί-δ-ατε	χάσ-ατε
(αυτοί,-ές,-ά)	ήταν	εί-δ-αν	έ-χασ-αν

Il primo è είμαι, essere, verbo irregolarissimo anche all'Aoristo, lo devi imparare così. Il secondo è βλέπω, guardare, e il terzo χάνω, perdere. La forma είδα è irregolare anche essa ma nella sua irregolarità, c'è qualcosa di regolare: le

213

desinenze. Infatti, **tranne il verbo εἴμαι, tutti gli altri verbi hanno le stesse desinenze.**

Proviamo adesso a capire un po' la radice. Il verbo χάνω ha **due radici**: χαν- è quella che hai visto al **Presente** e che ti sarà utile per i tempi che hanno una **durata** (come l'Imperfetto), χασ- è quella che hai appena visto all'**Aoristo** e ti sarà utile per i tempi che sono **momentanei** (come il Futuro che studieremo fra qualche giorno): perciò ho messo e continuerò a mettere i trattini, così vedi qual è la radice.

Per quanto riguarda **l'accento, va sulla sillaba più alta possibile**, cioè la terza partendo dalla fine (come γέμισα, γύρισα, ανησύχησα, μίλησα, ξύπνησα, τηλεφώνησα e πέρασα). Se non riescono ad avere tre sillabe, beh, **aggiungiamo una ε-** all'inizio (come έβγαλα, έκανα, έλειψα e έχασα); **certe volte** si aggiunge **una η-** ma è solo per tre verbi, non essere impaziente, li vedremo una prossima volta. Per un paio di verbi, diciamo una decina, forse un po' di più, non li ho mai contati, l'accento è **sulla penultima perché hanno due sole sillabe** e l'accento non può andare più in là (come είδα, πήρα, πήγα, ήμουν e είχα). Ma **in tutti, proprio tutti i casi, alla prima e alla seconda persona del plurale, l'accento è sulla terzultima sillaba e quindi, se abbiamo aggiunto una ε-, va tolta perché non serve più.**

Per finire, qualcosa che è liscio come una palla da biliardo e non ti darà alcun fastidio è **la forma interrogativa e la forma negativa**: per la prima, **come al Presente,** aggiungi un punto interrogativo ad una frase affermativa e pronunci con un'intonazione ascendente; per la seconda, come al Presente, aggiungi δε(ν) prima del verbo.

Troppe informazioni e poi, fare regole sull'Aoristo è un'impresa difficile... Con la pratica vedrai che non è tanto difficile però.

Andiamo a praticare

Nella tabella che segue troverai tutti i verbi del testo di oggi. Identifica le persone dell'Aoristo mettendo una croce nella casella appropriata (1a, 2a, 3a del singolare o 1a, 2a, 3a del plurale); per i verbi che sono al Presente non ci interessa la persona ma solo il tempo (ultima colonna).

| | Aoristo | | | | | | Pre- |
| | Singolare | | | Plurale | | | sen- |
	1a	2a	3a	1a	2a	3a	te
μιλήσαμε							
λείψαμε							
γυρίσαμε							
είδαμε							
τηλεφωνήσατε							
ανησυχήσατε							
είναι							
στέλνω							
ξυπνήσαμε							
πήραμε							
πήγαμε							
περάσαμε							
γεμίσαμε							
είχε							
έκανε							
έβγαλε							
ήταν							
έχασα							
πάμε							

18.3. Come evitare l'autodistruzione

La prima volta che ti hi parlato dei verbi, alla terza persona del singolare c'era il **pronome personale αυτός, αυτή, αυτό** e ti avevo detto che sarebbe meglio usare **εκείνος, εκείνη, εκείνο**. Guarda adesso che bella sorpresa: non dovrai imparare i **pronomi e aggettivi dimostrativi** perché sono **uguali**. Anche dopo l'Aoristo un po' difficilino, c'è sempre speranza.

	Maschile	Femminile	Neutro
	Singolare		
Nominativo	αυτ-ός	αυτ-ή	αυτ-ό
Accusativo	αυτ-όν	αυτ-ή(v)	αυτ-ό
	Plurale		
Nominativo	αυτ-οί	αυτ-ές	αυτ-ά
Accusativo	αυτ-ούς	αυτ-ές	αυτ-ά

	Maschile	Femminile	Neutro
	Singolare		
Nominativo	εκείν-ος	εκείν-η	εκείν-ο
Accusativo	εκείν-ον	εκείν-η	εκείν-ο
	Plurale		
Nominativo	εκείν-οι	εκείν-ες	εκείν-α
Accusativo	εκείν-ους	εκείν-ες	εκείν-α

In genere **αυτός, -ή, -ό** si usa per una persona o una cosa **vicina** nello spazio o nel tempo, e **εκείνος, -η, -ο** per una persona o una cosa **lontana**. Si può anche precisare usando εδώ (qui) e εκεί (là). Quando è un pronome, non c'è nessun problema. Ma **quando è un aggettivo**, come hai visto, **ci vuole anche l'articolo**, cioè αυτό το μέιλ significa letteralmente "questa la mail".

Φωτογραφίζει αυτούς τους ανθρώπους. (Sta fotografando questi uomini.)
Εκείνα τα παιδιά ήταν καλά. (Quei ragazzi erano buoni.)
Προτιμώ εκείνη τη μουσική. (Preferisco quella musica.)
Μου προτείνετε αυτό το μαγιό ή εκείνο; (Mi propone questo costume da bagno o quello?)
Ήρθαν κι αυτοί κι εκείνοι. (Sono venuti e questi e quelli.)
Αυτό εκεί το δέντρο είναι μεγάλο, αυτό εδώ είναι μικρό. (Quell'albero lì è grande, questo qui è piccolo.)

Andiamo a praticare

Andiamo per negozi adesso. Usa la forma giusta di αυτός e εκείνος basandoti sul genere di ogni sostantivo, anche di quelli che non conosci. Ogni frase contiene una parola che ti fa capire il genere e il § 14.3 ti potrebbe aiutare.

1) Αυτό εδώ το φόρεμα είναι ωραίο. Ποιο αγοράζεις; ... ή ... ;
2) Δοκίμασες και ... κι ... τα πουκάμισα. Ποια παίρνεις;
3) Η μία φούστα είναι μικρή, η άλλη είναι μεγάλη. Ποια μου πάει; ... ή ... ;
4) Ποιες κάλτσες πήρες; ... εδώ ή ... εκεί;
5) Ποιες μπλούζες σου αρέσουν; ... ή ... ;
6) Ποιο κοστούμι έβαλες; ... εδώ ή ... ;
7) Ποιο παντελόνι σου αρέσει; ... ή ... εκεί;
8) Φοράω νούμερο 43. Ποια παπούτσια μου προτείνετε; ... ή ... ;

217

18.4. Come mangiare alla greca

Hai visto oggi
πρωινό

Con gli auguri hai visto **i momenti della giornata** e li hai rivisti nel messaggio del pantofolaio Leonida (§ 16.1). **Cosa si mangia** in Grecia? Facilissimo dirlo se ricordi quelle parole.

Quando?	Cosa?
το πρωί	το πρωινό
το μεσημέρι	το μεσημεριανό
το βράδυ	το βραδινό

Verso le 10 si può fare το δεκατιανό: è per i soldati all'esercito, per i bambini a scuola o in colonia, per i lavoratori che cominciano la loro giornata presto e per le persone che sono a dieta. Personalmente non rientro in nessuna di queste categorie ma faccio volentieri la **merendina di metà mattina** perché non sopporto le discriminazioni e poi, etimologicamente, me la merito anche io. Nel **pomeriggio** (το απόγευμα) si può anche consumare το **απογευματινό**: con o senza bevanda è qualcosa che non va saltato perché un buco nello stomaco c'è sempre.

Κουλούρια
Θεσσαλονίκης
fatti a casa

E se vuoi imparare qualche parola in più, il pranzo si dice το γεύμα (tutti i pasti si chiamano così però) e la cena, το δείπνο. Ma ancora una volta perché creare categorie e complicarsi la vita? Quello che dovrebbe essere fatto tutta la giornata è το τσιμπολόγημα, lo **spuntino**. Perciò esistono in Grecia dappertutto **negozi di cibo di strada** con tante delizie per tutte le ore: **το κουλούρι Θεσσαλονίκης**, un pane croccante e morbido a forma di ciambella con semi di sesamo (esistono venditori ambulanti all'aperto che vendono solo questo spuntino) e poi tutte le **torte salate soprattutto sfogliate di pasta fillo** (una varietà della pasta sfoglia preparata in sottilissimi fogli), ossia η τυρόπιτα (torta con un ripieno di formaggio feta, unico prodotto di certi negozi), η κασερόπιτα (con formaggio pecorino a pasta filata come il provolone italiano o il kashkaval bulgaro), η τυρόπιτα έμμενταλ (con Emmental e quando non è piena di burro, è una cosa divina), η ζαμπονοτυρόπιτα (con formaggio e prosciutto, cotto certo, perché il crudo è solo per i barbari), η σπανακόπιτα (con spinaci e a scelta con o senza feta, quest'ultima versione molto pregiata in periodo di digiuno), η λουκανόπιτα (oppure λουκανικόπιτα, con Würstel), η πατατόπιτα (con patate), η μανιταρόπιτα (con funghi), το πεϊνιρλί (una specie di torta aperta allungata a forma di bar-

219

ca), η πίτσα (di spessore abbastanza consistente, meno buona di quella italiana, non è possibile non ammetterlo), un elenco purtroppo non esaustivo.

Cosa dimenticavo? Ah sì, **l'ora di ogni pranzo** aldilà degli spuntini. Niente da dire sulla colazione, la si fa quando ci si sveglia ma è un pasto rapido, può essere solo una tazza di caffè, perciò viene la fame presto. **Mezzogiorno** è una **parola molto vaga**: non è quando l'orologio indica le 12 ma più o meno **dalle 14 alle 17** e il **pranzo** segue la regola. Per quanto riguarda la **cena, non** mangiare **prima delle 21**, perché tutti attorno a te capiranno che sei un turista. E hai tempo **almeno fino a mezzanotte** per trovare un ristorante.

Spanakopita preparata dal sottoscritto

I segreti svelati in questo capitolo

. Hai visto per la prima volta l'Aoristo, la corrispondenza con l'italiano, la formazione, le regole e le eccezioni; non hai ancora capito un granché, perciò hai accettato volentieri di imparare tutte le forme come se fossero i verbi irregolari dell'inglese.

. Hai apprezzato il fatto che i dimostrativi non sono altro che la 3a persona del pronome personale.

. Hai scoperto un piccolo lessico degli acquisti di vestiti.

. Hai imparato molte cose sul cibo in Grecia, avuto precisazioni sui pranzi, approfondito sugli spuntini e ammirato le ore molto estese di pranzo.

18.2

Aoristo 1a sg. (desinenza -α): έχασα • Aoristo 2a sg. (desinenza -ες): --- • Aoristo 3a sg. (desinenza -ε): είχε (Imperfetto), έκανε (Imperfetto), έβγαλε, ήταν (Imperfetto) • Aoristo 1a pl. (desinenza -αμε): μιλήσαμε, λείψαμε, γυρίσαμε, είδαμε, ξυπνήσαμε, πήραμε, πήγαμε, περάσαμε, γεμίσαμε • Aoristo 2a pl. (desinenza -ατε): τηλεφωνήσατε, ανησυχήσατε • Aoristo 3a pl. (desinenza -αν): --- • Presente: είναι, στέλνω (del verbo "στέλνω", all'Aoristo: έ-στειλ-α), πάμε (del verbo "πηγαίνω/πάω", all'Aoristo: πήγ-α)

18.3

Abbiamo visto un nuovo tempo, quindi ti **metto ogni volta i verbi al Presente e all'Aoristo**.

1) Questo vestito (da donna) qui è bello. Quale compri? Αυτό ή εκείνο; • το φόρεμα, neutro • αγοράζω, αγόρασα

2) Hai provato sia queste (αυτά) camicie che quelle (εκείνα). Quali prendi? • το πουκάμισο, neutro • δοκιμάζω, δοκίμασα • παίρνω, πήρα

3) Una gonna è piccola, l'altra è grande. Quale mi va? Αυτή ή εκείνη; • η φούστα, femminile • πηγαίνω/πάω, πήγα

4) Quali calzini hai preso? Αυτές εδώ ή εκείνες εκεί; • η κάλτσα, femminile • παίρνω, πήρα

5) Quali maglie ti piacciono? Αυτές ή εκείνες; • η μπλούζα, femminile • αρέσω, άρεσα

6) Quale abito (da uomo) hai messo? Αυτό εδώ ή εκείνο; • το κοστούμι, neutro • βάζω, έβαλα

7) Quale pantalone ti piace? Αυτό ή εκείνο εκεί; • το παντελόνι, neutro • αρέσω, άρεσα

8) Indosso il numero 43. Quali scarpe mi propone? Αυτά ή εκείνα; • το παπούτσι, neutro • φοράω, φόρεσα • προτείνω, πρότεινα

222

19° GIORNO / ΔΕΚΑΤΗ ΕΝΑΤΗ ΗΜΕΡΑ
ΘΑΛΑΤΤΑ! ΘΑΛΑΤΤΑ!
IL MARE! IL MARE!

19.1. Come capire il titolo ermetico del capitolo

Θάλαττα! Θάλαττα! (forma attica di η θάλασσα, sempre in uso in greco moderno) fu ciò che gridarono di gioia i Greci secoli fa scorgendo il Ponto Eusino (che significa "il mare ospitale", il Mar Nero oggi), come lo narra lo storiografo Senofonte nella sua *Anabasi*.

Un **Senofonte** moderno (Ξενοφώντας, da ο ξένος, straniero, (Parentesi nella parentesi: ricordi το ξενοδοχείο? È l'edificio che δέχεται τους ξένους, accoglie gli stranieri; troviamo la stessa parola in ο ξεναγός, la guida, colui che guida gli stranieri, η ξενοφοβία, xenofobia, la paura degli stranieri, φιλοξενώ, ospitare, accogliere amicalmente gli stranieri) e secondo elemento η φωνή, la voce, il tutto con il senso di "voce straniera") è un po' lontano dal mare, non lo può vedere dal centro di Atene ma ha l'intenzione di avvicinarsi. **Ha dato un appuntamento a Xenia** (Ξένια, dal greco antico η ξενία, l'ospitalità, che dà in greco moderno φιλοξενώ, ospitare, η φιλοξενία, ospitalità, φιλόξενος, -η, -ο, ospitale, φιλοξενούμενος, -η, -ο, la persona ospitata) **per** prendere insieme il pullman del ΚΤΕΛ, il servizio di trasporto pubblico interurbano, e **andare al mare** ma Xenia si è persa e chiede aiuto a Senofonte che **le manda un messaggio con tutte le tappe del percorso che ha fatto lui per arrivare alla fermata.**

Βγήκα από το ξενοδοχείο. Έστριψα δεξιά και μετά την παιδική χαρά μπήκα αμέσως αριστερά στο πρώτο στενό. Ακολούθησα την κατεύθυνση προς το κέντρο. Πέρασα μπροστά από το σχολείο και προχώρησα ευθεία για περίπου πεντακόσια μέτρα. Στο τέρμα του δρόμου, στην πλατεία πήρα τη δεύτερη έξοδο. Στη γωνία υπάρχει ένα περίπτερο. Συνέχισα ίσια για άλλα διακόσια μέτρα. Μετά τον κινηματογράφο και το ταχυδρομείο έκανα αριστερά στα πρώτα φανάρια. Η πινακίδα γράφει "Προς το αεροδρόμιο". Η αφετηρία του ΚΤΕΛ είναι στα αριστερά, απέναντι από μια μεγάλη πολυκατοικία, μπροστά από την καφετέρια.

Sono uscito dall'albergo. Ho svoltato a destra e dopo il parco giochi sono entrato subito a sinistra nel primo vicolo. Ho seguito la direzione verso il centro. Sono passato davanti alla scuola e ho proceduto dritto per circa cinquecento metri. Alla fine della strada, alla rotonda ho preso la seconda uscita. All'angolo c'è un chiosco. Ho proseguito dritto per altri duecento metri. Dopo il cinema e l'ufficio postale ho girato a sinistra ai primi semafori. Il cartello dice (letteralmente: scrive) "Verso l'aeroporto". Il capolinea del KTEL è sulla sinistra, di fronte a un grande condominio, davanti alla caffetteria.

19.2. Come formalizzare e verbalizzare

Hai visto oggi
βγήκα, έστριψα, μπήκα, ακολούθησα, πέρασα,
προχώρησα, πήρα, συνέχισα, έκανα

Regular and irregular verbs, part two. Ti metto in una tabella **tutti i verbi del testo**, anche quelli che non sono all'Aoristo. Sono **in ordine alfabetico**, così potrai consultarli più facilmente quando ne avrai bisogno.

Presente	Aoristo
ακολουθώ	ακολούθησ-α
βγαίνω	βγήκ-α
γράφω	έ-γραψ-α
είμαι	ήμουν
κάνω	έ-καν-α
μπαίνω	μπήκ-α
παίρνω	πήρ-α
περνάω-ώ	πέρασ-α
προχωράω-ώ	προχώρησ-α
στρίβω	έ-στριψ-α
συνεχίζω	συνέχισ-α
υπ/άρχω	υπ/ήρξ-α

L'unica cosa da dire è su υπάρχω che diventa υπήρξα perché è formato sul verbo (del greco antico) άρχω, il cui Aoristo è ἦρξα. Tutto il resto deve essere chiaro.

Non sarebbe meno solitario e più romantico il percorso in due? Metti tutti i verbi del testo di oggi alla 1a persona plurale. Occhio agli accenti!

225

19.3. Come arrivare a leggere fino alla millesima notte e mancare l'ultima

Per **contare da 100 a 1.000** l'unico numero a cui devi fare più attenzione è **cento: da solo non ha la ν finale** ma quando è **seguito da un altro numero, richiede la ν finale.** E **aggiungi i numeri che hai già imparato** sempre **in più parole** perché, l'abbiamo già detto, un greco non ha il tuo talento di trattenere il fiato per molti chilometri.

100	εκατό
101	εκατόν ένα
200	διακόσια
300	τριακόσια/τρακόσια
400	τετρακόσια
500	πεντακόσια
600	εξακόσια
700	επτακόσια/εφτακόσια
800	οκτακόσια/οχτακόσια
900	εννιακόσια
1.000	χίλια

Andiamo a praticare

Se hai il tempo, scrivi i numeri che seguono; altrimenti, leggili solo.

1) 111 • 2) 222 • 3) 333 • 4) 444 • 5) 555 • 6) 660 (per scaramanzia, evitiamo il seguito logico) • 7) 777 • 8) 888 • 9) 999

19.4. Come frenare gli acquisti compulsivi

Ci sono **luoghi gratuiti** che vanno messi in prima fila perché ci si può **distrarre** senza spendere nulla, con uno spuntino portato da casa da consumare su una panchina (το παγκάκι).

η πλατεία	piazza
το πάρκο	parco
η παιδική χαρά	parco giochi
η εκκλησία	chiesa

Poi, ci sono **luoghi a pagamento** ma che dobbiamo frequentare perché anche **il cervello ha bisogno di essere nutrito**.

το σχολείο	scuola (soprattutto per i piccoli)
η σχολή	scuola (soprattutto per gli adulti)
το γυμναστήριο	palestra
το μουσείο	museo
το θέατρο	teatro
ο κινηματογράφος	cinema

E all'ultimo posto abbiamo i mali più o meno necessari per vivere decentemente, i **negozi** (το μαγαζί, το κατάστημα).

το περίπτερο	chiosco
το καφενείο	caffetteria tradizionale
το καφετέρια	caffetteria per i giovani
το φαρμακείο	farmacia
το ζαχαροπλαστείο	pasticceria
το μπακάλικο	drogheria
το μανάβικο / το οπωροπωλείο	frutteria
ο φούρνος / το αρτοποιείο	panificio
το χασάπικο / το κρεοπωλείο	macelleria
το ψαράδικο / το ιχθυοπωλείο	pescheria
το σούπερ μάρκετ / η υπεραγορά	supermercato
το κατάστημα ρούχων	negozio abbigliamento
το πολυκατάστημα	grande magazzino
το εμπορικό κέντρο	centro commerciale

Andiamo a praticare

Sosteniamo l'economia locale adesso. Tra i piccoli negozi trova dove si possono comprare i prodotti che seguono. Armati di coraggio perché in ogni lista ci sono poche parole che conosci ma ho fiducia in te e so che riuscirai a capire.

1) το βοδινό κρέας, το χοιρινό κρέας, το μοσχαρίσιο κρέας, το αρνίσιο κρέας, το κοτόπουλο

2) το γλυκό, η τούρτα, το παγωτό, η σοκολάτα, η μαρμελάδα

3) ο ελληνικός καφές, ο καφές φίλτρου, ο εσπρέσο, το τσάι, το αναψυκτικό

4) τα μακαρόνια, η κονσέρβα, το κατεψυγμένο, το απορρυπαντικό, το χαρτί υγείας

5) το παντελόνι, το πουκάμισο, η μπλούζα, η φούστα, οι κάλτσες

6) τα τσιγάρα, το περιοδικό, η εφημερίδα, οι τσίχλες, οι καραμέλες

7) το φάρμακο, το καλλυντικό, η οδοντόκρεμα, η οδοντόβουρτσα, το προφυλακτικό
8) το φρούτο, το λαχανικό, το μυρωδικό, οι ξηροί καρποί, τα όσπρια
9) το ψάρι, το καλαμάρι, το χταπόδι, η γαρίδα, ο αστακός
10) το ψωμί, η τυρόπιτα, το σάντουιτς, το γάλα, ο χυμός

I segreti svelati in questo capitolo

. Hai imparato a contare da 100 a 1.000 e ci fermeremo lì.

. Hai cominciato a capire un pochino ma veramente un pochino meglio l'Aoristo.

. Hai esplorato virtualmente luoghi di divertimento, gratuiti
o meno, luoghi culturali e negozi.

. Hai approfondito molto coraggiosamente il lessico del cibo
acquistabile in vari negozi.

Soluzioni degli esercizi del 19° capitolo

19.2
Βγήκα ➲ Βγήκαμε
Έστριψα ➲ Στρίψαμε
μπήκα ➲ μπήκαμε
Ακολούθησα ➲ Ακολουθήσαμε
Πέρασα ➲ Περάσαμε
προχώρησα ➲ προχωρήσαμε
πήρα ➲ πήραμε
Συνέχισα ➲ Συνεχίσαμε
έκανα ➲ κάναμε

19.3
1) εκατόν έντεκα • 2) διακόσια είκοσι δύο • 3) τριακόσια/τρακόσια τριάντα τρία • 4) τετρακόσια σαράντα τέσσερα • 5) πεντακόσια πενήντα πέντε • 6) εξακόσια εξήντα • 7) επτακόσια/εφτακόσια εβδομήντα επτά/εφτά • 8) οκτακόσια/οχτακόσια ογδόντα οκτώ/οχτώ • 9) εννιακόσια ενενήντα εννέα/εννιά

19.4
1) κρεοπωλείο/χασάπικο: carne di manzo, carne di maiale, carne di vitello, carne di agnello, pollo
2) ζαχαροπλαστείο: dolce, torta, gelato, cioccolato, marmellata
3) καφενείο/καφετέρια: caffè greco, caffè filtro, espresso, tè, bibita rinfrescante
4) μπακάλικο: pasta, cibo in scatola, surgelato, detersivo, carta igienica
5) κατάστημα ρούχων: pantaloni, camicia, maglia, gonna, calzini
6) περίπτερο: sigarette, rivista, giornale, gomme da masticare, caramelle

7) φαρμακείο: farmaco, cosmetico, dentifricio, spazzolino da denti, preservativo

8) μανάβικο/οπωροπωλείο: frutto, verdura, erba aromatica, frutta secca, legumi

9) ψαράδικο/ιχθυοπωλείο: pesce, calamaro, polpo, gambero, aragosta

10) φούρνος/αρτοποιείο: pane, torta sfogliata ripiena di formaggio, panino, latte, succo

Perché andare lontano mentre si può trovare il mare dappertutto? Anche al Pireo, non nel porto ma più verso est, vicino ai resti delle Lunghe mura nel quartiere di Πειραϊκή, è possibile trovare un posto per respirare la brezza marina o bagnarsi.

20° GIORNO / ΕΙΚΟΣΤΗ ΗΜΕΡΑ
ΕΠΑΝΑΛΗΨΙΣ ΜΗΤΗΡ ΠΑΣΗΣ ΜΑΘΗΣΕΩΣ
LA RIPETIZIONE È LA MADRE DI OGNI AP-PRENDIMENTO

20.1. Come continuare a non dover cambiare il mondo in cui viviamo

Il titolo è già stato spiegato dieci giorni fa; non perdiamo tempo perché il ripasso di oggi sarà un po' più impegnativo. Avendo concluso con i sostantivi, **un po' di ordine** va messo **negli aggettivi** perché hai visto ogni genere separatamente ed è forse un po' confuso nel tuo cervello. Non rimaniamo su cose perfettamente capite: l'accento può essere o meno sull'ultima sillaba, niente cambia, e un aggettivo può caratterizzare senza problema un sostantivo con desinenza diversa.

Per quanto riguarda gli aggettivi più comuni, **il maschile finisce sempre con -ος, il neutro sempre con -o, è solo il femminile che ha due desinenze: -η oppure -α**.

	Maschile	Femminile	Neutro
Nom. sg.	καλ-ός	καλ-ή	καλ-ό
Acc. sg.	καλ-ό	καλ-ή	καλ-ό
Nom. pl.	καλ-οί	καλ-ές	καλ-ά
Acc. pl.	καλ-ούς	καλ-ές	καλ-ά

	Maschile	Femminile	Neutro
Nom. sg.	ωραί-ος	ωραί-α	ωραί-ο
Acc. sg.	ωραί-ο	ωραί-α	ωραί-ο
Nom. pl.	ωραί-οι	ωραί-ες	ωραί-α
Acc. pl.	ωραί-ους	ωραί-ες	ωραί-α

I participi (desinenze: -μένος, -μένη, -μένο) si declinano come gli aggettivi in -ος, -η, -o.

233

20.2. Come ripassare momenti del passato prossimo (con esercizi)

Dimenticavo! **I tuoi accompagnatori** per oggi sono **Oreste** (Ορέστης, il montanaro, da το όρος, la montagna, ma è più utile per te imparare το βουνό) e **Urania** (Ουρανία, celeste, da ο ουρανός, cielo, perciò la musa omonima era la protettrice dell'astronomia e dell'astrologia).

11° capitolo

Zeffiro non ha parlato molto perché stava annotando l'essenziale del dialogo tra Zoe e l'albergatore. Vuole migliorarsi in greco ma non è molto bravo in ortografia e ha fatto dieci errori.

Li puoi trovare e correggere? Ξ è l'albergatore, ΖΩ è Zoe e ZE è Zeffiro.

ΖΩ.   Για σας! Έχετε ένα δωμάτιω;
Ξ.   Νε. Κοστίζη είκοσι ευρώ.
ΖΩ.   Γιατί όκι; Εδάξει, καλά ίναι.
Ξ.   Πότε φεύγεται;
ΖΩ.   Δεν ξέρομε.
Ξ.   Ταυτότητα, παρακαλώ.
ZE.   Δίνο εγώ. Ορίστε.

12° capitolo

Eccoti la scheda da riempire al tuo arrivo all'albergo "Syntagma". Non conosci tutte le parole ma devi ormai essere abituato: capirai dal contesto e dalle parole trasparenti tra il greco e l'italiano.
Metti le tue informazioni e lascia Elettra e Ercole ai loro problemi…

234

⦿⦿ Ξενοδοχείο
     Σύνταγμα   ⦿⦿

Επώνυμο: ....

Όνομα: ....

Αριθμός ταυτότητας: ....

Εθνικότητα: ....

Ημερομηνία γέννησης: .... / .... / ....

Τόπος γέννησης: ....

Επάγγελμα: ....

Τηλέφωνο: ....

Ηλεκτρονική διεύθυνση: ....

Ημερομηνία άφιξης: .... / .... / ....

Ημερομηνία αναχώρησης: .... / .... / ....

Υπογραφή: ....

13° capitolo

Teodora chiama sua madre per raccontarle i problemi (τα προβλήματα) che hanno nella camera. Parlano tutte e due molto velocemente e Teseo ha l'impressione che parli una sola persona, non capisce nulla.

Ritrova le tre battute della madre, le tre risposte della figlia, e aggiungi le maiuscole e la punteggiatura.

235

σου αρέσει το δωμάτιο όχι δε μου αρέσει καθόλου γιατί γιατί δεν έχει ούτε καλοριφέρ ούτε αιρκοντίσιον ούτε καν ένα χαλί έχει άλλα προβλήματα ναι έναν σπασμένο καθρέφτη σκόνη αράχνες φασαρία η τουαλέτα είναι έξω από το δωμάτιο και οι διπλανοί κάνουν φασαρία

14° capitolo

Metti in ordine le frasi per scoprire l'inizio di un dialogo telefonico leggermente diverso di quello che avevi letto nel capitolo.

... Έλα, Ιφιγένειά μου! Τι γίνεσαι;
... Ιφιγένεια, εσύ;
... Ίριδα, μ' ακούς;
... Καλά κι εγώ.
... Καλημέρα, Ίριδα!
... Μια χαρά. Εσύ;
... Ναι, εγώ είμαι.
... Ναι; Εμπρός; Ποιος είναι;
... Παρακαλώ;

15° capitolo

Niente esercizio questa volta perché hai bruciato molti neuroni in quel capitolo. Eccoti la traduzione del testo originale e va' a verificare se hai capito tutto.

Mi chiamo Calipso Del Re e ho 26 anni. Abito in via Sokratous 76, al Pireo. Il telefono a casa è il 210.41.57.3.12 e il mio cellulare è il 69.35.84.11.98. Mi interessa l'equitazione, mi piacciono molto i cavalli. Faccio ginnastica ogni giorno e mangio sano. Non fumo né sigarette né narghilè, non ho problemi di salute e non prendo farmaci. Un mio amico fa pallacanestro qui.

236

16° capitolo

Un membro del forum non riesce a leggere il messaggio di presentazione di Leonida e gli fa domande per conoscerlo. Qui ci sono le risposte di Leonida. Riprendi il testo originale del capitolo e formula le domande.

1) Με λένε Λεωνίδα.
2) Ξυπνάω νωρίς το Σαββατοκύριακο.
3) Κάνω γυμναστική στον κήπο.
4) Όχι, δεν έχω χρόνο για γυμναστική τις καθημερινές.
5) Μετά τη γυμναστική κάνω ένα ντουζάκι και μετά καθαρίζω το διαμέρισμα με την κοπέλα μου.
6) Τη λένε Λευκοθέα.
7) Όχι, εκείνη μαγειρεύει.
8) Το μεσημέρι τρώμε κατά τις 2.
9) Μόνο όταν έχει καλό καιρό τρώμε έξω στον κήπο.
10) Το Σάββατο το απόγευμα πηγαίνουμε για ψώνια στο σούπερ μάρκετ.
11) Την Κυριακή η Λευκοθέα βάζει πλυντήριο και ποτίζει τα λουλούδια και τα φυτά, καθώς εγώ σιδερώνω.
12) Ναι, πάμε για ύπνο αρκετά αργά.

17° capitolo

"Bella immagine per una foto" ha detto Melania. Vediamo se sarà d'accordo anche con l'immagine surrealista che leggerai adesso.

Venti parole si sono mescolate. Rimettile al loro posto perché la campagna ritrovi la sua bellezza. Le parole mal posizionate vanno in coppie: quando troverai un errore, avrai trovato anche la parola che la sostituisce. ME sta per Melania e MH per Mirone.

ΜΕ.   Τι αυτοκίνητα! Κοιτάζει παντού πουλιά και όχι
        ωραία … Α, ένα αλλεργία.
ΜΗ.   Μου;
ΜΕ.   Εκεί πέρα, πλάι στο γάτα, ανάμεσα για δύο
        δέντρα. Είναι εδώ, κρίμα!
ΜΗ.   Κι μακριά κοντά, πάνω στη λίμνη, μια αγελάδα.
ΜΕ.   Ωραία εικόνα στα φωτογραφία με τα εξοχή γύρω
        γύρω. Σαν κόκορας είναι.
ΜΗ.   Κι εκεί ψηλά, δίπλα στο δέντρο μία σπίτι
        νιαουρίζει και μας ακούς. Να κι ο πίνακας με τις
        κότες.
ΜΕ.   Ωραία η λουλούδια, αλλά πού φέρνει άλογο.

18° capitolo

Il greco scritto di Nicoletta è ottimo, Nestore incontra qualche problemino con i verbi però. Ha copiato il testo della ragazza ma ha voluto mettere un suo tocco e ha sbagliato su
quasi tutto; solo due verbi sono corretti.
Correggi le altre 17 forme verbali consultando il paragrafo
sull'Aoristo perché è ancora una cosa fresca nella tua mente.
Ti do in italiano quello che pensava Nestore e dopo in greco
il massacro che ha orgogliosamente compiuto.

*Non ci siamo parlati oggi. Vi siamo mancati? Siamo appena tornati e
abbiamo visto che avete chiamato più volte. Siete stati preoccupati? Siccome è tardi, vi mando questa mail. Ci siamo svegliati presto la mattina, abbiamo fatto colazione velocemente e siamo andati in campagna.
Ce la siamo passata fantasticamente bene. Ci siamo riempiti di energia.
C'era il sole e faceva caldo. Io ho scattato molte foto. È stata una giornata molto bella ma Nicoletta ha perso il suo cellulare da qualche parte. Ecco tutto. Domani andiamo in mare finalmente!*

Δε μίλησαν σήμερα. Σας έλειψα; Μόλις γυρίσατε και
είδατε ότι τηλεφωνήσαμε πολλές φορές. Ανησύχησες;

238

Επειδή ήταν αργά, σας στείλαμε αυτό το μέιλ. Ξύπνησε νωρίς το πρωί, πήρες γρήγορα πρωινό και πήγαν στην εξοχή. Τα πέρασε φανταστικά. Γεμίσαμε τις μπαταρίες μας. Είχες ήλιο και έκανες ζέστη. Εγώ έβγαλε πολλές φωτογραφίες. Ήμουν πολύ ωραία μέρα, αλλά η Νικολέτα κάπου χάσατε το κινητό της. Αυτά. Αύριο πηγαίνουμε στη θάλασσα επιτέλους!

19° capitolo

Veramente è un giorno no per Xenia. Prima, si è persa e dopo, ha fatto cadere il cellulare e non può leggere il messaggio di Senofonte. Lo chiama ma la linea non è buona e gli chiede più volte la stessa cosa.
Per ogni domanda metti in ordine le parole perse nei meandri delle telecomunicazioni greche. Ti puoi aiutare dal testo del capitolo. Ma prima di tutto, qui sotto troverai tre verbi che ti saranno utili.

Presente	Aoristo
ακούω	άκουσ-α
καταλαβαίνω	κατάλαβ-α
λέω	εί-π-α

1) βγήκες από / έστριψες; / το ξενοδοχείο, / Όταν / πού
2) Και / έκανες; / τι / την παιδική χαρά / μετά
3) ποια / κατάλαβα, / κατεύθυνση / Δεν / ακολούθησες;
4) προχώρησες / σχολείο / ευθεία; / για πόσο / Μετά το
5) υπάρχει / Τι / του δρόμου; / στο / τέρμα
6) πλατεία / Στην / πήρες; / έξοδο / ποια
7) Τι / τι / στη γωνία; / έχει / είπες,
8) ίσια; / Για / συνέχισες / μέτρα / πόσα
9) αριστερά; / έκανες / πού / άκουσα, / Δεν
10) Πώς / η πινακίδα; / λέει / είπες, / τι
11) Απέναντι από / τι / η / είναι / αφετηρία;

239

I segreti svelati in questo capitolo

. Hai messo un po' di ordine negli aggettivi e hai capito quali sono le desinenze ai tre generi per gli aggettivi più comuni.

. Hai finalmente potuto presentarti come si deve.

. Hai rivisto tutti i testi ma, siccome negli esercizi non erano affatto uguali agli originali, hai fatto prova di molta accortezza e hai capito cose che ti erano sfuggite.

. Hai cominciato a pensare che l'Aoristo non è poi una cosa tanto terribile.

Ricapitolazione del giorno 11

1) Γεια: con la -ι- è la preposizione "per".

2) δωμάτιο: la lettera ω si pronuncia come la o ma το δωμάτιο è un sostantivo e non può avere la desinenza di un verbo; certo, ci sono parole con una -ω finale, come το ευρώ, ma sono tutte di origine straniera.

3) Ναι: la combinazione αι si pronuncia come la lettera ε ma ναι si scrive così.

4) Κοστίζει: è un verbo alla 3a persona singolare del Presente, quindi la desinenza è -ει.

5) όχι: la pronuncia della lettera χ è forse un problema per te ma non è il suono duro della κ.

6) Εντάξει: non devi confondere la lettera δ e la combinazione ντ.

7) είναι: la combinazione ει si pronuncia come la lettera ι ma qua è il verbo είμαι che devi assolutamente sapere come scrivere.

8) φεύγετε: è un verbo alla 2a persona plurale del Presente, quindi la desinenza è -ε.

9) ξέρουμε: è un verbo alla 1a persona plurale del Presente, quindi la desinenza è -ουμε.

10) Δίνω: è un verbo alla 1a persona singolare del Presente, quindi la desinenza è -ω.

Ricapitolazione del giorno 12

Nell'ordine ci sono gli elementi che seguono: cognome, nome, numero di carta d'identità, nazionalità, data di nascita, luogo di nascita, mestiere, telefono, indirizzo elettronico, data di arrivo, data di partenza e firma.

Ricapitolazione del giorno 13

- Σου αρέσει το δωμάτιο;
- Όχι, δε μου αρέσει καθόλου.
- Γιατί;

241

- Γιατί δεν έχει ούτε καλοριφέρ ούτε αιρκοντίσιον ούτε καν ένα χαλί.

- Έχει άλλα προβλήματα;

- Ναι, έναν σπασμένο καθρέφτη, σκόνη, αράχνες, φασαρία, η τουαλέτα είναι έξω από το δωμάτιο και οι διπλανοί κάνουν φασαρία.

Ricapitolazione del giorno 14

- Παρακαλώ; (Pronto?)

- Καλημέρα, Ίριδα! (Buongiorno, Iris!)

- Ναι; Εμπρός; Ποιος είναι; (Sì? Pronto? Chi è?)

- Ίριδα, μ' ακούς; (Iris, mi senti?)

- Ιφιγένεια, εσύ; (Ifigenia, tu?)

- Ναι, εγώ είμαι. (Sì, sono io.)

- Έλα, Ιφιγένειά μου! Τι γίνεσαι; (Ifigenia mia! Come va?)

- Μια χαρά. Εσύ; (Bene. Tu?)

- Καλά κι εγώ. (Bene anche io.)

Ricapitolazione del giorno 16

1) Πώς σε λένε; (Come ti chiami?)

2) Τι ώρα ξυπνάς το πρωί το Σαββατοκύριακο; (A che ora ti svegli la mattina il fine settimana?)

3) Τι κάνεις το πρωί; (Che fai la mattina?)

4) Έχεις χρόνο για γυμναστική τις καθημερινές; (Hai il tempo di fare ginnastica in settimana?)

5) Τι κάνεις μετά τη γυμναστική; (Cosa fai dopo la ginnastica?)

6) Πώς λένε την κοπέλα σου; (Come si chiama la tua ragazza?)

7) Μαγειρεύεις εσύ; (Cucini tu?)

8) Τι ώρα τρώτε το μεσημέρι; (A che ora mangiate a mezzogiorno?)

9) Τρώτε έξω στον κήπο; (Mangiate fuori in giardino?)

10) Το Σάββατο το απόγευμα τι κάνετε; (Il sabato pomeriggio cosa fate?)

11) Την Κυριακή το απόγευμα τι κάνετε; (La domenica pomeriggio cosa fate?)

242

12) Πάτε για ύπνο αργά; (Andate a letto tardi?)

Ricapitolazione del giorno 17

1) αυτοκίνητα ⇔ ωραία: "Τι αυτοκίνητα!" così, in una frase esclamativa, avrebbe il senso "Che belle macchine o veloci o rare!" oppure "Che pessime macchine fanno oggi e non durano nel tempo!"; ωραία potrebbe benissimo essere l'aggettivo di πουλιά (la stessa forma ωραία è il femminile singolare dell'aggettivo "bello", il neutro plurale dell'aggettivo e l'avverbio "bene") ma il senso delle due frasi non è quello della bella campagna.

2) Κοιτάζει ⇔ ακούς: κοιτάζει è alla 3a persona singolare, quindi non si capisce di chi si parla; ακούς è alla 2a persona singolare mentre si parlava prima di una casa che miagolava.

3) αλλεργία ⇔ άλογο: portare un cavallo, perché no, ma αλλεργία è femminile e non può essere dopo ένα che è neutro.

4) Μου ⇔ πού: μου non può stare da solo e πού è una parola interrogativa.

5) γάτα ⇔ σπίτι: η γάτα è femminile (deve essere messo dopo μία) mentre στο deve precedere un neutro; e poi, una casa non miagola.

6) για ⇔ στα: ανάμεσα si costruisce con la preposizione σε e για significa "per"; oralmente, si potrebbe capire στα φωτογραφεία (plurale di το φωτογραφείο), nei negozi fotografici.

7) εδώ ⇔ μακριά: se è qua, non può essere peccato; μακριά e κοντά sono contrari, e κι si costruisce con una parola che comincia con una vocale.

8) πάνω ⇔ δίπλα: πάνω στη λίμνη e δίπλα στο δέντρο sono correttissimi ma una mucca sul lago e una casa laggiù, vicina all'albero, non tanto.

9) εξοχή ⇔ λουλούδια: il primo sostantivo è un femminile singolare, il secondo è un neutro plurale, quindi gli articoli non vanno bene.

10) κόκορας ⇔ πίνακας: avrebbero potuto stare lì ma il senso è un pochino particolare.

Ti do la traduzione surrealista, così apprezzi anche tu la bellezza, insolita da tutti i punti di vista ma bellezza comunque.

- Che macchine! (Lui/Lei) guarda dappertutto degli uccelli e
non belli... Ah, uno allergia.
- Mio?
- Laggiù, accanto alla gatto, tra per due alberi. È qua, peccato!
- Ed lontana vicina, sul lago, una mucca.
- Bella immagine nei foto con i campagna tutto attorno. È co-
me un gallo.
- E lassù, accanto all'albero un casa miagola e ci senti (tu). Ecco
anche il quadro con le galline.
- Bella la fiori ma dove (?) porta cavallo.

Ricapitolazione del giorno 18

1) μίλησαν (Aoristo, 3a pl.) ➲ μιλήσαμε (Aoristo, 1a pl.)

2) έλειψα (Aoristo, 1a sg.) ➲ λείψαμε (Aoristo, 1a pl.)

3) γυρίσατε (Aoristo, 2a pl.) ➲ γυρίσαμε (Aoristo, 1a pl.)

4) είδατε (Aoristo, 2a pl.) ➲ είδαμε (Aoristo, 1a pl.)

5) τηλεφωνήσαμε (Aoristo, 1a pl.) ➲ τηλεφωνήσατε (Aoristo, 2a pl.)

6) ανησύχησες (Aoristo, 2a sg.) ➲ ανησυχήσατε (Aoristo, 2a pl.)

7) ήταν (Aoristo, 3a sg.) ➲ είναι (Presente, 3a sg.)

8) στείλαμε (Aoristo, 1a pl.) ➲ στέλνω (Presente, 1a sg.)

9) ξύπνησε (Aoristo, 3a sg.) ➲ ξυπνήσαμε (Aoristo, 1a pl.)

10) πήρες (Aoristo, 2a sg.) ➲ πήραμε (Aoristo, 1a pl.)

11) πήγαν (Aoristo, 3a pl.) ➲ πήγαμε (Aoristo, 1a pl.)

12) πέρασε (Aoristo, 3a sg.) ➲ περάσαμε (Aoristo, 1a pl.)

Ø γεμίσαμε (corretto, 1a pl. all'Aoristo)

13) είχες (Aoristo, 2a sg.) ➲ είχε (Aoristo, 3a sg.)

14) έκανες (Aoristo, 2a sg.) ➲ έκανε (Aoristo, 3a sg.)

15) έβγαλε (Aoristo, 3a sg.) ➲ έβγαλα (Aoristo, 1a sg.)

16) ήμουν (Aoristo, 1a sg.) ➲ ήταν (Aoristo, 3a sg.)

17) χάσατε (Aoristo, 2a pl.) ➲ έχασε (Aoristo, 3a sg.)

Ø πηγαίνουμε (corretto, altra forma di πάμε, 1a pl. al Presente)

Ricapitolazione del giorno 19

1) Όταν βγήκες από το ξενοδοχείο, πού έστριψες; (Quando sei uscito dall'albergo, dove hai svoltato?)

2) Και μετά την παιδική χαρά τι έκανες; (E dopo il parco giochi cosa hai fatto?)

3) Δεν κατάλαβα, ποια κατεύθυνση ακολούθησες; (Non ho capito, quale direzione hai seguito?)

4) Μετά το σχολείο για πόσο προχώρησες ευθεία; (Dopo la scuola per quanto hai proceduto dritto?)

5) Τι υπάρχει στο τέρμα του δρόμου; (Cosa c'è alla fine della strada?)

6) Στην πλατεία ποια έξοδο πήρες; (Alla rotonda quale uscita hai preso?)

7) Τι είπες, τι έχει στη γωνία; (Cosa hai detto, cosa c'è all'angolo?)

8) Για πόσα μέτρα συνέχισες ίσια; (Per quanti metri hai proseguito dritto?)

9) Δεν άκουσα, πού έκανες αριστερά; (Non ho sentito, dove hai girato a sinistra?)

10) Πώς είπες, τι λέει η πινακίδα; (Come hai detto, cosa dice il cartello?)

11) Απέναντι από τι είναι η αφετηρία; (Di fronte a cosa è il capolinea?)

21° GIORNO / ΕΙΚΟΣΤΗ ΠΡΩΤΗ ΗΜΕΡΑ
ΙΔΙΟΙΣ ΟΜΜΑΣΙΝ
CON I PROPRI OCCHI

21.1. Come capire il titolo ermetico del capitolo

Ιδίοις όμμασι(ν) è un'espressione che si usa quando una persona è il testimone oculare di una scena. **Penelope** (che forse significa "quella che srotola il filo, la tessitrice") **e Policarpo** (ricco di frutti, da ο καρπός, il risultato finale dell'evoluzione del fiore di una pianta, cioè il frutto, parola da cui derivano "mesocarpio", "endocarpico", ecc.) hanno preso l'autobus interurbano per andare **al mare**. Hanno trovato un bellissimo posto e **Policarpo scrive a sua sorella una cartolina** per raccontargli gli eventi straordinari della giornata.

La spiaggia del sito archeologico Heraion di Perachora, a Corinto

Αγαπημένη μου αδελφούλα,

Η Πηνελόπη κι εγώ είμαστε στην παραλία της καρτ ποστάλ. Αμμουδιά, όπως σου αρέσει. Όταν φτάσαμε το πρωί, νοικιάσαμε μια ομπρέλα και από μία ξαπλώστρα. Αφήσαμε τα πράγματά μας και μπήκαμε αμέσως στη θάλασσα. Κολυμπήσαμε αρκετά, αλλά η Πηνελόπη τα έφτυσε γρήγορα και τα παράτησε μετά από μία ώρα. Ξάπλωσε στη σκιά, την είδα από μακριά, κι εγώ συνέχισα, γιατί δεν πάω στο γυμναστήριο εδώ και μου λείπει η άσκηση. Μετά από τρεις ώρες τη βρήκα μαύρη σαν κάρβουνο! Την πήρε ο ύπνος και την έκαψε ο ήλιος. Μα πώς; Έβαλε τόσο αντηλιακό.

Σε φιλώ,
Πολύκαρπος

Cara sorellina mia,

Penelope e io siamo sulla spiaggia della cartolina. Sabbiosa (letteralmente: sabbia) come ti piace. Quando siamo arrivati la mattina, abbiamo affittato un ombrellone e un lettino ciascuno. Abbiamo lasciato le nostre cose e siamo entrati subito in acqua (letteralmente: nel mare). Abbiamo nuotato abbastanza ma Penelope si è spompata (letteralmente: ha sputato quelle cose) velocemente e ha mollato dopo un'ora. Si è sdraiata all'ombra, l'ho vista da lontano, e io ho continuato perché non vado in palestra qui e mi manca l'esercizio. Tre ore dopo l'ho trovata nera come il carbone! L'ha presa il sonno e il sole l'ha bruciata. Ma come? Ha messo tanta crema solare.

Ti abbraccio,
Policarpo

21.2. Come formalizzare e verbalizzare (con esercizio)

Presente	Aoristo
αρέσω	άρεσ-α
αφήνω	άφησ-α
βάζω	έ-βαλ-α
βλέπω	εί-δ-α
βρίσκω	βρήκ-α
καίω	έ-καψ-α
κολυμπάω-ώ	κολύμπησ-α
λείπω	έ-λειψ-α
μπαίνω	μπήκ-α
νοικιάζω	νοίκιασ-α
ξαπλώνω	ξάπλωσ-α
παρατάω-ώ	παράτησ-α
συνεχίζω	συνέχισ-α
φιλάω-ώ	φίλησ-α
φτάνω	έ-φτασ-α
φτύνω	έ-φτυσ-α

Andiamo a praticare

Dopo la cottura, Penelope manda un messaggio vocale a sua madre. Cosa le dice? Continua il suo grido disperato di aiuto.

Μαμά! Ο Πολύκαρπος κι εγώ είμαστε στην παραλία. Όταν φτάσαμε το πρωί, αφήσαμε τα πράγματά μας και μπήκαμε αμέσως στη θάλασσα. Κολυμπήσαμε αρκετά, αλλά εγώ τα (1) ... γρήγορα και τα (2) ... μετά από μία ώρα. (3) ... στη σκιά και ο Πολύκαρπος (4) ... . Μετά από τρεις ώρες με (5) ... μαύρη σαν κάρβουνο! Μα πώς; (6) ... τόσο αντηλιακό.

249

21.3. Come disambiguare "come"

Nella traduzione hai trovato **tre "come"** ma nel testo originale tre parole diverse.

Πώς con l'accento è la parola più facile fra le tre perché si usa in una **frase interrogativa** per chiedere il modo in cui è stato fatto qualcosa oppure in una **frase esclamativa** per mostrare la grande sorpresa. C'è anche l'espressione πώς και πώς che indica l'impazienza e un desiderio vivo.

Πώς έγινε αυτό;	Come è successo?
Πώς! Ακόμα δεν έφυγες;	Come? Non sei partito ancora?
Το θέλω πώς και πώς.	Lo voglio. Eccome!

Σαν indica una **similitudine**, quando più persone o cose condividono le stesse proprietà, qualità, capacità e si usa in molte **espressioni idiomatiche**. Nel § 7.4 con la famosa mnemotecnica sulla ν finale ti avevo detto che non vale solo per δεν ma anche per altre parole: σαν ne fa parte.

σαν το σκύλο με τη γάτα	come cane e gatto
σαν το ψάρι έξω απ' το νερό	come un pesce fuor d'acqua
τρώω σα γουρούνι	mangiare come un maiale

Όπως è usato per parlare del **modo** in cui qualcosa si fa, delle **similitudini** e degli **esempi**.

Το έκανε όπως του είπα.   L'ha fatto come gliel'ho detto.
Είναι ψηλός όπως ο πατέρας του / σαν τον πατέρα του.
                                    È alto quanto suo padre.
Είδε πολλές χώρες, όπως την Ιταλία, τη Γαλλία και την Ι-
σπανία.
    Ha visto molti paesi, come l'Italia, la Francia e la Spagna.

21.4. Come essere diretti con le persone (con esercizio)

Hai visto oggi
τα έφτυσε, τα παράτησε, την είδα, τη βρήκα, την πήρε, την έκαψε

I **pronomi**, come rivela la loro appellazione, **si usano al posto di un nome**. Abbiamo già visto i pronomi personali complemento oggetto indiretto (§ 15.4), passiamo adesso ai pronomi **complemento oggetto diretto**, il che significa **che non hanno bisogno di una preposizione**.

Vediamo prima di tutto quali sono le forme del pronome personale al singolare e al plurale per tutte le persone.

	Singolare	Plurale
1a persona	με	μας
2a persona	σε	σας
3a persona	τον/την/το	τους/τις/τα

Adesso **amiamoci**, così diventerà più interessante.

Μ' αγαπά, δε μ' αγαπά. (Il "M'ama, non m'ama" delle margherite.)
Το παιδί σε αγαπάει. (Il bambino ti ama.)
Η Πηνελόπη αγαπάει τον Πολύκαρπο. ➲ Η Πηνελόπη τον αγαπάει. (Penelope lo ama, Policarpo.)
Ο Πολύκαρπος αγαπάει την Πηνελόπη. ➲ Ο Πολύκαρπος την αγαπάει. (Policarpo la ama, Penelope.)
Ο Πολύκαρπος και η Πηνελόπη αγαπούν το τραγούδι. ➲ Ο Πολύκαρπος και η Πηνελόπη το αγαπούν. (Policarpo e Penelope la amano, la canzone.)
Μας αγαπάς; (Ci ami?)

Σας αγαπώ. ("Vi amo" era il motto di Μαρία Αλιφέρη agli spettatori del gioco televisivo "Τα τετράγωνα των αστέρων", "I quadrati delle stelle", 1980)

Αγαπούμε τους Έλληνες. ➲ Τους αγαπούμε. (Li amiamo, i greci.)

Οι Ιταλοί αγαπούν τις Ελληνίδες τραγουδίστριες. ➲ Οι Ιταλοί τις αγαπούν. (Gli italiani le amano, le cantanti greche.)

Αγαπάτε τα παιδιά. ➲ Τα αγαπάτε. (Li amate, i bambini.)

Andiamo a praticare

E adesso un esercizio pieno di amore: scegli i sostantivi del cuoricino che spiegano i pronomi personali sottolineati nelle frasi che seguono.

1) Η Δάφνη και ο Δημήτρης είναι φιλέλληνες. Τους αγαπάνε.

2) Ο Γιώργος είναι βιβλιόφιλος. Τα αγαπά.

3) Η Αριάδνη κι εσύ είστε κινηματογραφόφιλες. Το αγαπάτε.

4) Η Γαλάτεια κι εγώ είμαστε φιλότεχνοι. Την αγαπάμε.

5) Ο Βασίλης είναι ομοφυλόφιλος. Τον αγαπάει.

6) Η Βερενίκη είναι φιλόζωη. Τις αγαπάει.

Τα βιβλία.
Την τέχνη.
Τις αράχνες.
Το σινεμά.
Τον Αλέξανδρο.
Τους Έλληνες.

I segreti svelati in questo capitolo

. Hai continuato a dubitare un po' sull'Aoristo ma le cose vanno sempre meglio.

. Hai scoperto che esistono tre "come" in greco e hai visto quando si usa ognuno di loro.

. Hai capito con tanto amore quali sono i pronomi complemento oggetto diretto.

21.2

1) έφτυσα • 2) παράτησα • 3) ξάπλωσα • 4) συνέχισα • 5) βρήκα • 6) έβαλα

21.4

1) Dafne e Demetrio sono filelleni. Li amano: τους Έλληνες, i greci. • ο Έλληνας, η Ελληνίδα (greco, greca) ➲ ο φιλέλληνας (filelleno)

2) Giorgio è bibliofilo. Li ama: τα βιβλία, i libri. • το βιβλίο (libro) ➲ ο βιβλιόφιλος, η βιβλιόφιλη (bibliofilo, bibliofila)

3) Arianna e tu siete cinefile. Lo amate: το σινεμά, il cinema. • το σινεμά / ο κινηματογράφος (cinema) ➲ ο κινηματογραφόφιλος, η κινηματογραφόφιλη / ο σινεφίλ, η σινεφίλ (cinefilo, cinefila)

4) Galatea e io siamo amanti dell'arte. La amiamo: την τέχνη, l'arte. • η τέχνη (l'arte) ➲ ο φιλότεχνος, η φιλότεχνη (amante dell'arte)

5) Basilio è omosessuale. Lo ama: τον Αλέξανδρο, Alessandro. • το φύλο (sesso, genere) ➲ ο ομοφυλόφιλος, η ομοφυλόφιλη (omosessuale) ≠ ο ετεροφυλόφιλος, η ετεροφυλόφιλη (eterosessuale)

6) Berenice è zoofila. Li ama: τις αράχνες, i ragni. • το ζώο (animale) ➲ ο ζωόφιλος, η ζωόφιλη (zoofilo, zoofila)

255

22° GIORNO / ΕΙΚΟΣΤΗ ΔΕΥΤΕΡΗ ΗΜΕΡΑ
ΦΩΝΗ ΒΟΩΝΤΟΣ ΕΝ ΤΗ ΕΡΗΜΩ
LA VOCE DI COLUI CHE GRIDA NEL DESERTO

22.1. Come capire il titolo ermetico del capitolo

L'espressione Φωνή βοώντος εν τη ερήμω, in latino *Vox clamantis in deserto*, è una frase biblica che in italiano fa allusione a un avvertimento non ascoltato mentre in greco non esprime solo l'indifferenza a suggerimenti o consigli giusti ma si usa anche più semplicemente quando nessuno ci ascolta né presta attenzione a quello che diciamo.

Romolo (che significa "di Roma" e, come Romeo "che va a Roma", deriva da η ρώμη, la forza, sostantivo non più tanto in uso ma che dà il bellissimo aggettivo ρωμαλέος, forte, solido, robusto (Nuova parentesi ma non riuscivo a tacere. E poi, mi dici che il greco non è dappertutto! Alla fine, ti dirò che anche Roma e Verona sono città greche e gli italiani non sono di origini troiane ma greche.), η δύναμη in greco moderno, radice di "dinamizzare", "dinamite", "termodinamico", "aerodinamica", ecc.) **chiama Rea** (forse da ρέω, scorrere, che abbiamo visto nel § 11.1 (Altra parentesi nella parentesi. Mi accorgo ora che non si coniuga come i verbi del § 16.4, boh, chi sa perché: ρέω, ρέεις, ρέει, ρέουμε, ρέετε, ρέουν ma non lo incontrerai spesso perché il verbo κυλάω-ώ è molto più maneggiabile. Alcune espressioni: το αίμα ρέει στις φλέβες, il sangue scorre nelle vene, ο ποταμός ρέει, il fiume scorre, το νερό ρέει από το βουνό, l'acqua scorre dalla montagna, η σαμπάνια ρέει άφθονη, lo champagne scorre abbondante, το χρήμα ρέει άφθονο, il denaro scorre abbondantemente, ο λόγος ρέει φυσικός, il discorso scorre in modo naturale), quindi "quella che scorre, fluente"), non la trova a casa **e le lascia un messaggio alla segreteria telefonica**. Secondo me, ha visto il numero e non ha voluto rispondere al ragazzo perbene. È tanto presuntuosa e arrogante, lo testimonia anche la coniugazione imprevedibile del verbo all'origine del nome, quanto era corrotta e debosciata la sua antenata omonima.

Καλέσατε τη Ρέα. Αυτήν τη στιγμή λείπω. Παρακαλώ, αφήστε το μήνυμά σας μετά το χαρακτηριστικό ήχο και θα επικοινωνήσω εγώ μαζί σας το συντομότερο δυνατόν.
Έλα, Ρέα! Ρωμύλος εδώ. Πήγα στο κρεβάτι των παιδιών. Καλά, μεγάλη πλάκα αυτό το έθιμο, όπως και ο αρραβώνας. Ήταν πάλι μαζεμένο όλο το σόι του γαμπρού και της νύφης: γονείς, παππούδες, γιαγιάδες, θείοι, θείες, αδέλφια, ξαδέλφια. Βρήκα ένα κρεβάτι γεμάτο με λεφτά, έριξα κι εγώ. Σε κάποια στιγμή πέταξαν ένα παιδί στο κρεβάτι "για το καλό". Έμαθα πολλές ευχές: "Να ζήσετε!", "Καλούς απογόνους!", "Η ώρα η καλή!", "Και του χρόνου διπλή!", "Φτου φτου!". Και μετά φάγαμε πάλι πολύ μέχρι αργά. Πάρε με για λεπτομέρειες. Τα λέμε, φιλιά.

Ha chiamato Rea. In questo momento sono assente. Per favore, lasci il Suo messaggio dopo il segnale acustico e comunicherò io con Lei il prima possibile.
Ciao, Rea! Romolo qua. Sono stato al letto dei ragazzi. Beh, molto divertente questa usanza, proprio come il fidanzamento. C'era di nuovo riunita tutta la parentela dello sposo e della sposa: genitori, nonni, nonne, zii, zie, fratelli, cugini. Ho trovato un letto pieno di soldi, ne ho buttati anch'io. Ad un certo momento hanno lanciato a letto un bambino "per il bene". Ho imparato molti auguri: "Che viviate!", "Buoni di-

scendenti!", "Che l'ora sia buona!", "E l'anno prossimo, doppia!", "Puh! Puh!". E dopo, abbiamo mangiato molto di nuovo fino a tardi. Chiamami per dettagli. Ci sentiamo, baci.

22.2. Come formalizzare e verbalizzare (con esercizio)

Hai visto oggi

καλέσατε, πήγα, ήταν, βρήκα, έριξα, πέταξαν, έμαθα, φάγαμε

Presente	Aoristo
αφήνω	άφησ-α
βρίσκω	βρήκ-α
είμαι	ήμουν
επικοινωνώ	επικοινώνησ-α
ζω	έ-ζησ-α
καλώ	κάλεσ-α
λείπω	έ-λειψ-α
λέω	εί-π-α
μαθαίνω	έ-μαθ-α
παίρνω	πήρ-α
παρακαλώ	παρακάλεσ-α
πετάω-ώ	πέταξ-α
πηγαίνω/πάω	πήγ-α
ρίχνω	έ-ριξ-α
τρώω	έ-φαγ-α

Andiamo a praticare

E com'è andata dal punto di vista di un membro della famiglia degli sposi? Metti alla 3a persona singolare i verbi che corrispondono alle azioni di Romolo e alla 1a plurale quelli delle azioni degli altri.

1) Πήγα στο κρεβάτι των παιδιών. ◆ 2) Βρήκα ένα κρεβάτι γεμάτο με λεφτά. ◆ 3) Έριξα κι εγώ λεφτά. ◆ 4) Πέταξαν ένα παιδί στο κρεβάτι. ◆ 5) Έμαθα πολλές ευχές. ◆ 6) Φάγαμε πάλι πολύ μέχρι αργά.

22.3. Come capire che capita anche nelle migliori famiglie (con esercizio)

Hai visto oggi
γονείς, παππούδες, γιαγιάδες, θείοι, θείες, αδέλφια, ξαδέλφια

Parlare della **famiglia** (η οικογένεια) è un argomento molto vasto, soprattutto quando si tratta della famiglia in senso molto ma molto largo (το σόι), come quella che hai visto oggi nel dialogo.

Cominciamo prima di tutto con lo **stato civile**. Ma quanta comprensione ho! Ti puoi presentare ma anche parlare della tua vita ormai.

ελεύθερος, -η	celibe, letteralmente: libero
αρραβωνιασμένος, -η	fidanzato
παντρεμένος, -η	sposato
χωρισμένος, -η	divorziato

Per quanto riguarda i primi interessati, le parole da conoscere sono:

ο αρραβωνιαστικός	fidanzato
η αρραβωνιαστικιά	fidanzata
ο γαμπρός	sposo
η νύφη	sposa
ο άντρας	marito, letteralmente: uomo
ο σύζυγος	il coniuge
η γυναίκα	moglie, letteralmente: donna
η σύζυγος	la coniuge

E se continuiamo per conoscere tutti i membri della famiglia, l'elenco diventa un po' grande, anche più grande di quello della famiglia italiana perché, come vedrai, ci sono rapporti che non avete voi. Perché un greco è preciso! Ma veramente come fai tu a capire chi è chi quando qualcuno ti presenta i **nipoti**: nipoti dello zio o nipoti del nonno?

οι γονείς	i genitori
ο πατέρας	padre
ο μπαμπάς	papà
η μητέρα	madre
η μαμά	mamma
τα παιδιά	i figli
ο γιος	figlio maschio
η κόρη	figlia
ο αδελφός/αδερφός	fratello
η αδελφή/αδερφή	sorella
τα αδέλφια/αδέρφια	i fratelli, fratello e sorella
ο θείος	zio
η θεία	zia
ο ανιψιός	il nipote (degli zii)
η ανιψιά	la nipote (degli zii)
ο ξάδελφος/ξάδερφος	cugino
η ξαδέλφη/ξαδέρφη	cugina
τα ξαδέλφια/ξαδέρφια	i cugini
ο παππούς	nonno
οι παππούδες	i nonni
η γιαγιά	nonna
οι γιαγιάδες	le nonne
ο εγγονός	il nipote (dei nonni)
η εγγονή	la nipote (dei nonni)
τα εγγόνια	i nipoti (dei nonni)

Cercavo una famiglia greca che potevi conoscere e alla fine sono arrivato molto lontano nel passato. L'albero genealogico qui sotto ti mostra una parte della famiglia degli dèi (piccolissima siccome loro erano peggio dei Forrester di *Beautiful*).

Sai qualcosa? Ti insegnerò anche il **genitivo singolare** che non ha niente di particolare. Ricordi **la lettera finale (-ς) del maschile al nominativo? La togli e la metti al femminile, e gli articoli sono come la 3a persona singolare dei possessivi.** Per riprendere i sostantivi che conosci già:

Maschile		Femminile	
Nominativo	**Genitivo**	**Nominativo**	**Genitivo**
ο κλέφτ-ης	του κλέφτ-η	η ντομάτ-α	της ντομάτ-ας
ο πίνακ-ας	του πίνακ-α	η φίλ-η	της φίλ-ης

Unica difficoltà, un tipo di maschile e il neutro:

Maschile		Neutro	
Nominativo	**Genitivo**	**Nominativo**	**Genitivo**
ο τόπ-ος	του τόπ-ου	το λεπτ-ό	του λεπτ-ού
		το παιδ-ί	του παιδ-ιού

Ci sono alcuni sostantivi nei quali l'accento cambia sillaba ma per la nostra attività non ne hai bisogno. Non ti parlo neanche del **genitivo plurale** perché ha lo stesso problema e, a dir la verità, ci sono più forme problematiche non usate tutti i giorni che anche un vero greco può sbagliare, perciò il genitivo plurale è diventato una specie minacciata in via di estinzione.

Finita la parentesi, utilissima però, torniamo sull'Olimpo. Di' se le affermazioni seguenti sono vere o false.

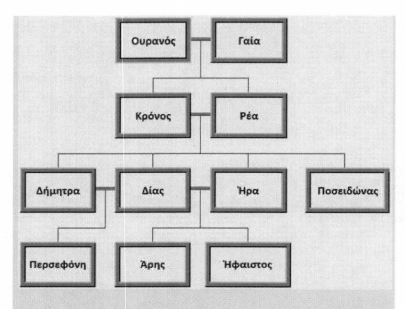

1. Η Γαία είναι η μητέρα της Ρέας.
2. Η θεία του Δία και του Ποσειδώνα είναι η Γαία.
3. Η Δήμητρα είναι αδελφή και ξαδέλφη του Ποσειδώνα.
4. Η Ήρα είναι γυναίκα και αδελφή του Δία, και θεία της Περσεφόνης.
5. Η Ήρα και η Δήμητρα είναι κόρες του Κρόνου και εγγονές του Ουρανού.
6. Ο Δίας έχει δύο γιους, τον Άρη και τον Ήφαιστο.
7. Η Περσεφόνη είναι κόρη του Δία και ανιψιά της Ήρας.
8. Ο Άρης είναι γιος και θείος της Ήρας.
9. Ο Άρης και η Περσεφόνη είναι αδέλφια και ξαδέλφια.
10. Ο Άρης και ο Ήφαιστος είναι εγγόνια της Ρέας.
11. Ο Δίας είναι σύζυγος και αδελφός της Ήρας.
12. Ο Άρης είναι αδελφός και ξάδελφος της Περσεφόνης.
13. Ο Κρόνος και η Ρέα είναι οι γονείς της Δήμητρας.
14. Ο Ουρανός είναι ο πατέρας του Κρόνου.
15. Ο παππούς του Ήφαιστου είναι ο Κρόνος.
16. Ο Ποσειδώνας είναι εγγονός του Ουρανού.

264

22.4. Come fare tanti tanti tanti auguri a te (con esercizio)

Hai visto oggi

για το καλό, Να ζήσετε!, Καλούς απογόνους!, Η ώρα η καλή!, Και του χρόνου διπλή!, Φτου φτου φτου!

Erano rimasti alcuni auguri. Per **le feste dell'anno** (non tutte ma il principio è di far precedere l'aggettivo καλός, buono, accordato al sostantivo cui si riferisce), abbiamo:

Καλή χρονιά!	Buon anno!
Καλά Θεοφάνεια!	Buona Epifania!
Καλό Τριώδιο!	Buon Triodion Quaresimale!
Καλή Καθαρά Δευτέρα!	Buon Lunedì puro!
Καλή Σαρακοστή!	Buona Quaresima!
Καλή νηστεία	Buon digiuno
και καλό αγώνα!	e buon combattimento!
Καλή Μεγάλη Εβδομάδα!	Buona Settimana Santa!
Καλή Ανάσταση!	Buona Resurrezione!
Καλό Πάσχα!	Buona Pasqua!
Καλή 25η Μαρτίου!	Buon 25 marzo!

Θεόδωρος Βρυζάκης
(Theodoros Vryzakis),
Η Ελλάς ευγνωμονούσα
(La Grecia riconoscente),
1858,
Pinacoteca nazionale di Atene

Καλή Πρωτομαγιά!	Buon 1° maggio!
Καλό Δεκαπενταύγουστο!	Buon 15 agosto!
Καλή 28η Οκτωβρίου!	Buon 28 ottobre!
Καλές γιορτές!	Buone feste!
Καλά Χριστούγεννα!	Buon Natale!
Καλή Πρωτοχρονιά!	Buon Capodanno!

Già che ci siamo, vediamo alcune **tradizioni**.

A Capodanno, si appende all'entrata della casa una cipolla selvaggia che si secca ma rifiorisce dopo mesi, segno di rinascita; la prima persona che entra in casa, con il piede destro come ad ogni inizio mese, rompe per terra un melograno perché l'anno sia fortunato; dopo, si taglia la βασιλόπιτα, la torta di San Basilio, la cui moneta nascosta porterà fortuna a un membro della famiglia (se non capita nelle prime fette, quelle di Cristo, di Maria, della casa o del povero). All'Epifania, i più coraggiosi si buttano nel porto per recuperare la croce con cui il prete benedice l'acqua, rito che ricorda il battesimo di Gesù nel fiume Giordano. Con il Triodion Quaresimale comincia anche il Carnevale (quello più conosciuto è di Patrasso). Il Lunedì puro, l'inizio della Quaresima, i bambini fanno volare l'aquilone e a tavola si mangia tra l'altro la λαγάνα, un pane azzimo dalla forma allungata e schiacciata con semi di sesamo. Per la Pasqua si colorano e decorano le uova sode di rosso, colore che simboleggia il sangue di Cristo, e si festeggia per le strade e i giardini arrostendo un agnello intero allo spiedo. Il 25 marzo è la celebrazione della rivoluzione del 1821 contro gli ottomani mentre il 28 ottobre è l'anniversario del "No" all'invasione delle truppe di Mussolini nel 1940; durante queste due feste nazionali sfilano le forze armate ma anche ogni singola scuola del paese. Il 1° maggio ogni famiglia crea una corona con fiori di campo e la appende alla porta della casa. Nel periodo natalizio si addobba tradizionalmente una nave a vela ma sempre di meno ormai, e alle vigilie i bambini vanno per le case a cantare τα κάλαντα, al ritmo di un piccolo triangolo d'acciaio.

Νικηφόρος Λύτρας
(Nikiforos Lytras),
Τα κάλαντα
(I canti natalizi),
1872,
collezione privata

Per favore, non badare alla mancanza di stile. Ho l'impressione di aver fatto una corsa contro il tempo ma sono riuscito a far entrare il minimo indispensabile in una pagina. Dopo questa breve pausa folkloristica torniamo agli auguri. Ti sono sembrati **normali finora?** Vedi anche questi allora...

Καλό μαγείρεμα! (Buon cucinare!) e Καλό ψήσιμο! (Buona cottura!) si dicono in cucina, Καλά ψώνια! (Buone spese!) quando si va per negozi, e mia madre dice anche Καλές πληρωμές! (Buoni pagamenti!) quando esco con più bollette da pagare, Καλή ψήφο! (Buon voto!) in periodo di elezioni, Καλά μυαλά! (Buoni cervelli!) quando invitiamo qualcuno ad essere prudente, e Καλά ξεμπερδέματα! (Buono sbarazzarsi!) in caso di complicazioni inaspettate, contrattempo o ostacolo. Per finire, vorrei fare un riferimento speciale all'espressione Καλό βόλι! (Buon tiro!): all'inizio era un augurio per un tiro ben mirato durante l'Occupazione turca; in seguito, significava un voto pertinente e consapevole durante le elezioni, perché all'epoca si votava con un oggetto sferico che ricordava una pallottola; oggi è diventato un augurio a qualcuno che va a soddisfare il bisogno corporale meno leggero oppure ad un uomo che si appresta ad avere un rapporto carnale.

Andiamo a praticare

Nella colonna sinistra troverai auguri non sinistri ma sempre impossibili e impensabili. Trova (forse non è la parola giusta: lascia correre la tua fantasia e fa' ipotesi) a chi potrebbero essere indirizzati fra le persone della colonna destra.

1) Καλά αποτελέσματα!
(Buoni risultati!)

2) Καλά στέφανα!
(Buone corone!)

    A) a un'incinta

3) Καλή επιτυχία!
(Buon successo!)

4) Καλή θητεία!
(Buon servizio!)

    B) a un pensionato

5) Καλή λευτεριά!
(Buona libertà!)

6) Καλή πρόοδο!
(Buon progresso!)

    Γ) a un soldato

7) Καλή σταδιοδρομία!
(Buona carriera!)

8) Καλή σύνταξη!
(Buona pensione!)

9) Καλό διάβασμα!
(Buona lettura!)

    Δ) agli sposi

10) Καλό μάθημα!
(Buona lezione!)

11) Καλός πολίτης!
(Buon cittadino!)

    E) a uno studente

12) Καλούς απογόνους!
(Buoni discendenti!)

I segreti svelati in questo capitolo

. Hai capito che con l'etimologia si può andare molto lontano in tutti i sensi.

. Hai continuato ad essere tormentato dall'Aoristo ma comincia sicuramente ad entrare nel cervello.

. Hai avuto un elenco quasi completo dei membri della famiglia, in senso stretto e largo.

. Hai apprezzato le nuove informazioni ottenute per poter presentarti in modo sempre più completo.

. Hai scoperto che essere nipoti in Grecia e dèi sull'Olimpo non è tanto facile.

. Hai visto che alla fine il genitivo singolare non è molto difficile e hai capito che il genitivo plurale non è un regalo per nessuno.

. Hai avuto una nuova infarinatura sugli auguri, questa volta per quanto riguarda le feste dell'anno.

. Hai esplorato qualche tradizione folkloristica greca.

Soluzioni degli esercizi del 22° capitolo

22.2

1) Πήγε στο κρεβάτι των παιδιών.

2) Βρήκε ένα κρεβάτι γεμάτο με λεφτά.

3) Έριξε κι αυτός/εκείνος λεφτά.

4) Πετάξαμε ένα παιδί στο κρεβάτι.

5) Έμαθε πολλές ευχές.

6) Φάγαμε πάλι πολύ μέχρι αργά.

22.3

Le uniche affermazioni false sono la 2 (al posto di θεία metti γιαγιά) e la 8 (non è θείος ma ανιψιός). In realtà, Urano è il figlio di Gaia prima di diventare il padre di Crono e Rea ma le cose erano abbastanza complicate già così...

1. Gaia è la madre di Rea.
2. Gaia è la zia ➔ nonna di Zeus e Poseidone.
3. Demetra è la sorella e cugina di Poseidone.
4. Hera è la moglie e sorella di Zeus, e la zia di Persefone.
5. Hera e Demetra sono le figlie di Crono e le nipoti di Urano.
6. Zeus ha due figli maschi, Ares e Efesto.
7. Persefone è la figlia di Zeus e la nipote di Era.
8. Ares è il figlio e zio ➔ nipote di Hera.
9. Ares e Persefone sono fratello e sorella, e cugini.
10. Ares e Efesto sono i nipoti di Rea.
11. Zeus è il coniuge e fratello di Hera.
12. Ares è il fratello e cugino di Persefone.
13. Crono e Rea sono i genitori di Demetra.
14. Urano è il padre di Crono.
15. Crono è il nonno di Efesto.
16. Poseidone è il nipote di Urano.

22.4

1-E) a uno studente che ha fatto un esame e aspetta i risultati

270

2-Δ) ai futuri sposi, espressione che fa riferimento alla corona posata sul capo, che "lega" lo sposo alla sposa: durante la cerimonia, il prete le appoggia e il testimone le incrocia

3-E) a uno studente che deve fare un esame ma per molte persone Καλή τύχη! (Buona fortuna!) ha più senso; questi due auguri sono comunque abbastanza generali e possono essere detti a più situazioni

4-Γ) a un soldato che si arruola

5-A) a una donna incinta, come se fosse in schiavitù...

6-E) a uno studente che si impegna (più o meno)

7-E) a uno studente che si è laureato

8-B) a un nuovo pensionato

9-E) a uno studente che sta studiando

10-E) a uno studente che si prepara a entrare in classe

11-Γ) a un soldato che ha finito il servizio militare

12-Δ) ai freschi sposi

23° GIORNO / ΕΙΚΟΣΤΗ ΤΡΙΤΗ ΗΜΕΡΑ
ΟΥΚ ΑΝ ΛΑΒΟΙΣ ΠΑΡΑ ΤΟΥ ΜΗ ΕΧΟΝΤΟΣ
NON PUOI PRENDERE DA UNO CHE NON HA

23.1. Come capire il titolo ermetico del capitolo

Ουκ αν λάβοις παρά του μη έχοντος (con un bell'ottativo in greco antico che esprime il potenziale) potrebbe essere avvicinato all'espressione italiana "cavare sangue da una rapa" ma in greco si usa piuttosto per il denaro: quando non c'è, non ne puoi avere.

Stefania (coronata, il femminile di Stefano, da ο στέφανος in greco antico, το στεφάνι in greco moderno, la corona onoraria) πνίγεται στις δουλειές, letteralmente "si affoga negli impegni" (η δουλειά al singolare significa "il lavoro"), cioè **ha molte cose da fare**. Stelio (Στυλιανός sul calendario, Στέλιος per tutti i giorni, nome formato su ο στύλος, la colonna, perciò il sito del tempio di Zeus Olimpio ad Atene si chiama anche οι στύλοι του Ολυμπίου Διός e non οι στήλες, i blocchi di pietra, plurale di η στήλη, ma anche i greci sbagliano la parola, il genere e l'ortografia), quanto a lui, κάνει τον Κινέζο, fa il cinese, si può anche dire κάνει την πάπια, fa l'anatra, il che significa che "**fa l'indiano**". **Stefania lascia un post-it sul frigorifero per informare Stelio di tutto quello che ha fatto stamattina.**

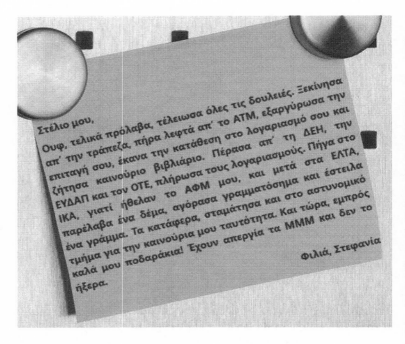

Στέλιο μου,
Ουφ, τελικά πρόλαβα, τέλειωσα όλες τις δουλειές. Ξεκίνησα
απ' την τράπεζα, πήρα λεφτά απ' το ATM, εξαργύρωσα την
επιταγή σου, έκανα την κατάθεση στο λογαριασμό σου και
ζήτησα καινούριο βιβλιάριο. Πέρασα απ' τη ΔΕΗ, την
ΕΥΔΑΠ και τον ΟΤΕ, πλήρωσα τους λογαριασμούς. Πήγα στο
ΙΚΑ, γιατί ήθελαν το ΑΦΜ μου, και μετά στα ΕΛΤΑ,
παρέλαβα ένα δέμα, αγόρασα γραμματόσημα και έστειλα
ένα γράμμα. Τα κατάφερα, σταμάτησα και στο αστυνομικό
τμήμα για την καινούρια μου ταυτότητα. Και τώρα, εμπρός
καλά μου ποδαράκια! Έχουν απεργία τα ΜΜΜ και δεν το
ήξερα.

Φιλιά, Στεφανία

Stelio mio,
Fiuu, alla fine ce l'ho fatta in tempo, ho finito tutti gli impegni. Ho iniziato dalla banca, ho preso soldi dal bancomat, incassato il tuo assegno, effettuato il deposito sul tuo conto e richiesto un nuovo libretto. Sono passata dall'Azienda pubblica dell'elettricità, dalla Società della rete idrica e fognaria della capitale, e dall'Ente delle telecomunicazioni di Grecia, ho pagato le bollette. Sono stata all'Istituto di assicurazioni sociali perché volevano la mia partita IVA e dopo alle Poste greche, ho ritirato un pacco, comprato francobolli e inviato una lettera. Ci sono riuscita, mi sono fermata anche alla stazione di polizia per la mia nuova carta d'identità. E adesso, hop hop Gadget gambe! I mezzi di trasporto sono in sciopero e non lo sapevo.

Baci, Stefania

23.2. Come formalizzare e verbalizzare (con esercizio)

Hai visto oggi

πρόλαβα, τέλειωσα, ξεκίνησα, πήρα, εξαργύρωσα, έκανα, ζήτησα, πέρασα, πλήρωσα, πήγα, ήθελαν, παρέλαβα, αγόρασα, έστειλα, κατάφερα, σταμάτησα, ήξερα

Presente	Aoristo
αγοράζω	αγόρασ-α
βγαίνω	βγήκ-α
εξαργυρώνω	εξαργύρωσ-α
έχω	είχ-α
ζητάω-ώ	ζήτησ-α
θέλω	ή-θελ-α
κάνω	έ-καν-α
καταφέρνω	κατάφερ-α
λαμβάνω	έ-λαβ-α
ξεκινάω-ώ	ξεκίνησ-α
ξέρω	ή-ξερ-α
παίρνω	πήρ-α
παραλαμβάνω	παρέλαβ-α
πάω/πηγαίνω	πήγ-α
περνάω-ώ	πέρασ-α
πληρώνω	πλήρωσ-α
προλαβαίνω	πρόλαβ-α
σταματάω-ώ	σταμάτησ-α
στέλνω	έ-στειλ-α
τελειώνω	τέλειωσ-α

E così hai visto anche due dei tre **verbi che cominciano con η- all'Aoristo**: θέλω ➲ ή-θελ-α, ξέρω ➲ ή-ξερ-α e πίνω ➲ ή-πι-α.

Andiamo a praticare

Stelio è in ansia e chiama Stefania per sapere cosa ha già fatto. Cosa le chiede? Metti i verbi tra parentesi alla 2a persona singolare dell'Aoristo.

(1. προλαβαίνω) ... ; (2. τελειώνω) ... όλες τις δουλειές; (3. παίρνω) ... λεφτά απ' το μηχάνημα; (4. εξαργυρώνω) ... την επιταγή μου; (5. κάνω) ... την κατάθεση στο λογαριασμό μου; (6. πληρώνω) ... τους λογαριασμούς; (7. πηγαίνω) ... στο ταχυδρομείο; (8. παραλαμβάνω) ... το δέμα; (9. στέλνω) ... το γράμμα; Γιατί δε (10. γυρίζω) ... ακόμη;

23.3. Come SPQRare in Grecia

ΑΤΜ, ΔΕΗ, ΕΥΔΑΠ, ΟΤΕ, ΙΚΑ, ΑΦΜ, ΕΛΤΑ, ΜΜΜ

Le parole sono superflue. Hai visto molti **acronimi** oggi e non sai cosa significhino. Cominciamo con quelli del testo…

A.T.M.	Αυτόματη Ταμειολογιστική Μηχανή
Α.Φ.Μ.	Αριθμός Φορολογικού Μητρώου
Δ.Ε.Η.	Δημόσια Επιχείρηση Ηλεκτρισμού
Ε.ΥΔ.Α.Π.	Εταιρεία ΥΔρεύσεως και Αποχετεύσεως Πρωτευούσης
ΕΛ.ΤΑ.	Ελληνικά ΤΑχυδρομεία
Ι.Κ.Α.	Ίδρυμα Κοινωνικών Ασφαλίσεων
Μ.Μ.Μ.	Μέσα Μαζικής Μεταφοράς
Ο.Τ.Ε.	Οργανισμός Τηλεπικοινωνιών Ελλάδος

… e finiamo con altri che potrebbero esserti **utili per un soggiorno più o meno lungo in Grecia**.

Α.Ε.Ι. (Ανώτατο Εκπαιδευτικό Ίδρυμα / Istituto di istruzione superiore): non si sa mai, forse hai comprato questo manuale per degli studi in Grecia.

ΑμεΑ (Άτομα με Αναπηρία / Persone con disabilità): acronimo utilissimo per sapere dove non si può parcheggiare.

Ε.Ε. (Ευρωπαϊκή Ένωση / Unione Europea)

Ε.Ο.Τ. (Ελληνικός Οργανισμός Τουρισμού / Organizzazione ellenica del turismo): se vedi un cartello con questo acronimo, entra per chiedere informazioni.

ΕΛ.ΑΣ. (Ελληνική ΑΣτυνομία / Polizia ellenica): con una -Λ- sono le forze dell'ordine e con due -ΛΛ-, la Grecia.

ΕΝ.Φ.Ι.Α. (ΕΝιαίος Φόρος Ιδιοκτησίας Ακινήτων / Tassa unica sulla proprietà immobiliare): acronimo fondamentale per le persone che hanno comprato una casa in Grecia.

Η.Λ.Π.Α.Π. (Ηλεκτροκίνητα Λεωφορεία Περιοχής Αθηνών - Πειραιώς / Autobus elettrici della regione di Atene e del Pireo): sono i filobus gialli, quindi troverai questo acronimo sulle fermate.

Η.Π.Α. (Ηνωμένες Πολιτείες της Αμερικής / Stati Uniti d'America): leggendo un giornale o ascoltando le notizie, troverai sicuramente questo acronimo.

Η.Σ.Α.Π. (Ηλεκτρικοί Σιδηρόδρομοι Αθηνών - Πειραιώς / Ferrovie elettriche di Atene e del Pireo): è la prima linea della metropolitana della capitale (Πειραιάς-Κηφισιά), che non è né metropolitana né rapida né sotterranea.

Ο.Α.Ε.Δ. (Οργανισμός Απασχόλησης Εργατικού Δυναμικού / Organizzazione per l'impiego di manodopera): non ti interessa se non lavori in Grecia, per essere più preciso se non non lavori, ma ci sono tante fermate dei mezzi pubblici con questo nome.

Ο.Π.Α.Π. (Οργανισμός Προγνωστικών Αγώνων Ποδοσφαίρου / Organizzazione di pronostici di giochi di calcio): è il posto per te se vuoi giocare al ΠΡΟ.ΠΟ. (ΠΡΟγνωστικά ΠΟδοσφαίρου / Pronostici di calcio), alla lotteria, al Lotto, al Gratta e Vinci, ecc.

Ο.Σ.Ε. (Οργανισμός Σιδηροδρόμων Ελλάδος / Organizzazione delle ferrovie elleniche): adesso che la Frecciarossa è arrivata in Grecia e puoi fare il viaggio Atene-Salonicco in soli tre ore e un quarto, devi sapere come arrivare in stazione.

ακρωνύμιο (το) [ακρωνυμί-ου / -ων] λέξη που σχηματίζεται από τα αρχικά γράμματα ή συλλαβές άλλων λέξεων: ΕΛ.ΤΑ. (Ελληνικά Ταχυδρομεία), ΠΡΟ.ΠΟ. (Προγνωστικά Ποδοσφαίρου). ☛ ΣΧΟΛΙΟ λ. αρκτικόλεξο, όνομα.
[ΕΤΥΜ. Ελληνογενής ξέν. όρ., πβ. αγγλ. acronym (< άκρος + -ωνύμιο < όνομα, αιολ. τ. του αρχ. όνομα)].

23.4. Come organizzare il pensiero (con esercizio)

Hai visto oggi
τέλειωσα, ξεκίνησα
τελικά, μετά

Ci sono più modi per **presentare la progressione delle a-zioni** ma Stefania non ha tanto insistito su questa cosa perché non aveva molto spazio nel post-it.

Se vuoi usare **verbi**, sono quelli che abbiamo già visto.

Per iniziare: ξεκινάω, -ώ (ξεκίνησα) από, αρχίζω (άρχισα) από
per continuare: συνεχίζω (συνέχισα) με
per finire: τελειώνω (τέλειωσα) με

Se vuoi avere una scelta più grande perché ci sono più tappe in quello che racconti, meglio far ricorso agli **avverbi**.

πρώτα (prima), πρώτα απ' όλα (prima di tutto), αρχικά (ini-zialmente)
μετά (dopo), στη συνέχεια (in seguito), έπειτα (poi), αργότερα (più tardi)
τέλος (alla fine), τελικά (infine)

Andiamo a praticare

Rivediamo l'essenziale del programma della mattinata di Stefania. Come potresti presentare meglio le stesse cose? Aggiungi parole, cambia parole, fa' tutto quello che vuoi.
Πέρασα απ' την τράπεζα, πλήρωσα τους λογαριασμούς, πήγα στο ταχυδρομείο, σταμάτησα στο αστυνομικό τμήμα.

I segreti svelati in questo capitolo

. Hai continuato ad imparare i verbi all'Aoristo.

. Hai scoperto acronimi che si incontrano dappertutto tutti i giorni e non è possibile non vederne durante un soggiorno in Grecia.

. Hai cominciato ad interessarti alla progressione logica di un testo esplorando verbi e avverbi utilissimi per presentare qualsiasi azione.

23.2

1) Πρόλαβες • 2) Τέλειωσες • 3) Πήρες • 4) Εξαργύρωσες • 5) Έκανες • 6) Πλήρωσες • 7) Πήγες • 8) Παρέλαβες • 9) Έστειλες • 10) γύρισες

23.4

Le combinazioni sono senza fine.

Ξεκίνησα / Άρχισα απ' την τράπεζα, μετά πλήρωσα τους λογαριασμούς, συνέχισα με το ταχυδρομείο και τέλειωσα με το αστυνομικό τμήμα.

Πρώτα, / Πρώτα απ' όλα, / Αρχικά, πέρασα απ' την τράπεζα. Μετά, / Στη συνέχεια, / Έπειτα, / Αργότερα, πλήρωσα τους λογαριασμούς. Μετά, / Στη συνέχεια, / Έπειτα, / Αργότερα, πήγα στο ταχυδρομείο. Τέλος, / Τελικά, σταμάτησα στο αστυνομικό τμήμα.

24° GIORNO / ΕΙΚΟΣΤΗ ΤΕΤΑΡΤΗ ΗΜΕΡΑ
Ο ΣΩΖΩΝ ΕΑΥΤΟΝ ΣΩΘΗΤΩ
SI SALVI CHI PUÒ ESSERE SALVATO

24.1. Come capire il titolo ermetico del capitolo

Ο σώζων εαυτόν σωθήτω (Si salvi chi può) è un'espressione di grande egoismo, che sarebbe stata pronunciata dall'oracolo di Delfi come unica soluzione degli Ateniesi per affrontare la minaccia dei Persiani. Si usa oggi in caso di grande pericolo, così ognuno deve pensare alla propria salvezza e non alle persone che si trovano attorno. Bell'esempio che di deporre le armi senza nemmeno provare a combattere…

Tersicore (Τερψιχόρη, colei che diverte con la danza, da η τέρψη, piacere, divertimento, e ο χορός, danza, che dà in italiano coro, corale, coreografia) **è uscita a fare i servizi. Telemaco** (Τηλέμαχος, cioè colui che combatte da lontano, con primo elemento τηλε- che abbiamo già visto nel § 14.2 e secondo elemento η μάχη, battaglia, come in η ναυμαχία, battaglia navale, η ταυρομαχία, corrida, η Ανδρομάχη, colei che combatte gli uomini, ecc.), tranquillo, è rimasto a casa e **sta leggendo il giornale.**

Brevi notizie dal mondo

Σύντομα νέα από τον κόσμο

ΓΑΛΛΙΑ
Καταστροφικές πλημμύρες άφησαν χωρίς φως, νερό και τηλέφωνο πολλά σπίτια και ολόκληρα χωριά στις Παραθαλάσσιες Άλπεις.

ΝΕΑ ΖΗΛΑΝΔΙΑ
Νέος σεισμός μεγέθους 8,1 βαθμών της κλίμακας Ρίχτερ χτύπησε τα νησιά Κερμάντεκ. Οι φόβοι για τσουνάμι είναι πολύ μεγάλοι.

ΙΤΑΛΙΑ
Ξύπνησε και πάλι η Αίτνα. Λάβα βγήκε από το ηφαίστειο και καπνός κάλυψε τον ουρανό της Σικελίας. Εικόνες από την έκρηξη κόβουν την ανάσα.

FRANCIA
Inondazioni catastrofiche hanno lasciato senza luce, acqua e telefono molte case e interi villaggi nelle Alpi Marittime.

NUOVA ZELANDA
Un nuovo terremoto di magnitudo 8.1 gradi della scala Richter ha colpito le isole Kermadec. I timori per uno tsunami sono molto alti.

ITALIA
L'Etna si è svegliato di nuovo. Lava è uscita dal vulcano e fumo ha coperto il cielo della Sicilia. Immagini dell'eruzione tolgono (letteralmente: tagliano) il fiato.

284

ΡΩΣΙΑ
Φωτιά και ισχυρή έκρηξη σε βενζινάδικο έκλεισαν τους δρόμους στην πόλη Βόλγκογκραντ για πολλές ώρες. Ασθενοφόρα μετέφεραν 13 τραυματίες σε νοσοκομείο.

ΗΝΩΜΕΝΕΣ ΠΟΛΙΤΕΙΕΣ ΑΜΕΡΙΚΗΣ
Συναγερμός μετά από πυρκαγιά σε εργοστάσιο χημικών στην Καλιφόρνια. Οι πυροσβέστες έφτασαν αμέσως, αλλά το πυκνό σύννεφο καπνού δυσκόλεψε πολύ τις προσπάθειές τους.

ΗΝΩΜΕΝΑ ΑΡΑΒΙΚΑ ΕΜΙΡΑΤΑ
Χάλασε ένα ασανσέρ στο Μπουρτζ Χαλίφα του Ντουμπάι. Γιατροί και νοσοκόμες που δουλεύουν στον ουρανοξύστη έτρεξαν στον 105ο όροφο. Πολλά άτομα βγήκαν σοκαρισμένα μετά από πάνω από τρεις ώρες.

RUSSIA
Un incendio e un'esplosione potente in una stazione di servizio hanno bloccato (letteralmente: chiuso) le strade nella città di Volgograd per molte ore. Ambulanze hanno trasportato in ospedale 13 feriti.

STATI UNITI D'AMERICA
Allarme dopo un incendio in un impianto chimico in California. I vigili del fuoco sono arrivati immediatamente ma la densa nuvola di fumo ha complicato molto i loro tentativi.

EMIRATI ARABI UNITI
Si è rotto un ascensore nel Burj Khalifa di Dubai. Medici e infermiere che lavorano nel grattacielo sono corsi al 105° piano. Molte persone sono uscite scioccate dopo più di tre ore.

24.2. Come formalizzare e verbalizzare (con esercizio)

Hai visto oggi
άφησαν, χτύπησε, ξύπνησε, βγήκε, κάλυψε, έκλεισαν, μετέφεραν, έφτασαν, δυσκόλεψε, χάλασε, έτρεξαν, βγήκαν

Presente	Aoristo
αφήνω	άφησ-α
βγαίνω	βγήκ-α
δουλεύω	δούλεψ-α
δυσκολεύω	δυσκόλεψ-α
είμαι	ήμουν
καλύπτω	κάλυψ-α
κλείνω	έ-κλεισ-α
κόβω	έ-κοψ-α
μετα/φέρω	μετ/έ-φερ-α
ξυπνάω-ώ	ξύπνησ-α
τρέχω	έ-τρεξ-α
φτάνω	έ-φτασ-α
χαλάω-ώ	χάλασ-α
χτυπάω-ώ	χτύπησ-α

Andiamo a praticare

Qui sotto ritroverai le notizie del giornale di oggi ma con qualche cambiamento: devi capire qual è il soggetto di ogni verbo per aggiungere la persona giusta del verbo all'Aoristo. Inoltre, ci sono ogni volta uno o più testimoni oculari (αυτόπτες μάρτυρες) che prendono la parola alla 1a persona del singolare o del plurale.

- Καταστροφική πλημμύρα (αφήνω) ... χωρίς φως, νερό και τηλέφωνο ολόκληρα χωριά στις Παραθαλάσσιες

286

Άλπεις. Αυτόπτης μάρτυρας (λέω) ... : «(χάνω) ... το σπίτι μου!»
- Νέοι σεισμοί (χτυπάω) ... τα νησιά Κερμάντεκ. Μάρτυρες (λέω) ... : «(ξυπνάω) ... από τους σεισμούς.»

- (ξυπνάω) ... και πάλι η Αίτνα και το Στρόμπολι. Άνθρωποι στην Κατάνια (μιλάω) ... : «(βλέπω) ... τη λάβα!»

L'Etna in eruzione
vista da Catania

- Φωτιά σε βενζινάδικο (κλείνω) ... τους δρόμους στην πόλη Βόλγκογκραντ και (υπάρχω) ... 13 τραυματίες.

287

Πολίτες (ανησυχώ) ... : «(καλώ) ... αμέσως τα ασθενοφόρα.»

- Ο ουρανός (γεμίζω) ... με καπνό από πυρκαγιά σε εργοστάσιο χημικών στην Καλιφόρνια. Πυροσβέστες (λέω) ...: «(έχω) ... πολλούς τραυματίες.»

- (χαλάω) ... δύο ασανσέρ στο Μπουρτζ Χαλίφα. Ένας γιατρός (τρέχω) ... αμέσως στον 105ο όροφο. Μας (λέω) ... : «(βγάζω) ... πολλά άτομα σοκαρισμένα.»

24.3. Come affrontare le conseguenze del riscaldamento globale

In realtà, οι φυσικές καταστροφές, i **disastri naturali**, non è un vocabolario per principianti ma, siccome non abbiamo curato il nostro pianeta e alcuni paesi continuano a fregarsene delle conseguenze sulle nostre vite, è un argomento importante che è possibile incontrare quotidianamente. **Quando leggi un giornale o guardi il telegiornale** è impossibile non trovare una qualsiasi di queste parole. Quante immagini di foreste verdi che scompaiono sotto le fiamme rosse di incendi? Quante altre di ghiacciai bianchi che si sciolgono nell'oceano blu, e orsi bianchi o pinguini bianchi e neri che non hanno più dove vivere?

Siccome l'argomento può facilmente rendere nera una giornata, interessiamoci ai **colori** che ci possono dare una speranza.

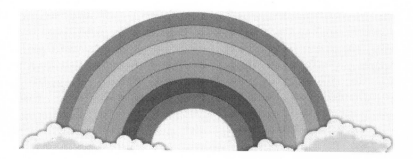

I sette colori dell'arcobaleno (το ουράνιο τόξο, letteralmente: arco celeste) sono: το κόκκινο, το πορτοκαλί, το κίτρινο, το πράσινο, το γαλάζιο / το θαλασσί, το μπλε, το μωβ /

μοβ / το βιολετί. Lo sfondo è ροζ e con i colori di cui ho parlato nell'introduzione (το μαύρο e το άσπρο, aggiungiamo anche το γκρι / το γκρίζο, risultato degli altri due) hai tutto per poter vedere la vita in rosa.

Vediamoli come **aggettivi** adesso. Alcuni sono **indeclinabili** (γκρι (grigio), μπλε (blu), μωβ/μοβ (viola)), altri **regolarissimi** sull'esempio di καλός, -ή, -ό (άσπρος, -η, -ο (bianco), κίτρινος, -η, -ο (giallo), κόκκινος, -η, -ο (rosso), μαύρος, -η, -ο (nero), πράσινος, -η, -ο (verde)) e altri che impererai adesso come declinare. Prendiamo come modello le due tonalità del blu che mi piacciono e che vediamo sulle isole greche.

	Maschile	Femminile	Neutro
Nom. sg.	γαλάζι-ος	γαλάζι-α	γαλάζι-ο
Acc. sg.	γαλάζι-ο	γαλάζι-α	γαλάζι-ο
Nom. pl.	γαλάζι-οι	γαλάζι-ες	γαλάζι-α
Acc. pl.	γαλάζι-ους	γαλάζι-ες	γαλάζι-α

Come γαλάζιος, -ια, -ιο (azzurro celeste) si declina γκρίζος, -α, -ο (grigio).

	Maschile	Femminile	Neutro
Nom. sg.	θαλασσ-ής	θαλασσ-ιά	θαλασσ-ί
Acc. sg.	θαλασσ-ή	θαλασσ-ιά	θαλασσ-ί
Nom. pl.	θαλασσ-ιοί	θαλασσ-ιές	θαλασσ-ιά
Acc. pl.	θαλασσ-ιούς	θαλασσ-ιές	θαλασσ-ιά

Come θαλασσής, -ιά, -ί (azzurro marino) si declinano βιολετής, -ιά, -ί (viola) e πορτοκαλής, -ιά, -ί (arancione).

Chi l'avrebbe detto? Finire così in bellezza un paragrafo sui disastri naturali.

24.4. Come emergere in qualsiasi situazione (con esercizio)

Un'altra cosa utilissima da sapere sono i **numeri dei servizi di emergenza** (οι υπηρεσίες άμεσης ανάγκης) da contattare in caso di bisogno.

η αστυνομία, polizia	100
οι πρώτες βοήθειες, primo soccorso	166
η πυροσβεστική, vigili del fuoco	199
τα εφημερεύοντα νοσοκομεία, ospedali di turno	1434
το κέντρο δηλητηριάσεων, centro antiveleni	210.77.93.777

Alla fine di questo manuale forse non sarai ancora a tuo agio per parlare al telefono con un greco, perciò non dimenticare che esiste il numero unico di emergenza (ο ευρωπαϊκός αριθμός κλήσης έκτακτης ανάγκης) 112.

E se non riesci a trovare quello di cui hai bisogno, per non diventare di mille colori, puoi consultare l'elenco telefonico al 11888 oppure anche il sito con lo stesso nome, dove ci sono le pagine bianche e gialle con tante informazioni, tra cui i mestieri.

Ti chiedo scusa in anticipo se non leggerai la professione che eserciti; ne avevo scritte altrettante ma ho dovuto fare una scelta, altrimenti il paragrafo sarebbe stato troppo lungo. Sono rimasti venti **mestieri** e altri venti nell'esercizio, e anche se non sono né i più pagati né i più ricercati, ti bastano ampiamente per ora. Tutti hanno la stessa forma al maschile e al femminile tranne le coppie separate da una barra obliqua.

αστυνόμος	poliziotto/-a
γραμματέας	segretario/-a
δάσκαλος/δασκάλα	maestro/-a
δημοσιογράφος	giornalista
δημόσιος υπάλληλος	funzionario
διευθυντής/διευθύντρια	direttore/-trice
δικηγόρος	avvocato/-essa
έμπορος	commerciante
εργάτης/εργάτρια	operaio/-a
ιδιωτικός υπάλληλος	dipendente privato
καθηγητής/καθηγήτρια	professore/-essa
κομμωτής/κομμώτρια	parrucchiere/-a
μηχανολόγος	ingegnere meccanico
ξεναγός	guida turistica
οδηγός	autista
πολιτικός μηχανικός	ingegnere civile
πωλητής/πωλήτρια	venditore/-trice
ταμίας	cassiere/-a
ταχυδρόμος	postino/-a
χορευτής/χορεύτρια	ballerino/-a

Andiamo a praticare

Vediamo adesso se hai ritenuto i mestieri già visti finora. Ne aggiungo alcuni altri che si possono capire molto facilmente.

Scegli dalla lista qui sotto la traduzione di ogni mestiere.

agricoltore • architetto • assistente di volo • atleta • attore • cameriere • cantante • cuoco • elettricista • farmacista • fotografo • idraulico • infermiere • marinaio • medico • musicista • pilota • pittore • politico • studente

1) αεροσυνοδός
2) αθλητής/αθλήτρια
3) αρχιτέκτονας
4) γεωργός
5) γιατρός
6) ζωγράφος
7) ηθοποιός
8) ηλεκτρολόγος
9) μάγειρας/μαγείρισσα
10) μουσικός

11) ναυτικός
12) νοσοκόμος/νοσοκόμα
13) πιλότος
14) πολιτικός
15) σερβιτόρος/σερβιτόρα
16) τραγουδιστής/τραγουδίστρια
17) υδραυλικός
18) φαρμακοποιός
19) φοιτητής/φοιτήτρια
20) φωτογράφος

I segreti svelati in questo capitolo

. Hai continuato a vedere tanti verbi all'Aoristo e cominci a manipolarli con sempre più facilità.

. Hai conosciuto il lessico base dei disastri naturali che si possono trovare nelle notizie quotidiane.

. Hai imparato i colori per non vedere la vita nera e sai ormai come declinarli tutti.

. Hai scoperto i numeri dei servizi di emergenza in caso di necessità durante un soggiorno in Grecia.

. Hai approfondito i mestieri ma forse la mia lista non ti ha dato piena soddisfazione.

24.2

- L'inondazione catastrofica ha lasciato (άφησε) senza luce, acqua e telefono interi villaggi nelle Alpi Marittime. Un testimone oculare ha detto (είπε): "Ho perso (Εχασα) la mia casa!"

- Nuovi terremoti hanno colpito (χτύπησαν) le isole Kermadec. Testimoni hanno detto (είπαν): "Ci siamo svegliati (Ξυπνήσαμε) dai terremoti."

- Si sono svegliati (Ξύπνησαν) di nuovo l'Etna e lo Stromboli. Persone a Catania hanno parlato (μίλησαν): "Abbiamo visto (Είδαμε) la lava!"

- Incendio in una stazione di servizio ha bloccato (έκλεισε) le strade nella città di Volgograd e ci sono stati (υπήρξαν) 13 feriti. Cittadini si sono preoccupati (ανησύχησαν): "Abbiamo chiamato (Καλέσαμε) subito le ambulanze."

- Il cielo si è riempito (γέμισε) di fumo da un incendio in un impianto chimico in California. I vigili del fuoco hanno detto (είπαν): "Abbiamo avuto (Είχαμε) molti feriti."

- Si sono rotti (Χάλασαν) due ascensori nel Burj Khalifa. Un medico è corso (έτρεξε) subito al 105° piano. Ci ha detto (είπε): "Ho portato fuori (Εβγαλα) molte persone scioccate."

24.4

1) assistente di volo (con il primo elemento che ti ricorda αεροδρόμιο) • 2) atleta • 3) architetto • 4) agricoltore • 5) medico • 6) pittore • 7) attore • 8) elettricista • 9) cuoco • 10) musicista • 11) marinaio (da cui deriva l'aggettivo italiano "nautico") • 12) infermiere (che dà in italiano "nosocomio" e "nosocomiale") • 13) pilota • 14) politico • 15) cameriere • 16) cantante • 17) idraulico • 18) farmacista • 19) studente • 20) fotografo

25° GIORNO / ΕΙΚΟΣΤΗ ΠΕΜΠΤΗ ΗΜΕΡΑ
ΚΕΡΑΥΝΟΣ ΕΝ ΑΙΘΡΙΑ
FULMINE IN TEMPO SERENO

25.1. Come capire il titolo ermetico del capitolo

Κεραυνός εν αιθρία si dice quando un evento completamente inaspettato o una notizia improvvisa provoca turbamento.

Iperione (Υπερίων, quello che è sopra, da υπέρ, prefisso molto prolifico che ha dato circa 150 parole in italiano) **e Ipazia** (Υπατία, la suprema, come la nota matematica e astronoma di Alessandria d'Egitto) **stanno guardando il bollettino meteorologico alla televisione greca.**

Σάκης Αρναούτογλου è stato premiato in Grecia come miglior presentatore meteo nel 2008. Era il primo ad avere idee innovative sulla presentazione dei bollettini meteorologici e ha contribuito in modo decisivo alla cerimonia dell'accensione della fiamma olimpica dei XXIX Giochi. Il suo programma dura 15 minuti, quindi puoi ottenere tutte le informazioni utili sul tuo soggiorno greco.

Καλησπέρα, κυρίες και κύριοι. Σύντομη πρόγνωση καιρού. Ο ουρανός σήμερα ήταν αίθριος σε όλη τη χώρα, ωστόσο αύριο η θερμοκρασία θα πέσει σημαντικά. Στη Μακεδονία και τη Θράκη θα έχουμε ομίχλη στα πεδινά τις πρώτες πρωινές ώρες και πυκνές χιονοπτώσεις στα βόρεια ορεινά τις βραδινές ώρες, ενώ θα χιονίσει ακόμα και μέσα στις μεγάλες πόλεις από τα μεσάνυχτα και πέρα. Στην Ήπειρο και τα Επτάνησα θα βρέξει και θα υπάρξουν κατά τόπους καταιγίδες στο νότιο Ιόνιο. Στην υπόλοιπη ηπειρωτική Ελλάδα τώρα: η μέρα θα ξεκινήσει με αρκετή υγρασία και τσουχτερό κρύο στη Στερεά Ελλάδα και την Πελοπόννησο, ενώ στη Θεσσαλία οι θερμοκρασίες θα είναι πιο χαμηλές και θα ρίξει αρκετή βροχή μετά το μεσημέρι. Τέλος, στα νησιά του Αιγαίου και την Κρήτη θα περιμένουμε ηλιοφάνεια με λίγα σύννεφα. Η θερμοκρασία θα ανέβει πάλι μεθαύριο, αλλά θα έχει ήλιο με δόντια για μερικές ημέρες· για καλοκαιρία και ζέστη θα πρέπει να περιμένουμε την επόμενη βδομάδα.

Buonasera, signore e signori. Breve previsione del tempo. Il cielo oggi era sereno in tutto il paese, domani però la temperatura diminuirà notevolmente. In Macedonia e Tracia avremo nebbia nelle pianure le prime ore del mattino e abbondanti nevicate nelle montagne settentrionali la sera, mentre nevicherà anche nelle grandi città da mezzanotte in poi. In Epiro e nell'Eptaneso pioverà e ci saranno temporali in alcune zone dello Ionio meridionale. Nel resto della Grecia continentale adesso: la giornata inizierà con abbastanza umidità e freddo pungente nella Grecia centrale e nel Peloponneso mentre in Tessaglia le temperature saranno più basse e cadrà molta pioggia dopo il pomeriggio. Infine, nelle isole dell'Egeo e in Creta aspetteremo il sole brillante con un po' di nuvole. La temperatura salirà di nuovo dopodomani ma ci sarà un sole timido che non riscalda (letteralmente: il sole con i denti) per qualche giorno; per il bel tempo e il caldo bisognerà aspettare fino alla settimana prossima.

25.2. Come formalizzare e verbalizzare (con esercizio)

Hai appena visto il **Futuro**, utilissimo tempo non solo per il tempo che farà nei prossimi giorni. Pensi che sia una nuova cosa difficile? Eppure no!

Per formare il Futuro, torniamo a quello che ti dicevo per quanto riguarda l'Aoristo. Anche il Futuro è un tempo le cui **azioni non durano molto** (almeno per quello che ti voglio insegnare oggi, perché in greco ci sono tre Futuri, ahimè!), perciò abbiamo bisogno della radice dell'Aoristo, **radice che non indica un tempo ma la durata breve di un'azione**, ecco perché avevo messo i trattini: è una cosa riutilizzabile.

Metti prima di tutto la parola **θα** che **deve rimanere sempre attaccata alla forma che segue**, sia alla forma affermativa che a quelle interrogativa o negativa, e dopo aggiungi **la radice dell'Aoristo** (ma non sempre, dipende dal verbo) **e le desinenze** del suo Presente (ma non sempre, dipende dal verbo). Questa forma, utilissima per la formazione di altri tempi/modi, chiamiamola "**coso**", altrimenti ti perderai tra Presente, Aoristo, Futuro ma anche il Congiuntivo che arriverà fra pochi giorni.

In genere, il "coso" ha la radice dell'Aoristo ma **senza la ε-**aggiunta siccome non ci interessa qua la regola delle tre sillabe dell'Aoristo. **Molte particolarità di nuovo**, per esempio, le forme con una sillaba (perciò ti avevo messo radicali con una sola lettera), quindi è solo la pratica che ti farà imparare le forme.

1	2	3	4
Singolare			
θα είμαι	θα χάσ-ω	θα δ-ω	θα πά-ω
θα είσαι	θα χάσ-εις	θα δ-εις	θα πα-ς
θα είναι	θα χάσ-ει	θα δ-ει	θα πά-ει
Plurale			
θα είμαστε	θα χάσ-ουμε	θα δ-ούμε	θα π-άμε
θα είστε	θα χάσ-ετε	θα δ-είτε	θα π-άτε
θα είναι	θα χάσ-ουν	θα δ-ουν	θα π-άνε

Per oggi hai abbastanza fortuna: tranne il verbo ausiliare (esempio 1 della tabella sopra), tutti gli altri seguono l'esempio facile e più frequente (esempio 2).

Presente	Aoristo	Futuro
ανεβαίνω	ανέβηκ-α	θα ανέβ-ω
βρέχει	έ-βρεξ-ε	θα βρέξ-ει
είμαι	ήμουν	θα είμαι
έχω	είχ-α	θα έχ-ω
ξεκινάω-ώ	ξεκίνησ-α	θα ξεκινήσ-ω
περιμένω	περίμεν-α	θα περιμέν-ω
πέφτω	έ-πεσ-α	θα πέσ-ω
πρέπει	έ-πρεπ-ε	θα πρέπ-ει
ρίχνω	έ-ριξ-α	θα ρίξ-ω
υπάρχω	υπήρξ-α	θα υπάρξ-ω
χιονίζει	χιόνισ-ε	θα χιονίσ-ει

L'esempio 4 seguono pochissimi "cosi".

πηγαίνω/πάω (andare) ➲ θα πάω
τρώω (mangiare) ➲ θα φάω

E come l'esempio 3 si coniugano i "cosi" monosillabici.

βγαίνω (uscire) ➲ θα βγω
βλέπω (guardare) ➲ θα δω
βρίσκω (trovare) ➲ θα βρω
λέω (dire) ➲ θα πω
μπαίνω (entrare) ➲ θα μπω
πίνω (bere) ➲ θα πιώ

Dopo le complessità dell'Aoristo, il Futuro, nonostante qualche particolarità, ti deve sembrare una cosa piuttosto semplice, vero?

Andiamo a praticare

Che tempo ha fatto ieri? Modifica il testo mettendo i verbi all'Aoristo. Così vedrai il legame tra i due tempi con una radice comune.

Ο ουρανός χτες (1) ... αίθριος σε όλη τη χώρα και η θερμοκρασία (2) ... σημαντικά. Στη Μακεδονία και τη Θράκη (3) ... ομίχλη στα πεδινά τις πρώτες πρωινές ώρες και πυκνές χιονοπτώσεις στα βόρεια ορεινά τις βραδινές ώρες, ενώ (4) ... ακόμα και μέσα στις μεγάλες πόλεις από τα μεσάνυχτα και πέρα. Στην Ήπειρο και τα Επτάνησα (5) ... και (6) ... κατά τόπους καταιγίδες στο νότιο Ιόνιο. Στην υπόλοιπη ηπειρωτική Ελλάδα τώρα: η μέρα (7) ... με αρκετή υγρασία και τσουχτερό κρύο στην Στερεά Ελλάδα και την Πελοπόννησο, ενώ στη Θεσσαλία οι θερμοκρασίες (8) ... πιο χαμηλές και (9) ... αρκετή βροχή μετά το μεσημέρι.

25.3. Come diventare geografi o meteorologi (con esercizio)

Nel testo delle previsioni sono menzionate **le nove grandi regioni della Grecia** ma forse non hai capito che tempo fa dove. Il numero delle lineette/lettere dei nomi sotto fornite ti aiuterà a situare le regioni sulla mappa. E, siccome ti voglio dare una mano, ti do **per ogni regione il nome della città più grande** ma con le lettere mescolate (la prima e l'ultima sono al loro posto), quindi alla fine non è un grande aiuto. Ma desidero davvero aiutarti, perciò **aggiungo qualche informazione utile**.

το Αιγαίο (Πέλαγος) • η Ήπειρος • η Θεσσαλία • η Θράκη • το Ιόνιο (Πέλαγος) • η Κρήτη • η Μακεδονία • η Πελοπόννησος • η Στερεά Ελλάδα

1) _ _ _ _ _ / ΑξύροπεδανολλΗ, porto molto importante della Grecia settentrionale ma non ti posso dare altre informazioni perché non ci sono mai stato: è troppo al nord per me.

2) _ _ _ _ _ _ _ _ _ / Θίλοσεσακνη, conosciuta anche come η συμπρωτεύουσα, co-capitale della Grecia, è la città più grande della regione che, senza entrare in discorsi politici, non ha mai cambiato nome durante secoli e secoli.

3) _ _ _ _ _ _ _ / Ιάιωννvα, con un bellissimo lago pieno di storia, dove si possono mangiare cosce di rana (τα βατραχοπόδαρα): non avevo mai l'intenzione di mangiarne ma, durante un viaggio quando ero piccolo, mio padre mi ha detto che erano patatine, le ho mangiate e mi sono piaciute.

4) _ _ _ _ _ _ _ _ / Λισάρα, città con temperature molto alte, dove visse e morì Ippocrate, l'altro, quello vero, il medico.

5) _ _ _ _ _ _ _ _ _ _ _ _ / Αήνθα, parlare solo della capitale sarebbe troppo limitativo mentre la regione è piena di attrazioni: il monte Parnasso, Delfi, Termopili, Tebe, Arachova...

6) _ _ _ _ _ _ _ _ _ _ _ _ _ / Πράτα, con il carnevale, ne abbiamo già parlato, ma per me, la cosa più bella della città erano le brioches (τα τσουρέκια) che compravamo dalla stazione ferroviaria quando ci passavamo ogni estate per andare dai nonni sull'isola di Zante; cannoli non ci sono però.

7) _ _ _ _ _ / Κρκρυέα, e tu pensi che il nome sia di origine straniera ma sbagli: viene da Κορυφού, perché da lontano si vedono i κορυφές, picchi delle due montagne dell'isola.

8) _ _ _ _ _ / ΗκεάρλιΟ; qua solo una precisazione perché ho sentito più volte che l'isola fosse un paese-nazione: è e-norme certo ma fa parte della Grecia.

9) _ _ _ _ _ _ / Ρδοό∑, bellissima isola, famosissima per al-meno tre cose: la città medievale, la Valle delle Farfalle e gli ombrelli.

25.4. Come sapere quando quando quando quando tu verrai (con esercizio)

Ecco l'elenco dei **principali avverbi di tempo.**

προχτές/προχθές	l'altrieri
χτες/χθες	ieri
σήμερα	oggi
απόψε	stasera
αύριο	domani
μεθαύριο	dopodomani
πρόπερσι	due anni fa
πέρυσι/πέρσι	l'anno scorso
φέτος	quest'anno
του χρόνου	l'anno prossimo
του αντίχρονου	fra due anni

Η Υπατία πέρσι

Η Υπατία φέτος

Η Υπατία του χρόνου

Η Υπατία του αντίχρονου

305

Eccoti l'agenda (η ατζέντα) di Ipazia. Si è sposata con Iperione (ο γάμος = matrimonio) lunedì scorso. Domenica prossima lei torna a lavorare (η δουλειά = lavoro). Per il loro viaggio di nozze hanno scelto la Grecia. Rispondi alle domande usando solo gli avverbi di tempo e i giorni che non abbiamo verificato nel § 11.3.

```
Δευτέρα 20        ΓΑΜΟΣ

Τρίτη 21   ΑΘΗΝΑ 06:45        Σύνταγμα
           λεωφορείο > ξενοδοχείοΟμόνοια

Τετάρτη 22  09:00 αυτοκίνητο (ημέρα 1)
            Δελφοί - Αράχωβα

Πέμπτη 23   αυτοκίνητο (ημέρα 2)
            Μαραθώνας - Σούνιο

Παρασκευή 24 αυτοκ. (ημέρα 3 > 21:00)
            Κόρινθος - Μυκήνες - Ναύπλιο

Σάββατο 25  Πειραιάς   ΜΙΛΑΝΟ 22:05
            λεωφορείο > αεροδρόμιο

Κυριακή 26        ΔΟΥΛΕΙΑ :-(
```

Τώρα είναι Πέμπτη νωρίς το πρωί.
1) Πότε ήταν ο γάμος;
2) Από πότε είναι στην Ελλάδα;
3) Πότε έφτασαν στο ξενοδοχείο;
4) Πότε πήραν το αυτοκίνητο;
5) Πότε πήγαν στους Δελφούς;
6) Πότε θα πάνε στο Σούνιο;
7) Πότε θα δουν το Ναύπλιο;
8) Πότε θα δώσουν πίσω το αυτοκίνητο;
9) Πότε θα γυρίσουν στην Ιταλία;
10) Πότε θα πάει δουλειά η Υπατία;

I segreti svelati in questo capitolo

. Hai avuto una precisazione importantissima sulla radice dell'Aoristo: non indica un tempo preciso ma la durata breve di un'azione.

. Hai scoperto il Futuro, hai saputo come si forma e hai cominciato ad esplorarlo tramite una tabella composta da quattro modelli.

. Hai scoperto le nove grandi regioni della Grecia e hai imparato cose più o meno interessanti su ognuna di esse.

. Hai visto i principali avverbi di tempo.

25.2

1) ήταν • 2) έπεσε • 3) είχαμε • 4) χιόνισε • 5) έβρεξε • 6) υπήρξαν • 7) ξεκίνησε • 8) ήταν • 9) έριξε

25.3

1) Θράκη (Tracia) • Αλεξανδρούπολη (Alessandropoli)

2) Μακεδονία (Macedonia) • Θεσσαλονίκη (Salonicco)

3) Ήπειρος (Epiro) • Ιωάννινα (Giannina).

4) Θεσσαλία (Tessaglia) • Λάρισα (Larissa)

5) Στερεά Ελλάδα (Grecia Centrale) • Αθήνα (Atene)

6) Πελοπόννησος (Peloponneso) • Πάτρα (Patrasso)

7) Ιόνιο (Mar Ionio) • Κέρκυρα (Corfù); le isole dell'arcipelago si chiamano anche Επτάνησα, Eptaneso, perché quelle più grandi sono sette

8) Κρήτη (Creta) • Ηράκλειο (Heraklion)

9) Αιγαίο (Mar Egeo) • Ρόδος (Rodi); l'arcipelago è diviso in più gruppi: τα Δωδεκάνησα (il Dodecaneso perché le isole più grandi sono dodici ma in realtà sono ventisei in totale), οι Κυκλάδες (le Cicladi, nome derivato da ο κύκλος, cerchio, perché ne formano uno intorno a Delo, isola sacra dove nacquero Apollo e Artemide), ο Αργοσαρωνικός (del golfo Argosaronico, con le isole più vicine ad Atene), οι Σποράδες (le Sporadi, le isole "sparse" in contrasto con quelle armonicamente disposte delle Cicladi) e το Βόρειο Αιγαίο (l'Egeo Settentrionale)

25.4

Eh sì, ci sono verbi che non conosci ai due tempi, perciò non ti ho chiesto di fare frasi complete. Ma si capisce tutto, no?

Oggi è giovedì presto la mattina.

1) Quando è stato il matrimonio? Τη Δευτέρα. • είμαι, ήμουν, θα είμαι

2) Da quando sono in Grecia? Από την Τρίτη το πρωί, από προχτές. • είμαι, ήμουν, θα είμαι

3) Quando sono arrivati all'albergo? Την Τρίτη, προχτές. • φτάνω, έφτασα, θα φτάσω

4) Quando hanno preso la macchina? Την Τετάρτη το πρωί, χτες. • παίρνω, πήρα, θα πάρω

5) Quando sono andati a Delfi? Την Τετάρτη, χτες. • πηγαίνω/πάω, πήγα, θα πάω

6) Quando andranno a Sounio? Σήμερα. • πηγαίνω/πάω, πήγα, θα πάω

7) Quando vedranno Nauplia? Την Παρασκευή, αύριο. • βλέπω, είδα, θα δω

8) Quando daranno indietro la macchina? Το Σάββατο το βράδυ, μεθαύριο. • δίνω, έδωσα, θα δώσω

9) Quando torneranno in Italia? Το Σάββατο, μεθαύριο. • γυρίζω, γύρισα, θα γυρίσω

10) Quando andrà al lavoro Ipazia? Την Κυριακή. • πηγαίνω/πάω, πήγα, θα πάω

26° GIORNO / ΕΙΚΟΣΤΗ ΕΚΤΗ ΗΜΕΡΑ
ΠΥΞ ΛΑΞ
CON PUGNI E CALCI

26.1. Come capire il titolo ermetico del capitolo

Πυξ λαξ è un'espressione antica che si usa ancora oggi per indicare un modo di espulsione molto violento ma puoi dire la stessa cosa in greco moderno con με κλωτσιές και μπουνιές. In greco antico sarebbe accompagnato anche da colpi di ginocchio e morsi. Πυξ Λαξ è anche il nome di un gruppo musicale greco di rock alternativo.

Fedra (che potrebbe essere chiamata anche Febe, Φοίβη, con stesso significato, "la brillante", deriva dall'aggettivo φαιδρός, divertente, etimologicamente "che irradia di gioia") **e Filippo** (l'amico dei cavalli; ancora con 'sti cavalli! Interessiamoci piuttosto al primo elemento, visto nella composizione di alcuni sostantivi nel § 21.4, nei nomi propri questa volta: Filadelfo, che ama i fratelli, Filandro, che ama gli uomini, per esempio, di un paese, Filarete, che ama la virtù, Filomena, che ama il canto, ecc.) **sono in visita dal medico.**

Sapresti spiegare il simbolo della farmacia? È la coppa di Igea (Υγεία), dea della salute (appunto η υγία in greco), della pulizia e dell'igiene, con avvolto intorno l'attributo di Asclepio, dio della medicina, un serpente in procinto di nutrirsi nel recipiente. Quest'animale è la rappresentazione della saggezza e del potere di guarigione, secondo le antiche credenze, e simboleggerebbe il paziente che può scegliere se prendere parte o meno alla medicina per curarsi.

Φαίδρα	Καλημέρα, γιατρέ!
Fedra	Buongiorno, dottore!
Φίλιππος	Η αρραβωνιαστικιά μου δε νιώθει και τόσο καλά.
Filippo	La mia fidanzata non si sente tanto bene.
Φαίδρα	Από την αρχή του μήνα, ίσως λίγο πιο πριν.
Fedra	Dall'inizio del mese, forse un po' prima.
Γιατρός	Πού πονάτε, δεσποινίς;
Medico	Dove ha male, signorina?
Φαίδρα	Στο στομάχι και την πλάτη.
Fedra	Allo stomaco e alla schiena.
Φίλιππος	Είναι κάτι σοβαρό, γιατρέ;
Filippo	È qualcosa di serio, dottore?
Γιατρός	Υπομονή, νεαρέ! Έχετε πυρετό;
Medico	Pazienza, giovanotto! Ha la febbre?
Φαίδρα	Όχι συνέχεια, αλλά που και που ανεβαίνει η θερμοκρασία μου.
Fedra	Non continuamente ma di tanto in tanto la mia temperatura sale.
Φίλιππος	Είναι βαριά, γιατρέ;
Filippo	È grave, dottore?
Γιατρός	Υποφέρετε από πονοκέφαλους;
Medico	Soffre di mal di testa?
Φαίδρα	Αρκετά συχνά. Έχω ναυτία το πρωί, αλλά μετά μου περνάει. Δυο-τρεις φορές λιποθύμησα. Είμαι πολύ κουρασμένη πάντως.
Fedra	Abbastanza spesso. Ho nausea la mattina ma dopo mi passa. Due-tre volte sono svenuta. Sono molto stanca comunque.
Φίλιππος	Τι έπαθε, γιατρέ μου;
Filippo	Cosa ha contratto, mio dottore?
Γιατρός	Μήπως να αγοράσετε ένα τεστ εγκυμοσύνης;
Medico	Se comprasse un test di gravidanza?
Φίλιππος	Θα με κάνει πατέρα; Δεν είμαι καλά...
Filippo	Mi farà diventare padre? Non sto bene...

312

26.2. Come formalizzare e verbalizzare (con esercizio)

Hai visto oggi
λιποθύμησα, έπαθε, να αγοράσετε, θα κάνει

Eccoci al **Congiuntivo**. Perché studiarlo dopo il Futuro? Perché si costruisce con lo stesso "coso" con να al posto di θα. Ma non vorrei che tu lo chiamassi Congiuntivo perché è molto diverso da quello italiano: **να + coso** mi va benissimo.

Presente	Aoristo	θα/να
αγοράζω	αγόρασ-α	θα/να αγοράσ-ω
ανεβαίνω	ανέβηκ-α	θα/να ανέβ-ω
είμαι	ήμουν	θα/να είμαι
έχω	είχ-α	θα/να έχ-ω
κάνω	έ-καν-α	θα/να κάν-ω
λιποθυμάω-ώ	λιποθύμησ-α	θα/να λιποθυμήσ-ω
νιώθω	ένιωσ-α	θα/να νιώσ-ω
περνάω-ώ	πέρασ-α	θα/να περάσ-ω
πονάω-ώ	πόνεσ-α	θα/να πονέσ-ω
υπο/φέρω	υπ/έ-φερ-α	θα/να υπο/φέρ-ω

Il να + coso **esprime un desiderio o un'aspettativa** e segue espressioni come:

θέλω να (voglio)	πάω να (vado)
λέω να (penso di)	πρέπει να (bisogna)
μπορεί να (può darsi)	προσπαθώ να (cerco di)
μπορώ να (posso)	προτιμώ να (preferisco)

Hai l'impressione di ritrovare espressioni che reggono il Congiuntivo anche in italiano. Guarda meglio però.

313

Voglio andare.	Θέλω να πάω.
Voglio che tu vada.	Θέλω να πας.
Posso parlare.	Μπορώ να μιλήσω.
Puoi parlare.	Μπορείς να μιλήσεις.

Quello che **ci interessa** è **solo la costruzione del verbo**.
Imparali così e saprai quando mettere να + coso.

Ήθελα να πάμε στη συναυλία. (Volevo che andassimo al concerto.)
Λέω να δω μια ταινία στο σινεμά. (Pianifico di guardare un film al cinema.)
Μπορεί να μην προλάβετε το μουσείο ανοιχτό. (Può darsi che non troviate il museo aperto.)
Γιατί δεν μπορέσατε να πάτε μια βόλτα; (Perché non siete riusciti a fare una passeggiata?)
Πάμε να φάμε έξω; (Andiamo a mangiare fuori?)
Δεν έπρεπε να βγουν μαζί ραντεβού. (Non dovevano uscire all'appuntamento insieme.)
Προσπάθησε να μου τηλεφωνήσει. (Ha cercato di telefonarmi.)
Προτιμάς να πας στο θέατρο; (Preferisci di andare a teatro?)

E che soggetti diversi e *consecutio temporum* mi cianci? Le cose sono facilissime: vedi να, aggiungi il "coso" alla persona che ti interessa e la storia finisce lì. Alla **forma negativa** però, devi usare **μη(ν)** che segue le regole della mnemotecnica (§ 7.4).

Andiamo a praticare

Ricordi le indicazioni che dava Senofonte a Xenia (§ 19.1)? Erano all'Aoristo, poco naturale… Cambia i nove verbi del passato e mettili alla 2a persona singolare usando a) il Futuro e b) πρέπει να + coso.

314

26.3. Come partorire un bel bambino pieno di salute (con esercizio)

Eh sì, Fedra era incinta (η έγκυος) e ecco il bambino.

Andiamo a praticare

Scegli dalla lista la parola che corrisponde ad ogni numero della foto. Logicamente sono solo quattro parole che non puoi indovinare; per tutte le altre ti aiuterà l'italiano.

το αυτί • το δάχτυλο • το κεφάλι • η κοιλιά • το πόδι
το πρόσωπο • το στόμα • το σώμα • το χέρι

1) ... // acefalo • 2) ... // prosopografia • 3) ... // psico-somatico • 4) τα μαλλιά • 5) το μάτι • 6) η μύτη • 7) ... //

315

otorinolaringoiatra • 8) ... // stomatologico • 9) ο λαιμός •
10) ... // chiromanzia • 11) ... // stenodattilografia • 12)
... // podologo • 13) ... // celiaco

26.4. Come fare un discorso apologetico (con esercizio)

Per quanto riguarda **la preposizione από** potrei scrivere pagine e pagine perché ha più sensi e più costruzioni. Per il momento vediamo **gli usi più comuni**:

- **l'origine spaziale**
    Είσαι από την Ιταλία. (Vieni dall'Italia.)
- **l'origine temporale**
    Δουλεύω από τις 8 μέχρι τις 5. (Lavoro dalle 8 alle 5.)
- **la materia**
    Το κρεβάτι είναι από ξύλο. (Il letto è di legno.)
- **la causa**
    Είμαστε κουρασμένοι από το ταξίδι. (Siamo stanchi dal viaggio.)
- **il passaggio**
    Περνάει από το ξενοδοχείο. (Passa dall'albergo.)
- **con avverbi** come έξω από (fuori), κάτω από (sotto), πίσω από (dietro), μετά από (dopo), πριν από (prima), ecc.
    Έχει αράχνες πίσω από το κρεβάτι, φασαρία κάτω από το παράθυρο και τουαλέτα έξω από το δωμάτιο. (Ci sono ragni dietro il letto, rumore sotto la finestra e water fuori dalla camera.)

Come puoi vedere, **si traduce generalmente con "da" e regge un accusativo**. Un'altra cosa importante è che l'ultima lettera può sparire prima di un articolo definito (senza che sia obbligatorio però) e così ottieni la parola **απ'**; nelle frasi degli esempi avresti potuto avere: απ' την Ιταλία, απ' τις 8, απ' το ταξίδι, απ' το ξενοδοχείο, απ' το κρεβάτι, απ' το παράθυρο απ' το δωμάτιο.

Andiamo a praticare

Ti sei già incrociato più volte con la preposizione από ma non ci siamo fermati perché non ti sei fatto troppe domande sulla cosa. Rileggi i paragrafi che ti metto fra parentesi e trova l'uso di ogni από.

από πονοκέφαλους (§ 26.4) • από μοσχαρίσιο και αρνίσιο κρέας (§ 8.3) • από πότε (§ 14.1) • από πού (§ 15.1) • από τα μεσάνυχτα και πέρα (§ 25.1) • από την Αθήνα (§ 14.1) • από χτες (§ 14.1) • μετά από μία ώρα (§ 21.1)

I segreti svelati in questo capitolo

. Hai scoperto la costruzione να + coso che non è esatta-mente la stessa cosa che il Congiuntivo italiano: così hai ca-pito che questa costruzione dipende dall'espressione che precede e non il senso o la traduzione in italiano.

. Hai imparato le parti del corpo.

. Hai sintetizzato gli usi più comuni della preposizione από e hai scoperto il troncamento in greco con απ'.

26.2

1) βγήκα ➲ θα βγεις / πρέπει να βγεις

2) έστριψα ➲ θα στρίψεις / πρέπει να στρίψεις

3) μπήκα ➲ θα μπεις / πρέπει να μπεις

4) ακολούθησα ➲ θα ακολουθήσεις / πρέπει να ακολουθήσεις

5) πέρασα ➲ θα περάσεις / πρέπει να περάσεις

6) προχώρησα ➲ θα προχωρήσεις / πρέπει να προχωρήσεις

7) πήρα ➲ θα πάρεις / πρέπει να πάρεις

8) συνέχισα ➲ θα συνεχίσεις / πρέπει να συνεχίσεις

9) έκανα ➲ θα κάνεις / πρέπει να κάνεις

26.3

1) το κεφάλι, testa * 2) το πρόσωπο, viso * 3) το σώμα, corpo * 4) τα μαλλιά, capelli * 5) το μάτι (plurale: τα μάτια), occhio * 6) η μύτη, naso * 7) το αυτί (plurale: τα αυτιά), orecchio * 8) το στόμα, bocca * 9) ο λαιμός, collo * 10) το χέρι (plurale: τα χέρια), mano e braccio * 11) το δάχτυλο (plurale: τα δάχτυλα), le dita della mano e del piede * 12) το πόδι (plurale: τα πόδια), piede e gamba * 13) η κοιλιά, ventre

26.4

- origine spaziale: από την Αθήνα (da Atene), από πού (da dove)

- origine temporale: από πότε (da quando), από χτες (da ieri) από τα μεσάνυχτα και πέρα (da mezzanotte in poi)

- materia: από μοσχαρίσιο και αρνίσιο κρέας (di manzo e agnello)

- causa: από πονοκέφαλους (di mal di testa)

- con avverbi: μετά από μία ώρα (dopo un'ora)

27° GIORNO / ΕΙΚΟΣΤΗ ΕΒΔΟΜΗ ΗΜΕΡΑ
ΤΟ ΜΗ ΧΕΙΡΟΝ ΒΕΛΤΙΣΤΟΝ
IL MENO PEGGIO È LA COSA MIGLIORE

27.1. Come capire il titolo ermetico del capitolo

Το μη χείρον βέλτιστον è un detto sui compromessi: tra due mali va scelto il male minore. **Cristoforo** (portatore di Cristo, -foro da φέρω (quel verbo particolare che abbiamo visto all'Aoristo), φέρνω in greco moderno, portare, che dà in italiano "semaforo", che porta il segnale, "termoforo", che porta il calore, ecc.) **e Criseide** (aurea, dorata, da ο χρυσός, oro, all'origine di "crisostomo", dalla bocca d'oro, "criselefantino", fatto di oro e avorio, ecc.) **sono entrati in un'agenzia di viaggi** (το ταξιδιωτικό γραφείο).

I greci sono sempre stati un popolo marinaio:
navi, navi, navi dappertutto

Υπάλληλος	Πώς μπορώ να σας εξυπηρετήσω;
Impiegato	Come posso esservi utile?
Χριστόφορος	Δύο εισιτήρια για Ηράκλειο, παρακαλώ.
Cristoforo	Due biglietti per Heraklion, per favore.
Υπάλληλος	Με πλοίο ή μ' αεροπλάνο;
Impiegato	Con la nave o con l'aereo?
Χριστόφορος	Να δούμε τις τιμές.
Cristoforo	Vediamo i prezzi.
Υπάλληλος	Ποια ημερομηνία; Απλό ή μετ' επιστροφής;
Impiegato	Quale data? Solo andata (letteralmente: semplice) o con andata e ritorno?
Χριστόφορος	Με επιστροφή. Από πρώτη μέχρι οκτώ.
Cristoforo	Con andata e ritorno. Dal primo all'otto.
Υπάλληλος	Υπάρχει προσφορά στην πτήση μέσω Θεσσαλονίκης.
Impiegato	C'è un'offerta sul volo con scalo a Salonicco.
Χρυσηίδα	Χωρίς ανταπόκριση. Θα χάσουμε τη μισή μέρα.
Criseide	Senza coincidenza. Perderemo metà della giornata.
Χριστόφορος	Η απευθείας πτήση πόσο κοστίζει;
Cristoforo	Il volo diretto quanto costa?
Υπάλληλος	Η πιο φτηνή τιμή είναι 80 ευρώ το άτομο στις 4.45 το πρωί, χωρίς...
Impiegato	Il prezzo più basso è di 80 euro a persona alle 4.45 del mattino, senza…
Χρυσηίδα	Χαράματα είναι! Πιο αργά δεν έχει;
Criseide	È l'alba! Più tardi non c'è?
Υπάλληλος	100 ευρώ το άτομο στις 9 η ώρα, χωρίς αποσκευές.
Impiegato	100 euro a persona alle ore 9, senza bagagli.
Χρυσηίδα	Κάτι πιο οικονομικό;
Criseide	Qualcosa di più economico?
Χριστόφορος	Πιο καλά να πάμε με καράβι, αγάπη μου.
Cristoforo	Andiamo meglio con la nave, amore mio.

27.2 Come formalizzare e verbalizzare (con esercizio)

Hai visto oggi

να εξυπηρετήσω, να δούμε, θα χάσουμε, να πάμε

Presente	Aoristo	θα/να
βλέπω	εί-δ-α	θα/να δω
είμαι	ήμουν	θα/να είμαι
εξυπηρετώ	εξυπηρέτησ-α	θα/να εξυπηρετήσ-ω
έχω	είχ-α	θα/να έχ-ω
κοστίζω	κόστισ-α	θα/να κοστίσ-ω
μπορώ	μπόρεσ-α	θα/να μπορέσ-ω
πηγαίνω/πάω	πήγ-α	θα/να πά-ω
υπάρχω	υπήρξ-α	θα/να υπάρξ-ω
χάνω	έ-χασ-α	θα/να χάσ-ω

Andiamo a praticare

Nel riassunto del testo di oggi che segue metti i verbi fra parentesi alla forma che conviene (Aoristo o να + coso).

Ο Χριστόφορος και η Χρυσηίδα (1. θέλω) … να (2. αγοράζω) … εισιτήρια για το Ηράκλειο και (3. λέω) … να (4. βλέπω) … πρώτα τις τιμές για να (5. αποφασίσω) … το μέσο, πλοίο ή αεροπλάνο. Ο υπάλληλος (6. προσπαθώ) … να τους (7. βρίσκω) … μια φτηνή τιμή, αλλά η Χρυσηίδα δεν (8. θέλω) … να (9. παίρνω) … την πτήση μέσω Θεσσαλονίκης για να μη (10. χάνω) … τη μισή μέρα. Τελικά, τα παιδιά (11. αποφασίζω) … να (12. παίρνω) … το πλοίο.

27.3. Come comparare il superlusso (con esercizio)

Nessuno ha soldi da buttar via, perciò dobbiamo confrontare i prezzi prima di un acquisto. Gli **aggettivi** e gli avverbi hanno tre gradi: il **positivo**, il **comparativo** e il **superlativo**. Non ti dicono nulla queste parole?

Questo manuale è **buono**. È il livello più basso dell'aggettivo, la tua frase è favorevole; mi aspettavo a qualcosa di più elogiativo ma va bene, ti ringrazio.
Questo manuale è **migliore dell'altro**. È il secondo livello, compara il mio libro ad un altro, diciamo che questa dichiarazione è comunque migliore della prima ma non tanto adulatrice, perciò non mi soddisfa pienamente.
Questo manuale è **il migliore di tutti**. È il terzo livello e quello che dici finalmente adesso riflette davvero la realtà.

Torniamo ai prezzi. Alla fine dovrai sceglierne il più economico (o meno caro ma così è leggermente più difficile esprimerlo, perciò **semplifica e positivizza**).

	articolo	πιο	πολύ	aggettivo
Positivo				x
Comparativo		x		x
Superlativo			x	x
Superlativo	x	x		x

φτηνό εισιτήριο	biglietto economico
πιο φτηνό εισιτήριο	biglietto più economico
πολύ φτηνό εισιτήριο	biglietto molto economico
το πιο φτηνό εισιτήριο	il biglietto più economico

Per quanto riguarda gli **avverbi**, le cose sono più facili perché non hai bisogno dell'articolo. Vediamo di nuovo com'è in italiano perché sia più chiaro dopo.

Alla fine di questo manuale parlerai il greco **bene**.
Se dopo continuerai a imparare il greco, parlerai **meglio**.
Se andrai a vivere in Grecia, parlerai la lingua **il meglio** possibile.

	πιο	πολύ	avverbio
Positivo			x
Comparativo	x		x
Superlativo		x	x

καλά	bene
πιο καλά	meglio
πολύ καλά	molto bene

Andiamo a praticare

Metti la parola fra parentesi alla forma che conviene facendo eventualmente l'accordo al femminile o al plurale.

1) Ο Όλυμπος είναι (ψηλός) ... βουνό της Ελλάδας και η Κρήτη (μεγάλος) ... νησί της χώρας: είναι (μεγάλος) ... από τη Ρόδο.

2) Ο Χριστόφορος έφτασε (νωρίς) ... . Η Χρυσηίδα έφτασε (νωρίς) ... , αλλά (νωρίς) ... · το φαγητό δεν ήταν ακόμα έτοιμο.

3) Η Τερψιχόρη είναι (μακριά) ... , στη Γαλλία, αλλά η Ρέα είναι ακόμα (μακριά) ... , στην Αγγλία. Η Στεφανία όμως είναι πραγματικά (μακριά) ... , στην Αυστραλία.

4) Η Φαίδρα είναι (ευγενικός) ... . Ο Φίλιππος είναι (ευγενικός) ... από τη Φαίδρα. Η Φαίδρα και ο Φίλιππος είναι πάντως (ευγενικός) ... απ' όλους τους φίλους μου.

325

27.4. Come essere flemmatici

Hai visto oggi
πλοίο, αεροπλάνο, καράβι

Personalmente non ho la macchina e nemmeno la patente (το δίπλωμα οδήγησης) e il mio modo preferito per spostarmi è:

| με τα πόδια | a piedi |

Purtroppo non si può fare tutto così ma io non ho la scelta; quando ho fatto lezioni di guida decenni fa, mancava poco perché la popolazione greca decrescesse drasticamente. Se Icaro avesse avuto risultati più brillanti, anche io avrei preferito le ali, τα φτερά. Quindi in un mondo che non è ideale come nel "Filobus numero 75" di Rodari, i **mezzi di trasporto** (τα μέσα μεταφοράς) sono necessari.

το ποδήλατο	bicicletta
η μηχανή, η μοτοσικλέτα	motocicletta
το αυτοκίνητο	macchina
το ταξί	tassì
το τρόλεϊ	filobus
το λεωφορείο	autobus
το τραμ	tram
το μετρό	metropolitana
ο προαστιακός σιδηρόδρομος	ferrovia suburbana
το τρένο	treno
η βάρκα	barca
το ιπτάμενο δελφίνι	aliscafo
το φεριμπότ	traghetto
το πλοίο, το καράβι	nave
το ελικόπτερο	elicottero
το αεροπλάνο	aereo

I segreti svelati in questo capitolo

. Hai continuato ad esplorare l'Aoristo, il Futuro e la costruzione να + coso.

. Hai capito cosa sono i gradi dell'aggettivo e dell'avverbio.

. Hai imparato quasi tutti i mezzi di trasporto.

27.2

1) ήθελαν • 2) αγοράσουν • 3) είπαν • 4) δουν • 5) αποφασίσουν • 6) προσπάθησε • 7) βρει • 8) ήθελε • 9) πάρουν • 10) χάσουν • 11) αποφάσισαν • 12) πάρουν

Cristoforo e Criseide volevano acquistare biglietti per Heraklion e hanno pensato di vedere prima i prezzi per decidere il mezzo, la nave o l'aereo. L'impiegato ha cercato di trovar loro un prezzo economico ma Criseide non ha voluto che prendessero l'aereo con scalo a Salonicco per non perdere metà della giornata. Alla fine, i ragazzi hanno deciso di prendere la nave.

27.3

1) L'Olimpo è la montagna più alta (το πιο ψηλό) della Grecia e Creta l'isola più grande (το πιο μεγάλο) del paese: è più grande (πιο μεγάλη) di Rodi.
2) Cristoforo è arrivato presto (νωρίς). Criseide è arrivata più presto (πιο νωρίς), ma molto presto (πολύ νωρίς); il pasto non era ancora pronto.
3) Tersicore è lontana (μακριά), in Francia, ma Rea è ancora più lontana (πιο μακριά), in Inghilterra. Stefania però è davvero molto lontana (πολύ μακριά), in Australia.
4) Fedra è gentile (ευγενική). Filippo è più gentile (πιο ευγενικός) di Fedra. In ogni caso, Fedra e Filippo sono i più gentili (οι πιο ευγενικοί) di tutti i miei amici.

28° GIORNO / ΕΙΚΟΣΤΗ ΟΓΔΟΗ ΗΜΕΡΑ
ΧΡΟΝΟΥ ΦΕΙΔΟΥ
RISPARMIA IL TEMPO

28.1. Come capire il titolo ermetico del capitolo

Χρόνου φείδου è un consiglio di trascorrere il proprio tempo con saggezza, di non lasciare che il tempo passi inutilmente perché il tempo è denaro. **Psiche** (prima di prendere il senso di "anima", era il fiato, il respiro, il segno della vita stessa ma anche la farfalla, e non ti faccio l'immenso elenco delle parole derivate in italiano) **e Ipsipile** (che ha porte alte, da το ύψος, l'altezza, e η πύλη, l'entrata, la porta) **sono in un'agenzia di viaggi**. E non meravigliarti se non c'è un nome maschile perché già per trovare qualcosa esistente nelle due lingue con dentro la ψ era un'impresa poco semplice.

Υπάλληλος	Θέλετε μία καμπίνα;
Impiegato	Volete una cabina?
Ψυχή	Αν είναι νυχτερινό το ταξίδι, βέβαια.
Psiche	Se è notturno il viaggio, certo.
Υπάλληλος	140 ευρώ και για τις δύο σε δίκλινη καμπίνα. Έχετε κάποιο όχημα;
Impiegato	140 euro per entrambi in una cabina doppia. Avete un veicolo?
Υψιπύλη	Όχι, δε θα πάρουμε τ' αυτοκίνητο.
Ipsipile	No, non prenderemo la macchina.
Ψυχή	Τι δρομολόγια υπάρχουν;
Psiche	Quali orari ci sono?
Υπάλληλος	Ένα πλοίο φεύγει στις 6.15 τ' απόγευμα και φτάνει στις 10 το πρωί.

Impiegato	Una nave parte alle 6.15 del pomeriggio e arriva alle 10 del mattino.
Υψιπύλη	Άπαπα! 16 ώρες...
Ipsipile	Puah! 16 ore...
Ψυχή	Κάτι πιο γρήγορο;
Psiche	Qualcosa di più veloce?
Υπάλληλος	Ένα άλλο πλοίο αναχωρεί στις 9.30 το βράδυ και το ταξίδι διαρκεί μόνο 9 ώρες.
Impiegato	Un'altra nave parte alle 9.30 di sera e il viaggio dura solo 9 ore.
Υψιπύλη	Αυτό μάλιστα!
Ipsipile	Questo sì!
Ψυχή	Να μας κλείσετε μ' αυτό το πλοίο.
Psiche	Prenoti per noi con questa nave, per favore.
Υπάλληλος	Πώς θα πληρώσετε;
Impiegato	Come pagherete?
Υψιπύλη	Κάτσε να δω μήπως έχω μετρητά. Μπα, όχι.
Ipsipile	Fammi vedere (letteralmente: siediti che io veda) se ho dei contanti. Bah, no.
Ψυχή	Με πιστωτική κάρτα λοιπόν.
Psiche	Con carta di credito allora.

28.2. Come formalizzare e verbalizzare (con esercizio)

αν είναι, δε θα πάρουμε, να κλείσετε, θα πληρώσετε, να δω

Novità del giorno: **αν + coso = ipotesi.**

Presente	Aoristo	θα/να/αν
αναχωρώ	αναχώρησ-α	θα/να/αν αναχωρήσ-ω
βλέπω	εί-δ-α	θα/να/αν δω
διαρκώ	διάρκεσ-α	θα/να/αν διαρκέσ-ω
έχω	είχ-α	θα/να/αν έχ-ω
θέλω	ή-θελ-α	θα/να/αν θέλ-ω
κλείνω	έ-κλεισ-α	θα/να/αν κλείσ-ω
παίρνω	πήρ-α	θα/να/αν πάρ-ω
πληρώνω	πλήρωσ-α	θα/να/αν πληρώσ-ω
υπάρχω	υπήρξ-α	θα/να/αν υπάρξ-ω
φεύγω	έ-φυγ-α	θα/να/αν φύγ-ω
φτάνω	έ-φτασ-α	θα/να/αν φτάσ-ω

Andiamo a praticare

E se, e se... Abbina gli elementi delle tre colonne e troverai tutte le ipotesi fatte sul viaggio di Psiche e Ipsipile.

a) Αν θελήσουν	1) δε θα πρέπει
b) Αν το ταξίδι είναι νυχτερινό,	2) θα πρέπει
c) Αν αποφασίσουν	3) να έχουν αυτοκίνητο,
d) Αν προτιμήσουν	4) να πάρουν καμπίνα,
e) Αν η Υψιπύλη έχει μετρητά,	5) να φύγουν στις 6.15 τ' απόγευμα,
α) θα δώσουν 140 ευρώ.	
β) θα φτάσουν στις 10 το πρωί.	
γ) να πάρουν καμπίνα.	
δ) να πληρώσει με πιστωτική κάρτα.	
ε) το εισιτήριο θα κοστίσει πιο ακριβά.	

28.3. Come miagolare enarmonicamente (con esercizio)

Hai visto oggi
μία καμπίνα, ένα πλοίο

Hai visto più volte "uno/una" e sicuramente non hai incontrato nessun problema. Ma hai letto bene, per esempio, la traduzione che corrisponde a "un'insalata" (μία σαλάτα, § 8.1), "una firma" (μία υπογραφή, § 12.1), "uno specchio" (έναν καθρέφτη, § 13.1) e oggi "una cabina" (μία καμπίνα)? Sì, quello che non ti ha fatto impressione è sempre lo stesso numero (per essere più precisi, è l'**articolo indefinito**) al maschile o al femminile.

Vediamo la sua **declinazione**.

	Maschile	Femminile	Neutro
Nominativo	ένας	μία/μια	ένα
Accusativo	ένα(ν)	μία(ν)/μια(ν)	ένα

La ν fra parentesi sai cosa significa. Altrimenti, torna indietro di più caselle, al § 7.4.

Andiamo a praticare

Metti in ordine le parole e forma delle frasi: la prima e l'ultima parola sono già al posto giusto.

1) Ο / σε έναν / μιλάει / μάγειρας / άντρα.
2) Πάνω / ένας / υπάρχει / δέντρο / στο / τζίτζικας.
3) Φέρνω / γείτονες / έναν / στους / κόκορα.
4) Οι / μια / γείτονες / μιλάνε / με / γιαγιά.
5) Δίνεις / στα / πίνακες / τους / παιδιά.
6) Στον / Έλληνες / πίνακα / βλέπεις / ήρωες.

28.4. Come non mancare una riunione all'oratorio (con esercizio)

Hai visto oggi
στις 6.15 τ' απόγευμα, στις 10 το πρωί, στις 9.30 το βράδυ

Per indicare l'**ora** hai bisogno di precisare il momento della giornata perché, in genere, si usa il **formato sulle 12 ore**, perciò, tranne quando ti chiedono l'ora in diretta, vanno aggiunti το πρωί (la mattina), το μεσημέρι (il mezzogiorno, nel senso molto lato del termine), το απόγευμα (il pomeriggio), το βράδυ (la sera), μετά τα μεσάνυχτα (dopo mezzanotte).

Τι ώρα είναι; (sempre al singolare, letteralmente: Che ora è?)		
Είναι	1.00	μία η ώρα / μία ακριβώς
	1.05	μία και πέντε
	1.10	μία και δέκα
	1.15	μία και δεκαπέντε / τέταρτο
	1.20	μία και είκοσι
	1.25	μία και είκοσι πέντε
	1.30	μία και τριάντα / μία και μισή / μιάμιση
	1.35	μία και τριάντα πέντε / δύο παρά είκοσι πέντε
	1.40	μία και σαράντα / δύο παρά είκοσι
	1.45	μία και σαράντα πέντε / δύο παρά τέταρτο
	1.50	μία και πενήντα / δύο παρά δέκα
	1.55	μία και πενήντα πέντε / δύο παρά πέντε

Siccome la parola sottintesa è η ώρα, l'ora, **tutte le ore sono al femminile**: si capisce però solo all'**una** (μία), alle **tre** (τρεις) e alle **quattro** (τέσσερις). Sono gli unici numeri che hanno una forma per il **maschile** e il **femminile**, e un'altra per il **neutro**. Hai appena visto "uno", vediamo anche "tre" e "quattro".

334

	Maschile	Femminile	Neutro
Nominativo	τρεις	τρεις	τρία
Accusativo	τρεις	τρεις	τρία

	Maschile	Femminile	Neutro
Nominativo	τέσσερις	τέσσερις	τέσσερα
Accusativo	τέσσερις	τέσσερις	τέσσερα

Tutti **gli altri numeri non cambiano forma** (δύο, πέντε, έξι, επτά/εφτά, οκτώ/οχτώ, εννέα/εννιά, δέκα, έντεκα, δώδεκα).

Sulla stessa logica, quando si dà un appuntamento, si usa l'articolo femminile **singolare** per l'una (**στη** μία) e l'articolo femminile **plurale** per tutte le altre ore (**στις** δύο, στις τρεις, ecc.).

Ultima cosa: μιάμιση in una sola parola finisce con -η mentre tutto il resto (δυόμισι, τρεισήμισι, τεσσερισήμισι, πεντέμισι, εξίμισι, επτάμισι/εφτάμισι, οκτώμισι/οχτώμισι, εννιάμισι, δεκάμισι, εντεκάμισι, δωδεκάμισι) con -ι. Per fortuna è una questione di ortografia e non si capirà un errore oralmente.

Andiamo a praticare

Che ore sono?

1) 03.30 ◆ 2) 04.05 ◆ 3) 14.10 ◆ 4) 00.15 ◆ 5) 21.20 ◆ 6) 06.25 ◆ 7) 14.30 ◆ 8) 19.35 ◆ 9) 20.40 ◆ 10) 23.45 ◆ 11) 17.50 ◆ 12) 10.55 ◆ 13) 16.30 ◆ 14) 02.00

I segreti svelati in questo capitolo

. Hai capito che quel "coso" è molto utile: dopo il Futuro e il Congiuntivo, hai visto che anche l'ipotesi si costruisce con la stessa parola.

. Hai scoperto che alcuni numeri (uno, tre e quattro) si declinano e hai visto l'utilità di ciò nell'indicare l'ora.

28.2

a-4-α: Se vorranno prendere una cabina, daranno 140 euro.

b-2-γ: Se il viaggio sarà notturno, dovranno prendere una cabina.

c-3-ε: Se decideranno di avere una macchina, il biglietto costerà di più.

d-5-β: Se preferiranno partire alle 6.15 del pomeriggio, arriveranno alle 10 del mattino.

e-1-δ: Se Ipsipile avrà dei contanti, non dovrà pagare con carta di credito.

28.3

1) Ο μάγειρας μιλάει σε έναν άντρα. (Il cuoco parla ad un uomo.)

"Ο" è l'articolo definito maschile al nominativo singolare, quindi può essere seguito solo da "μάγειρας" che è un sostantivo maschile singolare al nominativo; il tutto è il soggetto del verbo "μιλάει". Abbiamo visto che "έναν" può essere solo un accusativo singolare maschile e "άντρα" (di άντρας) è all'accusativo singolare.

2) Πάνω στο δέντρο υπάρχει ένας τζίτζικας. (Sull'albero c'è una cicala.)

"Πάνω" si costruisce con la preposizione "σε" + accusativo: qui abbiamo "στο" che regge un neutro singolare e "δέντρο" è l'unico nome neutro singolare della frase. "Πάνω στο δέντρο" è un complemento circostanziale di luogo. Il soggetto del verbo "υπάρχει" si trova alla fine della frase: "ένας" è maschile al nominativo esattamente come "τζίτζικας" che segue la declinazione di "πίνακας".

3) Φέρνω στους γείτονες έναν κόκορα. (Porto ai vicini un gallo.)

"Φέρνω" è il verbo della frase alla prima persona del singolare, il pronome personale "εγώ" è sottinteso, quindi non ci manca il soggetto. Che cosa porto? Solo "κόκορα", nome maschile all'accusativo singolare, preceduto da "έναν", può essere il complemento oggetto diretto perché "στους" si costruisce con "γείτονες", stesso caso, stesso numero, ovvero accusativo plurale.

4) Οι γείτονες μιλάνε με μια γιαγιά. (I vicini parlano con una nonna.)

L'articolo "οι" aspetta il sostantivo "γείτονες" per essere completato perché sono entrambi al nominativo plurale: questo gruppo è il soggetto del verbo "μιλάνε". La preposizione "με" regge l'accusativo e infatti, "μια" e "γιαγιά" sono all'accusativo singolare.

5) Δίνεις τους πίνακες στα παιδιά. (Dai i quadri ai bambini.)

"Δίνεις" è il verbo della frase alla seconda persona del singolare, il soggetto (εσύ) è ancora una volta sottinteso. I sostantivi "πίνακες" e "παιδιά" sono al plurale. Problema? No! Il primo è maschile mentre il secondo è neutro, quindi nonostante le desinenze uguali al nominativo e all'accusativo di ogni genere, si capisce molto facilmente dagli articoli quali sono i gruppi: "τους πίνακες" è il complemento oggetto diretto e "στα παιδιά" è il complemento oggetto indiretto.

6) Στον πίνακα βλέπεις Έλληνες ήρωες. (Nel quadro vedi eroi greci.)

L'unico piccolo ma veramente piccolissimo problema di questa frase potrebbe essere Έλληνες che è un aggettivo di nazionalità ma solo per le persone (Έλληνας per gli uomini, Ελληνίδα per le donne); non è ελληνικός che avrebbe potuto essere un quadro (ο ελληνικός πίνακας), ελληνική il mare (η ελληνική θάλασσα), ελληνικό il piatto (το ελληνικό πιάτο). Ma solo i sostantivi Έλληνες e ήρωες (ο ήρωας al nominativo) sono al plurale, quindi messi insieme non possono essere altro che il complemento oggetto diretto siccome πίνακα è al singolare, esattamente come στον.

28.4

1) τρεις και τριάντα / τρεις και μισή / τρεισήμισι (το πρωί)
2) τέσσερις και πέντε (το πρωί)
3) δύο και δέκα (το μεσημέρι)
4) δώδεκα και δεκαπέντε / δώδεκα και τέταρτο (μετά τα μεσάνυχτα)
5) εννέα και είκοσι / εννιά και είκοσι (το βράδυ)
6) έξι και είκοσι πέντε (το πρωί)
7) δύο και τριάντα / δύο και μισή / δυόμισι (το μεσημέρι)
8) επτά και τριάντα πέντε / εφτά και τριάντα πέντε / οκτώ παρά είκοσι πέντε / οχτώ παρά είκοσι πέντε (το βράδυ)
9) οκτώ και σαράντα / οχτώ και σαράντα / εννέα παρά είκοσι / εννιά παρά είκοσι (το βράδυ)
10) έντεκα και σαράντα πέντε / δώδεκα παρά τέταρτο (το βράδυ)
11) πέντε και πενήντα / έξι παρά δέκα (το απόγευμα)
12) δέκα και πενήντα πέντε / έντεκα παρά πέντε (το πρωί)
13) τέσσερις και τριάντα / τέσσερις και μισή / τεσσερισήμισι (το μεσημέρι)
14) δύο η ώρα / δύο ακριβώς (το πρωί)

29° GIORNO / ΕΙΚΟΣΤΗ ΕΝΑΤΗ ΗΜΕΡΑ
ΩΝ ΟΥΚ ΕΣΤΙΝ ΑΡΙΘΜΟΣ
DI CUI NON SI PUÒ CALCOLARE IL NUMERO

29.1. Come capire il titolo ermetico del capitolo

Ὧν οὐκ ἔστιν ἀριθμός caratterizza ciò che è molto popolato, frequentato, numeroso. **Orione** (Ὠρίωνας, come il nome del bellissimo e fortissimo gigante cacciatore) **e Oceania** (Ὠκεανία, dell'oceano) **hanno trascorso qualche giorno in Creta.** È il loro ultimo giorno sull'isola prima di tornare in Italia e **Oceania scrive le impressioni nel diario segreto.**

Ἀγαπητό μου ημερολόγιο,
Η Κρήτη είναι ένας πανέμορφος τόπος και έχει πάρα πολλά πράγματα να δεις. Γυρίσαμε πολύ, αλλά δεν προλαβαίνουμε να πάμε αλλού, γιατί οι αποστάσεις είναι τεράστιες και θέλει πολύ χρόνο για να γνωρίσεις τα πάντα. Φάγαμε πολύ καλά και συναντήσαμε υπέροχους ανθρώπους. Σ' ένα χωριό μια γιαγιά μάς κάλεσε για φαγητό σπίτι της ενώ μιλήσαμε μαζί της μόνο ένα τέταρτο! Εκεί να δεις ολόφρεσκα λαχανικά και πεντανόστιμα φρούτα απ' τον κήπο της. Κάναμε ένα αξέχαστο ταξίδι, γνώρισα παράξενα έθιμα, κι έμαθα πολλές καινούριες λέξεις κι εκφράσεις. Θα έρθουμε σίγουρα ξανά!

Mio caro diario,

Creta è un bellissimo luogo e ha moltissime cose da vedere. Abbiamo girato molto ma non siamo riusciti ad andare da nessun'altra parte perché le distanze sono enormi e ci vuole molto tempo per andare da un posto all'altro. Abbiamo mangiato benissimo e conosciuto persone meravigliose. In un villaggio una nonna ci ha invitati a mangiare a casa sua, quando abbiamo parlato con lei solo per un quarto d'ora! Lì dovevi vedere verdure freschissime e deliziosi frutti dal suo giardino. Domani torniamo in Italia ma abbiamo fatto un viaggio indimenticabile, ho conosciuto strani costumi e ho imparato molte nuove parole ed espressioni. Ritorneremo sicuramente!

Ma hanno davvero fatto questo viaggio Orione e Oceania? Non si sa. E poi, non ha nessuna importanza. Può anche darsi che sia **tu il protagonista della lezione di oggi**: forse quello che è scritto nel testo non si riferisce al viaggio dei due ragazzi ma al **tuo percorso effettuato finora**; se sostituisci Creta con **la lingua greca**, se al posto delle distanze spaziali metti quelle immaginarie, se invece del giardino e del cibo pensi alle **conoscenze che hai ottenuto** e se la nonna non è una nonna ma io, **questo testo non potrebbe essere paragonato al viaggio che abbiamo effettuato insieme?**

Almeno spero che la fine sia veramente quello che provi adesso che stai per finire questo manuale.

29.2. Come formalizzare e verbalizzare (con esercizio)

Hai visto oggi

να δεις, γυρίσαμε, για να γνωρίσεις, φάγαμε,
συναντήσαμε, κάλεσε, μιλήσαμε, να δεις, κάναμε,
γνώρισα, έμαθα, θα έρθουμε

Presente	Aoristo	θα/να/αν
βλέπω	εί-δ-α	θα/να/αν δω
γνωρίζω	γνώρισ-α	θα/να/αν γνωρίσ-ω
γυρίζω	γύρισ-α	θα/να/αν γυρίσ-ω
είμαι	ήμουν	θα/να/αν είμαι
έρχομαι	ήρθ-α	θα/να/αν έρθ-ω
έχω	είχ-α	θα/να/αν έχ-ω
θέλω	ή-θελ-α	θα/να/αν θέλ-ω
καλώ	κάλεσ-α	θα/να/αν καλέσ-ω
κάνω	έ-καν-α	θα/να/αν κάν-ω
μαθαίνω	έ-μαθ-α	θα/να/αν μάθ-ω
μιλάω-ώ	μίλησ-α	θα/να/αν μιλήσ-ω
πηγαίνω/πάω	πήγ-α	θα/να/αν πά-ω
προλαβαίνω	πρόλαβ-α	θα/να/αν προλάβ-ω
συναντάω-ώ	συνάντησ-α	θα/να/αν συναντήσ-ω
τρώω	έ-φαγ-α	θα/να/αν φά-ω

Oggi ho usato anche il verbo έρχομαι, venire, che ha una desinenza strana. Mi ero trattenuto finora ma adesso che siamo quasi arrivati alla fine del tuo percorso, ti preparo per il seguito, quando vorrai approfondire: i verbi in -μαι.

Andiamo a praticare

Oceania sta già sognando al prossimo viaggio a Creta ma è commossa e non riesce a trovare le parole. Aiutala a mettere i verbi tra parentesi alla forma che conviene (la persona richiesta è data ogni volta ma non la devi utilizzare).

(1. γυρίζω / εμείς) ... πολύ το νησί. (2. σταματάω-ώ / εμείς) ... στο χωριό για να (3. βρίσκω / εμείς) ... τη γιαγιά. Αν μας (4. καλώ / η γιαγιά) ... για φαγητό ακόμη μια φορά, (5. τρέχω / εμείς) ... να (6. πηγαίνω / εμείς) ... και σίγουρα (7. περνάω / εμείς) ... πολύ ωραία μαζί. (8. τρώω / εμείς) ... πάλι πολύ καλά και (9. συναντώ / εμείς) ... υπέροχους ανθρώπους. (10. γνωρίζω / εγώ) ... κι άλλα έθιμα, και (11. μαθαίνω / εγώ) ... καινούριες λέξεις κι εκφράσεις. Αν δεν (12. προλαβαίνω / εμείς) ... να (13. βλέπω / εμείς) ... τα πάντα, (14. έρχομαι / εμείς) ... ξανά.

Il palazzo di Cnosso, Heraklion, Creta

344

29.3. Come ottenere i benefici del poliamore

Hai visto oggi

πάρα πολλά πράγματα, γυρίσαμε πολύ, πολύ χρόνο, πολύ καλά, πολλές καινούριες λέξεις κι εκφράσεις

Non ti rivoltare subito! Altrimenti, θα κόψω τα πολλά πολλά μαζί σου (letteralmente: taglierò le molte cose molte cose con te), non avrò più un rapporto speciale con te. Anche io sono fedele come un pappagallo monogamico. Qui ti volevo solo parlare dell'amore del "poli" che è un **aggettivo** un po' difficilino **talvolta con una -λ- e talvolta con due -λλ-**, il che dipende dal genere del sostantivo che lo accompagna.

	Maschile	Femminile	Neutro
		Singolare	
Nominativo	πολ-ύς	πολλ-ή	πολ-ύ
Accusativo	πολ-ύ	πολλ-ή	πολ-ύ
		Plurale	
Nominativo	πολλ-οί	πολλ-ές	πολλ-ά
Accusativo	πολλ-ούς	πολλ-ές	πολλ-ά

Πολύ è anche un **avverbio**, l'abbiamo visto parecchie volte davanti a un altro avverbio o un aggettivo, oppure dopo un verbo.

πολύ καλά	molto bene
πολύ ωραία μέρα	giorno molto bello
ευχαριστώ πολύ	grazie molte

E, per finire, **πάρα** è una **parola che precede** spesso tutto quello che hai visto in questo paragrafo per insistere sulla grandissima quantità.

29.4 Come andare verso l'infinito e oltre (con esercizio)

Il **superlativo** può anche essere espresso **in una sola parola** tramite l'aggiunta di un **prefisso**: παν-, ολο-, πεντ-. Ce ne sono tanti altri (θεο-, κατα-, τρισ-, υπερ-, ecc.) ma, siccome non sono tutti intercambiabili, rimaniamo con questi tre; e poi, certe volte la prima lettera del secondo elemento della parola composta cambia, perciò accontentiamoci di poco.

πανελλήνιος, -α, -ο	panellenico, di tutta la Grecia
ολόσωμος, -η, -ο	che copre tutto il corpo
πεντακάθαρος, -η, -ο	pulitissimo

Andiamo a praticare

Siamo quasi alla fine, sei capace di capire quasi tutto. Traduciamo un po'.

1) Αγόρασε ένα πανάκριβο αυτοκίνητο.
2) Είδες το φιλμ «Η Πεντάμορφη και το Τέρας»;
3) Η παγκόσμια οικονομία υποφέρει.
4) Πέρασαν ολομόναχοι την Πρωτοχρονιά.
5) Τα εισιτήρια ήταν πάμφθηνα.
6) Τα ρούχα βγήκαν από το πλυντήριο ολόλευκα.
7) Της έκανε δώρο ένα ολοκαίνουργο ρολόι.
8) Τραγούδησαν στον Πανευρωπαϊκό διαγωνισμό τραγουδιού.

I segreti svelati in questo capitolo

. Hai cominciato a sentirti più a tuo agio davanti ai verbi all'Aoristo, al Futuro e alle costruzioni να/ας + coso, e hai visto un verbo con una nuova desinenza che ti ha forse fatto venire la voglia di approfondire l'avventura greca.

. Hai scoperto un aggettivo con un'ortografia particolare ma non deve essere un enorme problema perché lo avevi già incontrato più volte in quasi tutte le forme; andrai indietro e rivedrai tutto tranquillamente.

. Hai visto anche una sintesi sull'avverbio πολύ, anche esso incontrato già dall'inizio più di una volta.
- Hai capito che il superlativo può essere espresso anche in una sola parola con l'aiuto di un prefisso: ne hai visti tre, basta per il momento così.

29.2

1) Θα γυρίσουμε • 2) Θα σταματήσουμε • 3) βρούμε • 4) καλέσει • 5) θα τρέξουμε • 6) πάμε • 7) θα περάσουμε • 8) Θα φάμε • 9) θα συναντήσουμε • 10) Θα γνωρίσω • 11) θα μάθω • 12) προλαβαίνουμε • 13) δούμε • 14) θα έρθουμε

Traduzione del testo:
Gireremo molto l'isola. Ci fermeremo al villaggio per trovare la nonna. Se ci inviterà a mangiare un'altra volta, correremo per andare e ci divertiremo sicuramente insieme. Mangeremo di nuovo benissimo e incontreremo persone meravigliose. Conoscerò altri costumi e imparerò nuove parole ed espressioni. Se non riusciremo a vedere tutto, verremo di nuovo.

29.4

1) Ha comprato una macchina costosissima (πανάκριβος, -η, -ο da ακριβός, -ή, -ό, costoso). • αγοράζω, αγόρασα, θα/να αγοράσω

2) Hai visto il film "La Bella (letteralmente: bellissima / πεντάμορφος, -η, -ο da όμορφος, -η, -ο, bello) e la Bestia"? • βλέπω, είδα, θα/να δω

3) L'economia mondiale (παγκόσμιος, -α, -ο da ο κόσμος, mondo) soffre. • υποφέρω, υπέφερα, θα/να υποφέρω

4) Hanno passato il Capodanno soli soletti (ολομόναχος, -η, -ο da μόνος, -η, -ο, solo). • περνάω-ώ, πέρασα, θα/να περάσω

5) I biglietti erano molto economici (πάμφθηνος, -η, -ο da φθηνός/φτηνός, -ή, -ό, economico). • είμαι, ήμουν, θα/να είμαι

6) I panni sono usciti dalla lavatrice bianchissimi (ολόλευκος, -η, -ο da λευκός, -ή, -ό, bianco). • βγαίνω, βγήκα, θα/να βγω

7) Le ha regalato un orologio tutto nuovo (ολοκαίνουργος, -η, -ο da καινούρ(γ)ιος, -α, -ο, nuovo). • κάνω, έκανα, θα/να κάνω

8) Hanno cantato all'Eurofestival (Letteralmente: Festival europeo della canzone / πανευρωπαϊκός, -ή, -ό da η Ευρώπη, Europa). • τραγουδάω-ώ, τραγούδησα, θα/να τραγουδήσω

350

30° GIORNO / ΤΡΙΑΚΟΣΤΗ ΗΜΕΡΑ
ΕΠΑΝΑΛΗΨΙΣ ΜΗΤΗΡ ΠΑΣΗΣ ΜΑΘΗΣΕΩΣ
LA RIPETIZIONE È LA MADRE DI OGNI APPRENDIMENTO

30.1. Come capire il titolo ermetico del capitolo

Non volevo parlare di nuovo del titolo del capitolo ma presentare l'ultima illustrazione del manuale: non c'entra nel ripasso che stai per cominciare ma a me piace troppo questa foto mia, esattamente come le dracme: ma quanto erano belle!

Ermioni (o Hermione) Argolidas

30.2. Come ripassare momenti del passato prossimo (con esercizi)

21° capitolo

Scrivi il testo della cartolina al Presente facendo tutte le trasformazioni necessarie (rassicurati, sono solo i verbi da cambiare e non tutti) e iniziando come ti è proposto.

Η Πηνελόπη κι εγώ είμαστε κάθε μέρα (ogni giorno) στην παραλία της καρτ ποστάλ. Αμμουδιά, όπως σου αρέσει.

22° capitolo

Quanto mi è antipatica Rea che non risponde al povero Romolo! Altrettanto odiosa mi è l'altra Rea, la prima. Capisco la tua ira perché tuo marito divorava la vostra discendenza. Ma con tuo fratello, gigolette? Tante belle creature c'erano in giro: i monti (Mario sarebbe stato nato molto prima e avrebbe messo un po' di ordine nel vostro Caos), i Titani (che ti avrebbero offerto una crociera indimenticabile su vostro fratello Oceano), i Ciclopi (che avrebbero occhio solo per te), gli Ecatonchiri (e ti saresti sentita in ottime cento mani); sempre fratelli sono ma sarebbe stato meno grave.

Ecco, για να μάθει, così imparerà, ho mescolato le parole del messaggio automatico della sua segreteria telefonica. Rimettile in ordine.

Αυτήν τη στιγμή / αφήστε το μήνυμά σας / θα επικοινωνήσω εγώ / και / Καλέσατε / λείπω. / μαζί σας / μετά το χαρακτηριστικό ήχο / Παρακαλώ, / τη Ρέα. / το συντομότερο δυνατόν.

23° capitolo

Le bollette non erano state pagate da molto e la madre di
Stelio chiama sperando di avere buone notizie perché da
quando la strega Stefania ha sedotto e intrappolato il figlio
nelle sue reti, Stelio è infelice. Ma il figlio viziato dà una versione delle cose tutta sua. Metti i verbi fra parentesi
all'Aoristo. Σ è Stelio, M è la mamma.

Σ.   Μαμά, (1. βλέπω) … ότι (2. τηλεφωνώ) … σήμερα
     το πρωί.

M.   Ναι, Στέλιο μου, και δε σε (3. βρίσκω) … . Πού (4.
     είμαι) … ;

Σ.   (5. κάνω) … πολλά πράγματα.

M.   Μπράβο, παιδί μου! Τι (6. αγοράζω) … ;

Σ.   Δεν (7. αγοράζω) … τίποτα. (8. ξυπνάω) … νωρίς
     το πρωί και (9. φεύγω) … αμέσως, δεν (10. τρώω)
     … πρωινό.

M.   Γιατί, αγόρι μου;

Σ.   Η Στεφανία (11. είναι) … στο κρεβάτι ακόμα.

M.   Η άχρηστη!

Σ.   (12. ξεκινάω) … απ' την τράπεζα και (13. βγάζω)
     … λεφτά. Μετά (14. περνάω) … απ' τη ΔΕΗ, την
     ΕΥΔΑΠ και τον ΟΤΕ, και (15. πληρώνω) … όλους
     τους λογαριασμούς. Τέλος, (16. πηγαίνω) … στα
     ΕΛΤΑ.

M.   Κι η άλλη;

Σ.   Την (17. βρίσκω) … στο αστυνομικό τμήμα, (18.
     έχω) … κάτι δουλειές εκεί και (19. γυρίζω) …
     μαζί.

M.   Καμάρι μου, όλα τα (20. προλαβαίνω) … εσύ!

Capitolo 24

Siccome il capitolo intero è consapevolmente fuori tema
perché le situazioni siano meno nere, continuiamo sulla stes-

353

sa linea. Caccia all'intruso: trova la parola che non va d'accordo con le altre. E spero che tu non sia triscaidecafobo.

1) από, για, και, σε

2) το ασθενοφόρο, ο γιατρός, η νοσοκόμα, το σύννεφο

3) το άτομο, η νοσοκόμα, το σπίτι, ο τραυματίας

4) άφησαν, βγήκαν, δουλεύουν, έφτασαν

5) βγήκε, δυσκόλεψε, κάλυψε, μετέφεραν

6) το βενζινάδικο, ο δρόμος, το εργοστάσιο, το νοσοκομείο

7) η έκρηξη, το ηφαίστειο, η λάβα, ο ουρανοξύστης

8) ο καπνός, το νερό, το τηλέφωνο, το φως

9) κόσμος, μεγάλος, όροφος, ουρανός

10) το νησί, η πόλη, ο σεισμός, το χωριό

11) ξύπνησε, κόβουν, χάλασε, χτύπησε

12) η πυρκαγιά, ο πυροσβέστης, ο φόβος, η φωτιά

13) στην, στις, στο, στον

25° capitolo

Nel tuo quaderno fa' una tabella con tre colonne con i titoli: 1) tempo meteorologico, 2) tempo storico e 3) spazio. Poi, inserisci nelle apposite colonne le 38 parole della lista sotto riportata.

αίθριος, -α, -ο	μετά
αύριο	το νησί
η (ε)βδομάδα	νότιος, -α, -ο
βόρειος, -α, -ο	η ομίχλη
βραδινός, -ή, -ό	τα ορεινά
η βροχή	ο ουρανός
η ζέστη	πάλι
ο ήλιος	τα πεδινά
η ηλιοφάνεια	η πόλη
η (η)μέρα	πρωινός, -ή, -ό
ηπειρωτικός, -ή, -ό	σήμερα
η θερμοκρασία	το σύννεφο
ο καιρός	ο τόπος
η καλοκαιρία	τσουχτερός, -ή, -ό
η καταιγίδα	τώρα
το κρύο	η υγρασία
μεθαύριο	η χιονόπτωση
τα μεσάνυχτα	η χώρα
το μεσημέρι	η ώρα

26° capitolo

Ricordi il dialogo del capitolo? Fedra non sta tanto bene e va
dal medico con il fidanzato. Leggi il nuovo dialogo che segue
e trova le informazioni che non corrispondono alla situazione originale. I personaggi sono: (Γ.) il medico, (ΦΑ.) Fedra e
(ΦΙ.) Filippo.

ΦΑ   Καλημέρα, γιατρέ!
ΦΙ   Η γυναίκα μου νιώθει πολύ καλά.
Γ   Πού περνάτε, δεσποινίς;
ΦΑ   Στο στομάχι και την πλατεία.
ΦΙ   Είναι κάτι καθαρό;
Γ   Διαμονή, νεαρέ! Έχετε πυρκαγιά;
ΦΑ   Που και που ανεβαίνει η ομίχλη μου.

355

ΦΙ   Είναι βαριά;

Γ   Υποφέρετε από πονοκέφαλους;

ΦΑ   Αρκετά συχνά. Έχω ναύτες το πρωί, αλλά μετά
      μου παίρνει. Δυο-τρεις φορές λιποθύμησα. Είμαι
      πολύ παντρεμένη πάντως.

ΦΙ   Τι έπαθε;

Γ   Μήπως να γιορτάσετε ένα τεστ εγκυμοσύνης;

ΦΙ   Θα με κάνει παππού; Δεν είμαι καλά...

27° capitolo

Ricordi il dialogo nell'agenzia di viaggi? Bene, non lo riconoscerai adesso. Ho cambiato molte parole e devi scegliere i si-
nonimi giusti nella lista per sostituire tutto quello che è sot-
tolineato nel testo.

Απλό • αποσκευές • αργά • εξυπηρετήσω • έχει • καράβι
• κοστίζει • Με επιστροφή • Με το αεροπλάνο • μέσω
Θεσσαλονίκης • να πάμε με • οικονομική • Ποια
ημερομηνία • προσφορά • τις τιμές • Χαράματα • χωρίς •
Χωρίς ανταπόκριση

Y.   Πώς μπορώ να σας (1) βοηθήσω;

ΧΡΙ. Δύο εισιτήρια για Ηράκλειο, παρακαλώ.

Y.   (2) Αεροπορικώς;

ΧΡΙ. Να δούμε (3) πόσο κάνουν.

Y.   (4) Για ποιες ημέρες; (5) Μόνο πήγαινε ή μετ'
      επιστροφής;

ΧΡΙ. (6) Αλερετούρ. Από πρώτη μέχρι οκτώ.

Y.   Υπάρχει (7) έκπτωση στην πτήση (8) με
      ανταπόκριση στη Θεσσαλονίκη.

ΧΡΥ. (9) Απευθείας. Θα χάσουμε τη μισή μέρα.

ΧΡΙ. Η απευθείας πτήση πόσο (10) κάνει;

356

Y.   Η πιο (11) <u>φτηνή</u> τιμή είναι 80 ευρώ το άτομο
        στις 4.45 το πρωί, (12) <u>δίχως</u>...

XPY.   (13) <u>Πολύ νωρίς</u> είναι! Πιο (14) <u>μετά</u> δεν (15)
        <u>υπάρχει</u>;

Y.   100 ευρώ το άτομο στις 9 η ώρα, χωρίς (16)
        <u>βαλίτσες</u>.

XPI.   Πιο καλά (17) <u>να πάρουμε</u> το (18) <u>πλοίο</u>, αγάπη
        μου.

28° capitolo

Questa volta puoi rivedere il testo originale del capitolo. Associa gli elementi delle due liste per ottenere le frasi che riassumono il dialogo; i numeri da 1 a 10 seguono l'ordine del testo.

1) Αν το ταξίδι είναι νυχτερινό,

2) Αν πάρουν αυτοκίνητο,

3) Η Υψιπύλη και η Ψυχή

4) Το απογευματινό πλοίο

5) Η Υψιπύλη δε θέλει

6) Η Ψυχή θέλει

7) Το ταξίδι με το βραδινό πλοίο

8) Ζητούν από τον υπάλληλο

9) Η Υψιπύλη προτιμάει

10) Η Ψυχή

Α) δε θα έχουν κάποιο όχημα.
Β) θα διαρκέσει 9 ώρες.
Γ) θα δώσει την πιστωτική της κάρτα.
Δ) θα κάνει 16 ώρες.
Ε) να κλείσει με το πλοίο των 9.30.
Ζ) να πάρουν το πλοίο στις 6.15.
Η) να πληρώσει με μετρητά.
Θ) να φτάσουν πιο γρήγορα.
Ι) οι κοπέλες θέλουν να πάρουν καμπίνα.
Κ) τα εισιτήρια θα κοστίσουν πιο ακριβά.

29° capitolo

E siccome siamo quasi alla fine, facciamo un cruciverba come quello del quasi inizio. Sono tutte parole di questo capitolo. Le definizioni sono in italiano ma per i verbi ti preciso quale persona e quale tempo, per i nomi quale caso e quale numero, e per gli aggettivi quale genere, quale caso e quale numero.

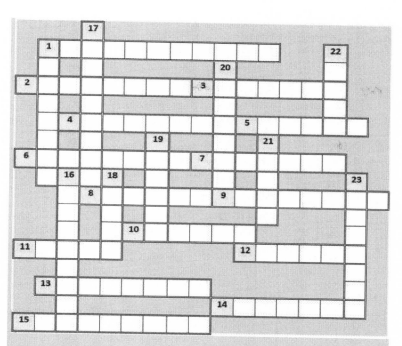

Οριζόντια

1. Nuovo (masc. nom. pl.)
2. Meraviglioso (n. nom. pl.)
3. Cibo (nom. sg.)
4. Uomo, persona (acc. sg.)
5. Altrove
6. Un quarto
7. Viaggio (nom. sg.)
8. Giardino (nom. pl.)
9. Conoscere (Aor. 3a sg.)
10. Casa (nom. sg.)
11. Fare (Pr. 1a sg.)
12. Villaggio (nom. sg.)
13. Venire (Pr. 1a sg.)
14. Tornare (Aor. 1a sg.)
15. Verdura (nom. pl.)

Κάθετα

1. Incontrare (Pr. 1a sg.)
16. Strano (n. nom. pl.)
17. Indimenticabile (n. nom. pl.)
18. Chiamare, invitare (Pr. 1a sg.)
19. Luogo (nom. sg.)
20. Frutto (nom. sg.)
21. Di nuovo
22. Solamente
23. Sicuramente

I segreti svelati in questo capitolo

Niente oggi. Non è l'ultimo giorno che si svelano i segreti; è già stato fatto man mano, perciò tutto deve essere ormai chiaro come il sole.

Ricapitolazione del giorno 21

φτάσαμε ➲ φτάνουμε

νοικιάσαμε ➲ νοικιάζουμε

αφήσαμε ➲ αφήνουμε

μπήκαμε ➲ μπαίνουμε

κολυμπήσαμε ➲ κολυμπάμε/κολυμπούμε

τα έφτυσε ➲ τα φτύνει

τα παράτησε ➲ τα παρατάει / τα παρατά

ξάπλωσε ➲ ξαπλώνει

είδα ➲ βλέπω

συνέχισα ➲ συνεχίζω

πάω ➲ πάω

λείπει ➲ λείπει

βρήκα ➲ βρίσκω

πήρε ➲ παίρνει

έκαψε ➲ καίει

έβαλε ➲ βάζει

Ricapitolazione del giorno 22

Καλέσατε / τη Ρέα. / Αυτήν τη στιγμή / λείπω. / Παρακαλώ, / αφήστε το μήνυμά σας / μετά το χαρακτηριστικό ήχο / και / θα επικοινωνήσω εγώ / μαζί σας / το συντομότερο δυνατόν.

Ricapitolazione del giorno 23

- Mamma, ho visto (1. είδα) che hai chiamato (2. τηλεφώνησες) stamattina.

- Sì, Stelio mio, e non ti ho trovato (3. βρήκα). Dove eri (4. ήσουν)?

- Ho fatto (5. Έκανα) molte cose.

- Bravo, bambino mio! Cosa hai comprato (6. αγόρασες)?

361

- Non ho comprato (7. αγόρασα) nulla. Mi sono svegliato (8. Ξύπνησα) presto la mattina e sono partito (9. έφυγα) subito, non ho fatto colazione (10. έφαγα).

- Perché, ragazzo mio?

- Stefania era (11. ήταν) ancora a letto.

- Quella buona a nulla (letteralmente: l'inutile)!

- Ho iniziato (12. Ξεκίνησα) dalla banca e ho ritirato (13. έβγαλα) soldi. Dopo sono passato (14. πέρασα) dalla DEI, dall'EYDAP e dall'OTE e ho pagato (15. πλήρωσα) tutte le bollette. Infine, sono stato (16. πήγα) alle Poste.

- E quell'altra?

- L'ho trovata (17. βρήκα) alla stazione di polizia, aveva (18. είχε) qualche impegno lì e siamo tornati (19. γυρίσαμε) insieme.

- Fierezza mia, ce l'hai fatta a fare (20. πρόλαβες) tutto!

Ricapitolazione del giorno 24

1) και (e, ed) non è una preposizione che regge l'accusativo ma una congiunzione

2) το σύννεφο (nuvola) non fa parte del lessico dell'ospedale

3) το σπίτι (casa) non è una persona

4) δουλεύουν (lavorano) non è un verbo alla 3a persona plurale dell'Aoristo

5) μετέφεραν (hanno trasportato) non è un verbo alla 3a persona singolare dell'Aoristo

6) ο δρόμος (strada) non è un edificio

7) ο ουρανοξύστης (grattacielo) non fa parte del lessico del vulcano

8) ο καπνός (il fumo) non fa parte delle utenze domestiche

9) μεγάλος (grande) non è un sostantivo maschile

10) ο σεισμός (terremoto) non è un luogo

11) κόβουν (tagliano) non è un verbo alla 3a persona singolare dell'Aoristo

12) ο φόβος (timore, paura) non fa parte del lessico del fuoco

13) στις non è al singolare

Ricapitolazione del giorno 25

Tempo meteorologico: αίθριος (sereno), βροχή (pioggia), ζέστη (il caldo), ήλιος (sole), ηλιοφάνεια (sole brillante), θερμοκρασία (temperatura), καιρός (il tempo meteorologico mentre il tempo storico è ο χρόνος), καλοκαιρία (bel tempo), καταιγίδα (temporale), κρύο (il freddo), ομίχλη (nebbia), ουρανός (cielo), σύννεφο (nuvola), τσουχτερός (pungente), υγρασία (umidità), χιονόπτωση (nevicata).

Tempo storico: αύριο (domani), βραδινός (serale), εβδομάδα (settimana), ημέρα (giorno), μεθαύριο (dopodomani), μεσάνυχτα (mezzanotte), μεσημέρι (mezzogiorno), μετά (dopo), πάλι (di nuovo), πρωινός (mattinale), σήμερα (oggi), τώρα (adesso), ώρα (ora).

Spazio: βόρειος (settentrionale, nord), ηπειρωτικός (continentale), νησί (isola), νότιος (meridionale, sud), τα ορεινά (le regioni montane), τα πεδινά (le pianure), πόλη (città), τόπος (luogo, zona), χώρα (paese come nazione).

Ricapitolazione del giorno 26

- Η γυναίκα μου (mia moglie) ➲ Η αρραβωνιαστικιά μου (la mia fidanzata)

- νιώθει πολύ καλά (sta molto bene) • νιώθω, ένιωσα, θα/να νιώσω) ➲ δε νιώθει πολύ καλά (non sta molto bene) oppure δε νιώθει και τόσο καλά (non sta tanto bene)

- περνάτε (passate • περνάω-ώ) ➲ πονάτε (avete male • πονάω-ώ)

- πλατεία (piazza, rotonda • η πλατεία) ➲ πλάτη (schiena • η πλάτη)

- καθαρό (pulito • καθαρός, -ή, -ο) ➲ σοβαρό (serio, grave • σοβαρός, -ή, -ό)

363

- Διαμονή (soggiorno • η διαμονή) ⊃ Υπομονή (pazienza • η υπομονή)

- πυρκαγιά (fuoco, incendio • η πυρκαγιά) ⊃ πυρετό (feb-bre • ο πυρετός)

- ομίχλη (nebbia • η ομίχλη) ⊃ θερμοκρασία (temperatura • η θερμοκρασία)

- ναύτες (marinai • ο ναύτης) ⊃ ναυτία (nausea • η ναυτία)

- παίρνει (prende • παίρνω) ⊃ περνάει (passa • περνάω-ώ) παντρεμένη (sposata • παντρεμένος, -η, -ο) ⊃ κουρασμένη (stanca • κουρασμένος, -η, -ο)

- να γιορτάσετε (se festeggiaste • γιορτάζω, γιόρτασα, θα/να γιορτάσω) ⊃ να αγοράσετε (se compraste • αγοράζω, αγόρασα, θα/να αγοράσω)

- παππού (nonno • ο παππούς) ⊃ πατέρα (padre • ο πατέρας) μπαμπά (papà • ο μπαμπάς)

Ricapitolazione del giorno 27

1) εξυπηρετήσω (εξυπηρετώ, essere utile • εξυπηρέτησα, θα/να εξυπηρετήσω) = βοηθήσω (βοηθάω-ώ, aiutare • βοήθησα, θα/να βοηθήσω)

2) με το αεροπλάνο (con l'aereo) = αεροπορικώς (per via aerea)

3) τις τιμές (η τιμή, prezzo) = πόσο κάνουν (quanto costa-no)

4) ποια ημερομηνία (quale data) = για ποιες ημέρες (per quali giorni)

5) απλό (απλός, -ή, -ό, semplice, (biglietto) solo andata) = μόνο πήγαινε (solo andare)

6) με επιστροφή (con ritorno • η επιστροφή, il ritorno) = αλερετούρ (*aller-retour*)

7) προσφορά (η προσφορά, offerta) = έκπτωση (η έκπτωση, sconto)

8) μέσω Θεσσαλονίκης (con scalo a Salonicco, letteralmen-te: attraverso) = με ανταπόκριση στη Θεσσαλονίκη

9) χωρίς ανταπόκριση (senza scalo) = απευθείας (diretto)

10) κοστίζει (κοστίζω, costare • κόστισα, θα/να κοστίσω) = κάνει (κάνω, fare • έκανα, θα/να κάνω)

11) οικονομική (οικονομικός, -ή, -ό, economico) = φτηνή (φτηνός, -ή, -ό, economico)

12) χωρίς (senza) = δίχως (senza)

13) χαράματα (το χάραμα, alba) = πολύ νωρίς (troppo presto)

14) αργά (tardi) = μετά (dopo)

15) έχει (έχω, avere • είχα, θα/να έχω) = υπάρχει (υπάρχω, esistere • υπήρξα, θα/να υπάρξω)

16) αποσκευές (η αποσκευή, bagaglio) = βαλίτσες (η βαλίτσα, valigia)

17) να πάμε με (andare con • πηγαίνω/πάω, πήγα, θα/να πάω) = να πάρουμε (παίρνω, prendere • πήρα, θα/να πάρω)

18) καράβι (το καράβι, nave) = πλοίο (το πλοίο, nave)

Ricapitolazione del giorno 28

1-I: Se il viaggio è notturno, le ragazze vogliono prendere una cabina.

2-K: Se prenderanno la macchina, i biglietti costeranno di più.

3-A: Ipsipile e Psiche non avranno un veicolo.

4-Δ: La nave pomeridiana impiegherà 16 ore.

5-Z: Ipsipile non vuole che prendano la nave alle 6.15.

6-Θ: Psiche vuole che arrivino più velocemente.

7-B: Il viaggio con la nave notturna durerà 9 ore.

8-E: Chiedono all'impiegato di prenotare con la nave delle 9.30.

9-H: Ipsipile preferisce di pagare in contanti.

10-Γ: Psiche darà la sua carta di credito.

Ricapitolazione del giorno 29

Orizzontali
1. Καινούριοι
2. Υπέροχα
3. Φαγητό
4. Άνθρωπο
5. Αλλού
6. Τέταρτο
7. Ταξίδι
8. Κήποι
9. Γνώρισε
10. Σπίτι
11. Κάνω
12. Χωριό
13. Έρχομαι
14. Γύρισα
15. Λαχανικά

Verticali
1. Συναντώ
16. Παράξενα
17. Αξέχαστα
18. Καλώ
19. Τόπος
20. Φρούτο
21. Ξανά
22. Μόνο
23. Σίγουρα

PSEUDO-CONCLUSIONE O BIBLIOGRAFIA COMMENTATA O BREVE AUTOBIOGRAFIA DI RINGRAZIAMENTO

Nella prima frase della premessa avevo scritto che non conoscevo le ragioni per cui hai voluto imparare il greco moderno. Tutta la verità è che non conosco neppure te, perciò ho provato a non usare, nei limiti del possibile, un genere preciso durante tutte queste pagine. Non so se ci sono riuscito, non mi ricordo: in ogni caso, se da qualche parte un participio non corrisponde a te, era al maschile solo per alleggerire il testo. Avrei tanto voluto conoscerti perché se stai leggendo queste righe, significa che sono riuscito ad interessarti, a coinvolgerti, a metterti a tuo agio e spero che tu abbia imparato qualcosa. A meno che tu non sia come me che inizio a sfogliare una rivista o a leggere un libro sempre dalle ultime pagine. Allora, vorrei ringraziare prima di tutto te per tutti gli sforzi e soprattutto i progressi che hai compiuto per arrivare fino a qui. Mi auguro di averti dato la spinta e la voglia di approfondire l'apprendimento del greco moderno.

Adesso che è il momento delle verità, ti devo dire che il greco moderno è la lingua che ho insegnato di meno nella mia carriera finora. Non ho fatto studi universitari in greco moderno e ho visto pochissimi altri manuali di greco moderno perché non mi ritrovo in essi (in genere, per tutte le lingue che insegno), perciò preferisco creare il mio proprio materiale per ogni lezione; prima di mettermi a scrivere, avevo l'intenzione di comprarli tutti per vedere come presentano loro le cose ma ho subito cambiato idea perché volevo che questo manuale fosse il frutto unicamente del mio cervello. Mi sono appoggiato (più o meno) sulle situazioni di comunicazione e i fenomeni grammaticali proposti per il livello principiante, sulla Νεοελληνική γραμματική της δημοτικής, Ἵδρυμα Μανόλη Τριανταφυλλίδη, Θεσσαλονίκη, 2002, prima edizione 1941 (che molti giudicano come troppo tradizionale ma ha visto crescere più generazioni e fa parte della bibliografia di riferimento dell'Ufficio delle pubblicazioni dell'Unione Europea, quindi non capisco perché si debba annullare qualcosa che ha dimostrato e continua a dimostrare la sua autorevolezza) e ho aggiunto il mio tocco personale, cioè ho messo in pratica quello che ho vissuto durante vent'anni di carriera e per essere più preciso, quello che mi hanno offerto i miei studenti (soprattutto nelle lezioni di francese, latino e greco antico), senza di cui sarei stato totalmente incapace di scrivere qualsiasi cosa. Allora, un secondo ringraziamento è indirizzato ai miei studenti. Avrei tanto voluto riferirmi separatamente ad ognuno di loro ma l'elenco sarebbe stato troppo lungo; si riconosceranno.

Personalmente mi sono davvero divertito. HOW2 Edizioni mi ha dato la possibilità di presentare il contenuto del manuale in modo divertente, sempre nei limiti del possibile e del ragionevole, esattamente come faccio nelle mie lezioni. Forse il metodo ti è sembrato abbastanza strano, con un filo conduttore più o meno continuo ma con personaggi che cambiano ogni giorno. Era certo un modo per presentarti ogni volta due nuovi nomi italiani con la loro etimologia greca ma era anche, adesso che ci penso, una specie di *Cantatrice calva* e la sua ispirazione allo stesso tempo: per scrivere la sua pièce, Ionesco si ispirò da un metodo di apprendimento della lingua inglese e, mettendo frasi banali l'una dopo l'altra, riuscì a creare il suo insormontabile capolavoro dell'assurdo. Secondo me, è la migliore opera teatrale del XX secolo, la seconda di tutta la storia del teatro dopo *Edipo Re* di Sofocle; quest'ultima non può essere superata, non solo perché lo dice Aristotele nella sua *Poetica* ma anche perché è il primo testo che mi ha fatto adorare la mia lingua, per merito della mia professoressa all'ultimo anno del liceo; era lei che mi ha fatto scoprire il latino e appassionarmi di questa lingua (antica, non morta), quindi l'ultimo anno della mia scolarità è forse stato quello più arricchente. Allora, un terzo ringraziamento va alla professoressa Σταυροπούλου e un quarto ad HOW2 Edizioni, che mi ha permesso di realizzare questa opera.

Prima di iniziare a scrivere cinque mesi fa, avevo chiesto quale dovrebbe essere la proporzione del testo divertente e di quello della vera lezione perché non ero disposto a sacrificare le conoscenze all'altare del divertimento. Quando ho cominciato però, è naturalmente uscito il mio solito metodo accompagnato da una vena comica paragonabile a quella delle mie lezioni in presenza. A un certo punto mi sono accorto che il mio stile si avvicinava di quello di Jean-Louis Fournier nella sua *Grammaire française et impertinente*, Parigi, Payot, 1992, grammatica che mi ha fatto conoscere nel lontano 1996 la mia migliore professoressa di francese (con cui ero innamorato all'epoca, perciò ho voluto fare tutto come lei e sono partito in Francia nella stessa sua università a fare gli stessi studi come lei...). Se ho fatto qualche errore, scusami: è la prima volta che ho scritto tante pagine in italiano (non l'avevo fatto né in francese in cui il mio scritto è molto più scorrevole nemmeno in greco) e in ogni caso, così avrai davvero avuto l'impressione di fare strada con un madrelingua e il suo accento greco. Allora, un quarto ringraziamento va fatto alla professoressa Voyatzi e un quinto alla signora Baglivo delle edizioni HOW2, gentilissima, professionalissima, molto paziente e sempre disponibile, che mi ha accompagnato sin dall'inizio e mi ha dato molta forza nei momenti di stanchezza, di perplessità, di dubbi, di angoscia e di disperazione.

Inoltre, vorrei ringraziare tre amiche in Grecia. Prima di tutto, Μάρθα che era la mia prima insegnante di italiano quando avevamo ancora sui 18 anni e lei aveva cominciato ad impararlo da poco; senza di lei non avrei mai avuto l'occasione di scoprire la lingua italiana ad un livello amicale, non aver paura di fare errori e ottenere le basi per riuscire a scrivere ormai un libro intero. Poi, Πένυ che mi ha dato all'inizio di quest'avventura consigli per rendere questo manuale più bello; lei mi aveva anche fatto due bellissime copertine per le mie tesine, è un'artista. E infine, Μαρία che mi ha sopportato in questo periodo di scrittura senza sempre rispondere alle mie domande e ai miei dubbi ma era sempre lì per incoraggiarmi ma non credo che si sia accorta dell'aiuto fornitomi.

Per finire, devo ammettere che certi testi erano poco spontanei in una lingua un po' artificiale con una marea di parole e situazioni poco naturali, però è così un manuale con materiale non autentico ma preparato per scopi didattici. Penso, per esempio, al capitolo con i disastri naturali: mesi fa avevo visto in un altro manuale un capitolo del genere con una ventina di pagine piene di incidenti, feriti, morti, una depressione totale, la punizione di Tantalo, le piaghe d'Egitto e le torture di Gesù insieme e da non finire. Secondo me, la vita non può essere solo amara: le situazioni di tutti i giorni ci danno tanti pensieri e preoccupazioni, perciò in ogni occasione è importante fuggire dalla realtà con un grande sorriso. Infatti, il motto di Michel, a cui è dedicato il presente libro, era "Il faut rigoler !" (Bisogna scherzare!). Non so se faceva riferimento alla canzone omonima di Henri Salvador, scritta da Boris Vian (autore di un altro dei miei libri preferiti, *La Schiuma dei giorni*), oppure alla battuta del personaggio di press agent del comico Elie Kakou (comunque penso che sia questo). Non ho potuto approfittare abbastanza degli insegnamenti di Michel, non ho avuto il tempo peraltro e ero ancora ignaro, ma dopo, nella tristezza della perdita, ho cominciato a capire e a cambiare. Allora, l'ultimo ringraziamento ma il primo per importanza lo faccio a Michel.

Ecco, tutto si fa a rovescio fino alla fine. I ringraziamenti e la dedica devono essere all'inizio e io volevo finire così.

CREDITI FOTOGRAFICI

G1: (foto) IK; (foto) IK; (affresco) dominio pubblico
G2: (bandiera) dominio pubblico
G3: (cartello) dominio pubblico; (ferrovia) PxHere, dominio pubblico
G4: (mappa) Pixabay, utente Peggy_Marco
G5: (albero) Pixabay, utente Sim33; (komboloi) Μουσείο κομπολογιού, Ναύπλιο, komboloi.gr
G6: (francobollo) Γρηγόρης Φασούλης, stamps-gr.blogspot.com; (biglietteria) Welcome Pickups, WELCOME TRAVEL TECHNOLOGIES HOLDINGS LTD, welcomepickups.com; (autobus) Ο.ΣΥ. Οδικές Συγκοινωνίες Α. Ε., osy.gr
G8: (ristorante) Piqsels, dominio pubblico
G9: (foto) IK; (pomodori) Pixabay, utente Foto-OS
G10: (quadro) dominio pubblico
G11: (foto) Ευθυμία Μαρουδίτση
G12: (mosaico) dominio pubblico; (finestra) dominio pubblico; (logo) The Oxford Academy, Westbrook, Connecticut, United States, oxfordacademy.net; (logo) SAHETI School, Senderwood, Johannesburg, South Africa, saheti.co.za
G13: (tempio) IK; (camera) Πορτιανή, Αδάμαντας, Μήλος, hotelportiani.gr
G14: (affresco) dominio pubblico; (telefono) Piqsels, dominio pubblico; (punto interrogativo) Piqsels, dominio pubblico;
G15: (foto) IK; (logo) dominio pubblico; (foto) Stefano Tirone
G16: (sito) Pixabay, utente FiveFlowersForFamilyFirst; (casa) Vecteezy, utente Pratya Vuttapanit, it.vecteezy.com/vector-art/1395567
G17: (foto) IK; (schermata) Casa Surace s.r.l., casasurace.com
G18: (foto) IK; (schermata) Εύα Μονοχάρη, funkycook.gr; (foto) IK
G19: (cellulare) Piqsels, dominio pubblico; (foto) Μαρία Μοτσάκου
G20: (meandro) Pixabay, utente OpenClipart-Vectors
G21: (foto) IK; (cuoricini) Pixabay, utente No-longer-here
G22: (telefono) PxHere, dominio pubblico; (quadro) dominio pubblico; (quadro) dominio pubblico
G23: (post-it) Pixabay, utente globenwein; (strada) Piqsels, dominio pubblico; (ragazza) Pixabay, utente Fotorech; (scarpe) Pixabay, utente nemo88; (logo) dominio pubblico; (foto) IK
G24: (televisore) PxHere, dominio pubblico; (foto) Andrea Germano; (foto) Μαρία Μοτσάκου; (arcobaleno) Pixabay, utente purwakawebid
G25: (schermata) Ελληνική Ραδιοφωνία Τηλεόραση Α. Ε., ert.gr; (mappa) Wikimedia Commons, dominio pubblico; (libri) Piqsels, domi-

nio pubblico; (sposa) Pixnio, utente Marko Milivojevic; (incinta) Piqsels, dominio pubblico; (bambino) Pixabay, utente cartersbebemom; (agenda) PxHere, utente Dorothe

G26: (logo) Pixabay, utente OpenClipart-Vectors; (bambino) Pixabay, utente adiretoriaeventos

G27: (foto) Ευθυμία Μαρουδίτση

G28: (foto) IK

G29: (giornale intimo) Pixabay, utente markusspiske; (foto) IK

G30: (foto) IK

Made in the USA
Middletown, DE
20 July 2023